合格の
れっく
LEC

教職教養

教員採用試験

れっく
LEC東京リーガルマインド 著

'26
年版

成美堂出版

教職教養
出題傾向と対策

●過去問分析でムダのない効率学習を目指そう

　ここでいう**出題機会とは、独自の教職教養試験を実施する55自治体が、過去5年間にそれぞれの項目（内容）について何回出題したかという頻度**をいいます。各項目の出題機会の算出方法は、「出題機会＝出題回数÷（55自治体×5年間）×100」。その結果が次ページ以降の表です。

●出題機会20％以上に要注意

　「過去の問題による出題傾向分析」という観点から考えた場合には、**出題機会が20％を超えたものを要注意**と考えてよいでしょう。しかし、注意をしなければならないのは、これまでの過去5年間、あなたが受験しようとする自治体ではもちろん、どの自治体でも一度も出題していなかった項目（内容）——つまり、出題機会が0％であったものが、その受験年にかぎって2題も3題も出題されることがないとはいえない点です。そのため、毎年、どこかの自治体で必ず出題されている項目（内容）については、あなたが受験する自治体でその受験年に出題されるかもしれない、という姿勢で学習しておくことが必要になります。ましてや、40％、50％の出題機会になると、もはや、絶対に出題される、というくらいの覚悟で学習しておいても無駄にはならないでしょう。なお、**本書では、現役の講師がこのデータを分析し、それに出題予想を吟味して、各項目の頻出度を作成**していますので、より効率的な学習ができます。

●自治体独自の傾向をふまえた学習が大切

　なお、以上の記事は全国的にみた傾向をふまえたものであり、**自治体ごとの出題傾向がある**ことはいうまでもありません。教職教養試験は、教育原理（教育時事を含む）・教育心理・教育法規・教育史からなり、近年、教授（学習）理論や教育時事に関しての教育原理と、特に教育法規の出題比率が増えています。しかし、すべての自治体に共通してその傾向が見られるわけではありません。教育原理については極めて軽い扱いしかしていなくても、教育心理については一転して例年多くの出題をしている、という自治体もみられます。そのため、**自治体独自の傾向をふまえた学習が必要**となります。

【出題機会表】2020(令和2)年度～2024(令和6)年度試験

原則として主要な項目を掲載。20%以上は重要、40%以上は必須。

項　目			主　な　内　容	出題機会(%)
	教育の機能・意義		教化・訓育・陶冶	0.4
	教　育　課　程		教育課程の意義・概念・変遷・類型・編成と基準	7.3
	学習指導要領	歴　　　史	史的変遷・各年度版の特徴・新旧の比較	9.1
教育原理		前文・総則	教育課程編成の一般方針、内容等の取扱いに関する共通的事項、授業時数等の取扱い、など	60.4
		道　徳　教　育	総則	9.1
			目標	1.8
			内容・指導計画の作成と内容の取扱い	5.5
			指導・評価・評定・指導法	1.8
			その他	1.8
		外　国　語　活　動	目標・内容・指導計画の作成と内容の取扱い	15
		総合的な学習の時間	目標・内容・各学校において定める目標及び内容	12.4
		特　別　活　動	目標・内容・各活動・指導計画の作成と内容の取扱い	20.0
	学習指導	理　　　　論	プログラム学習・発見学習・問題解決学習、など	20.4
		形　態　・　方　法	一斉学習・グループ学習・個別学習、TT・習熟度別・バズ学習・水道方式・教育機器、など	9.1
	生徒指導	原　　　　理	意義・留意点、『生徒指導提要』	46.9
		領　域　・　方　法	学習指導・進路指導・個別指導、など	13.8
		教　育　相　談	意義・位置づけ・方法、など	12.4
		具体事例 いじめ	指導法・統計	12.0
		具体事例 不登校	指導法・統計	11.6
		具体事例 その他	暴力行為・非行・問題行動、など	2.2
		そ　の　他	生徒指導に関する事項	13.1
	同和人権教育	答申・関連法規	同対審答申・人権擁護施策推進法、など	16.7
		歴　　　史	法制史、解放・改革運動史、事件、など	3.3
		そ　の　他	各都道府県の人権施策方針、など	25.1
	特別支援教育	意　義　・　目　的	学校教育法第72条、など	4.7
		障害の定義・指導法	視覚聴覚障害・自閉症・LD・ADHD、など	8.4
		教　育　機　関	特別支援学校・特別支援学級	8.4
		教　育　課　程	基準(「総則」「自立活動」・特別の教育課程、など)	24.4
		指　導　形　態	統合教育・交流教育・訪問指導・通級指導	8.7
		関　連　法　規	障害者基本法、発達障害者支援法、など	23.3
		関　連　施　策	「障害者権利条約」「障害者基本計画」、など	33.8
		そ　の　他	関連用語、など	12.4
	社　会　教　育		定義・施設(公民館・図書館・博物館、など)・関連法規	2.2

	教育心理論	心理学史・教育心理学史、その他	4.4
心理療法	カウンセリング	非指示的、カウンセリング・マインド、ラポール、など	10.2
	心理療法	精神分析療法・遊戯療法・箱庭療法	1.1
		行動療法	2.5
		その他(心理劇・森田療法・自律訓練法)	5.1
発達	原理・遺伝と環境	発達の連続性・個人差・型、遺伝説・環境説	3.6
	ピアジェの学説	4段階の認知発達	13.1
	フロイトの学説	リビドー	4.7
	エリクソンの学説	8段階の心理・社会的危機、自我同一性	12.7
	その他の説	コールバーグの発達段階・ハヴィガーストの発達課題	20.4
	発達段階の特徴	乳児期・幼児期・児童期・青年期、など	4.0
	その他	———————	8.4
人格	人格の理論	類型論・特性論・構造論	6.5
	人格検査	質問紙法(Y-G性格検査・MMPI)	3.6
		投影法(ロールシャッハ・SCT・TAT・P-Fスタディ)	7.3
		作業検査法(内田・クレペリン精神作業検査)	3.3
		描画法(バウムテスト、HTP)	2.2
		その他(テスト・バッテリー・評定尺度法)	0.7
欲求と適応	欲求	マズローの欲求階層構造・自己実現欲求、コンフリクト、フラストレーション、アンビバレンス	10.5
	適応	適応規制	8.4
	心理障害	緘黙・チック・PTSD、など	1.1
知能	知能と知能検査	ビネー式・精神年齢・知能指数・計算式、など	5.1
教育評価	分類	絶対・相対・個人内・到達度・ポートフォリオ	9.5
		ブルームの分類(診断的・形成的・総括的)	6.2
	評価の阻害要素	ピグマリオン効果・ハロー効果	12.0
	その他	———————	5.1
学級集団	集団の形成	学級集団の意義・特徴・機能、形成過程	0.4
	集団の測定	ソシオメトリック・テスト、ゲス・フー・テスト	3.3
	リーダーシップ	リーダーシップの類型、PM理論、など	1.8
学習	学習理論	連合説(古典的条件付け・オペラント条件付け)	18.5
		認知説(洞察説・場の理論・モデリング理論)	6.5
	学習効果	忘却曲線・レミニッセンス	4.7
		学習曲線(プラトー)	2.5
		レディネス	1.8
		動機づけ・達成動機・学習意欲・学習性無力感	5.1
		学習の転移	0.7
	その他	———————	18.2
その他		ブーメラン効果、など	3.6

左端に「教育心理」と縦書きで記載

		項目	内容	
教育法規	基本理念関連法規	憲法	教育を受ける権利(憲法26②)(同14)	20.0
			その他	26.9
		教育基本法	前文・1～17条	72.4
	行政	教育委員会	大綱、総合教育会議	2.9
			組織(教育長・事務局、など)	3.3
			その他(職務権限・研修服務の監督、など)	5.1
	教員関連法規	教員の定義と資格	教特法2①～③・⑤・免許法2、3・標準法2③・学教法9・同施規20-23	1.5
		公務員の性格	地公法30条、教基本法9条②、憲法15②	20.7
		服務	地公法31～38・教特法17・18・地教行法43②・教基本法9	48.0
		処分	分限・懲戒	5.1
		勤務	勤務時間・条件・その他	3.3
		教育職員性暴力等防止法	———	10.5
		職員の任用	任命権者・条件附採用、など	4.4
		研修 研修	地公法39・教特法21・22・22の2～5・24・25・25の2、3	33.1
		研修 初任者・10年	教特法23・地教行法45①	9.1
		職員の職務と配置	教職員の職務・配置・校務分掌・職員会議	14.5
		校長の職務と権限	身分、教職員の管理	0.7
		教員免許状	種類・授与・効力、など	9.5
	学校教育関連法規 管理運営関連法規	学校の範囲	学校の範囲(学教法1)・設置者(教基法6①、他)	7.3
		目的・目標	教基法6②・学教法21・幼小中高、など	12.0
		学校評価	学教法42・43・学教法施行規則66～68	5.8
		施設・設備	学教法施規1、その他	7.3
		学級の編成	学級数・児童生徒数・編成(学教法施規41・設置基準)	0.4
		教育活動の日程	学年学期・休業日・臨時休業・授業の終始	5.5
		保健・安全・給食	学校保健の目的	24.4
			学校安全・環境衛生	15.6
			感染症の予防上の出席停止・臨時休業	19.6
			健康診断(就学時・定期・臨時)・感染症予防	5.5
			その他	3.3
		教科書	使用義務・副教材・採択・無償供与	7.3
		著作権	著作権法33・35	2.5
		その他	学校評議員、学校運営協議会など	17.1
	児童生徒関連法規	就学	義務・猶予免除・就学援助	11.1
			学齢簿・課程の修了・卒業の認定	1.8
		懲戒と体罰	児童生徒等の懲戒(学教法11)	16.7
			懲戒〈退学・停学・訓告〉(学教法施規26)	7.6
			性行不良による出席停止(学教法35)	5.8

教育法規	児童生徒関連法規	指導要録・学校表簿・出席簿の作成	指導要録の作成・学校表簿の保存期間、など	11.3
		指導と保護	少年法・児童福祉法・児童虐待防止法、など	26.5
	その他	こども基本法	―	5.1
		条約など	子どもの権利条約・世界人権宣言、など	10.9
		いじめ防止対策推進法	―	38.6
		教育機会確保法	―	6.9
		その他	個人情報保護法、食育基本法、など	12.7
教育史	日本教育史	古代・中世	聖徳太子・大学寮・別曾・金沢文庫・足利学校	1.8
		近世	私塾・家塾・思想家	12.0
		明治	法制史（学制・教育令・学校令、など）	10.9
			教育思想家・実践家	13.8
		大正	新教育運動・八大教育主張、など	9.1
		昭和戦前期	法制史・教育思想家・実践家	4.0
		昭和戦後期	占領下の教育改革・その後の教育改革、など	7.3
	西洋教育史	古代・中世・近世	ソクラテス・人文主義・宗教改革・コメニウス	11.6
		啓蒙主義	ルソー	9.1
			ペスタロッチ	10.9
			ロック	4.4
			その他（コンドルセ、カント、オーウェン）	1.5
		児童中心主義	フレーベル	6.5
			エレン・ケイ、モンテッソーリ	4.4
		ヘルバルト学派	4段階教授説、ライン、ツィラー	8.4
		新教育運動（米）	デューイ、キルパトリック、パーカースト	20.4
		新教育運動（独）	ケルシェンシュタイナー、ナトルプ、シュプランガー、など	9.5
		現代の教育思想家	ブルーナー、ラングラン、イリイチ	9.5
		各国の教育制度・教育改革	特に第2次世界大戦後の教育改革（英：バトラー法・ベイカー法、仏：ベルトワン改革・アビ改革、など）	0.4
		その他	―	8.0

科目ごとの出題傾向と対策 ≫≫≫ ≫≫≫

教育原理

◎学習指導要領の理解は必須

　最も重要視される科目といえます。それは、教育原理が**各分野に横断的に影響を及ぼす科目**であり、**教育に関する根本的な内容が出題される**から、という理由によります。出題頻度として最も高いのは**学習指導要領関連**で、「**学習指導要領、特に『総則』を理解・暗記せずして教採に受かろうと思うな**」とまで言われるほどです。ほとんどの自治体の筆記試験あるいは面接試験で学習指導要領（特に新旧学習指導要領の違い）が問われることに備えなければなりません。さらには史的変遷（各年度版の特徴）なども、確実におさえておく必要があります。「総則」を中心に、**小学校は全科、中・高は受験の教科の部分を覚え込むくらいにしておくことが重要**です。また、義務教育学校や中等教育学校の例を見れば当然ですが、**異なる校種の学習指導要領も読み込み、知識の幅を広げておきましょう。**

　これに加えて、**教授・学習理論、生徒指導関連**（問題行動の統計とその具体的な対処法なども含む）、**特別支援教育関連**（LD などの障害の定義・指導法を含む）、などが頻出事項となっていますが、忘れてはならないのが、**教育時事関連問題の出題の多さ**です。ローカル時事を含めると相当の出題量となる自治体も多いので、重要答申などについては必ず本文に当たって要点をおさえておきましょう。

教育心理

◎発達・学習・人格の分野をおさえること

　ここ数年、**発達・学習・性格と適応が 3 大頻出分野**であることに変化はありません。これに**カウンセリング（心理療法）・教育評価**を加えれば、頻出事項に対する対応はできたことになります。特に理論とその提唱者との組み合わせは確実にしておきましょう。

　発達に関しては、**発達段階説、特にピアジェの段階説は絶対に外すことはできません**し、**エリクソン**のそれも重要です。各発達段階について、ほかの発達段階説（フロイトやコールバーグなど）との対比の中でピアジェやエリクソンのものを選ばせるというような問題も頻出です。学習に関しては**連合説と認知説の主な学説（特に連合説）、性格と適応では性格検査と昇華や投影などの適応機制、それとハロー効果やピグマリオン効果などの評価の阻害要素**、非指示的カウンセリングの意義や流れ、などの知識を確実におさえておきたいものです。

教育法規

◎教育に関する法改正や新制度は必ずチェックしておくこと

　近年、**ますます大きなウエートを占める**ようになり、教職教養問題の6割以上を占める自治体もあります。ただし、**出題分野は「3大頻出事項（懲戒・研修・服務）＋憲法（特に第14・26条）・教基法**」という構図があるので、まずはここをおさえることが大切です。条文そのものは、**憲法第26条、教基法第1・4・5条（その他は第何条には何がどのように規定されているかが言えるように）、学校教育法第1・11・35条、同施行規則第26条、が要暗記**です。細かな条文を覚えるよりも、教育原理と関連づけたりしながら（たとえば教育課程とその編成基準・編成主体）大きな枠組みをおさえるようにしましょう。

　上記のような出題箇所は、**根本的な内容においては変わらない**ものです（細かい部分は変わる可能性があります）。教員志望者として、**当然に理解して覚えていることが期待**され、骨肉としていなければならない学習項目です。**筆記試験・面接試験ともに問われたら必ずよどみなく答えることができるように、徹底した学習が必要**になります。

　一方で、教育法規は変わるものも出題対象とし、**教育時事の影響を多分に受けます**。たとえば、**地方教育行政法の改正**によって**教育委員会のしくみ**が変わったり、**いじめ防止対策推進法が制定されていじめの定義**が変わったりすれば、当然それは「**受験生に聞いてみたいポイント**」になります。こうした**世の中の動きをしっかりフォロー**して、常に**社会が要求する教員像を摂取し、学び続ける教員**であることもまた、教員採用試験は求めています。変わらないもの（不易）と変わるもの（流行）、松尾芭蕉の「**不易流行**」という言葉は、教育法規の学習にもあてはまりそうです。

教 育 史

◎人名と理論（主張）・主著をリンクさせることがポイント

　出題頻度は低く、難易度も高くはないのですが、決していい加減な対策では対応できず、正確な知識を要する問題が多いことが特徴です。特に、**教育思想家・実践家とその主張・主著との組み合わせ**は、西洋2：日本1程度の比率でよく出題されます。**西洋はコメニウス、啓蒙思想家（ルソー・ペスタロッチ）、ヘルバルト、進歩主義教育**など、**日本は江戸の教育制度、「学制」**など明治期の**法制史、各時期の教育改革**、などを中心に学習しておきましょう。

最初におさえる**時事のツボ**

最新の教育時事や改正法規等をまとめました。本書で学習する際に、合わせてしっかりチェックしてください。

時事のツボ 1 **教育振興基本計画** 関連ページ⇒P.90〜91
生涯にわたる一人一人の「可能性」と「チャンス」を最大化

◎今後の教育政策に関する基本的な方針

方針1：**夢と志を持ち、可能性に挑戦するために必要となる力**を育成する

方針2：**社会の持続的な発展を牽引**するための多様な力を育成する

方針3：**生涯学び、活躍できる環境**を整える

方針4：**誰もが社会の担い手**となるための学びのセーフティネットを構築する

方針5：教育政策推進のための基盤を整備する

時事のツボ 2 **「令和の日本型学校教育」の構築を目指して** 関連ページ⇒P.94〜95
全ての子供たちの可能性を引き出す、個別最適な学びと、協働的な学びの実現

◎**学校教育の質と多様性、包摂性を高め、教育の機会均等**を実現する

◎連携・分担による**学校マネジメント**を実現する

◎これまでの実践と**ICTとの最適な組み合わせ**を実現する

◎**履修主義・修得主義**等を適切に組み合わせる

◎感染症や災害の発生等を乗り越えて**学びを保障**する

◎社会構造の変化の中で、**持続的で魅力**ある学校教育を実現する

時事のツボ 3 **いじめと不登校の状況** 関連ページ⇒P.56〜61
不登校が急増し過去最多に、いじめの件数も過去最高

◎**新型コロナウイルス感染症の拡大以降、不登校が急増**し、2022（令和4）年には、小・中学校における不登校児童生徒数が29万9048人と前年度から22.1％増え、**過去最多**となった。

◎2022（令和4）年度に全国の小中高校と特別支援学校で認知された**いじめの件数**が、前年度から1割増の68万1948件にのぼり、**過去最多**となった。

時事のツボ4　教育の情報化

関連ページ⇒P.39

「教育の情報化に関する手引」（令和元(2019)年12月）、「教育の情報化に関する手引―追補版―」（令和2(2020)年6月）

◎**新学習指導要領**では、**初めて**「**情報活用能力**」を**学習の基盤**となる**資質・能力と位置づけ**、教科等横断的にその育成を図るとともに、その**育成のために必要な ICT 環境**を整え、それらを適切に活用した**学習活動の充実**を図ることとしている。

◎**情報活用能力**の育成、**プログラミング教育**の推進、**教科等の指導**における **ICT** の活用、校務の**情報化**の推進、さらに**教師の ICT 活用指導力**の向上、学校における **ICT 環境整備**等、**教育の情報化に関わる内容の一層の充実**が図られた。

時事のツボ5　部活動改革

関連ページ⇒P.41

「学校部活動及び新たな地域クラブ活動の在り方等に関する総合的なガイドライン」（令和4(2022)年12月）

学校部活動の適正な運営や効率的・効果的な活動の在り方とともに、新たな地域クラブ活動を整備するために必要な対応を規定。

◎**教師の部活動への関与**について、**法令等に基づき業務改善や勤務管理**

◎**部活動指導員**や**外部指導者**を確保

◎心身の健康管理・事故防止の徹底、**体罰・ハラスメントの根絶**の徹底

◎**週当たり2日以上の休養日**の設定（**平日1日、週末1日**）

◎部活動に**強制的に加入**させることがないようにする

◎地方公共団体等は、スポーツ・文化芸術団体との連携や保護者等の協力の下、学校と地域が協働・融合した形での環境整備を進める

時事のツボ6 　**学べ！　教員**　　　関連ページ⇒P.31～32

中教審答申「これからの学校教育を担う教員の資質能力の向上について 〜学び合い、高め合う教員育成コミュニティの構築に向けて〜」(平成27(2015)年12月)

◎背景として、①教育課程・授業方法の改革(**アクティブ・ラーニング**の視点からの授業改善、教科等を越えたカリキュラム・マネジメント)への対応、②**英語、道徳、ICT、特別支援教育**等、新たな課題への対応や③「**チーム学校**」の実現など。

◎具体的方策として、教員養成内容の改革を掲げ、新たな課題(**英語、道徳、ICT、特別支援教育**)や**アクティブ・ラーニング**の視点からの授業改善等に対応した教員養成への転換、**学校インターンシップ**の導入などが示された。

時事のツボ7 　**こども家庭庁**　　　関連ページ⇒P.261

2023(令和5)年にこども家庭庁が創設された

◎**子ども政策を中心的に担う機関**として、**こども家庭庁**が内閣府の外局として創設された

◎各府省にまたがっていた子ども関連部局を集約し、子ども政策の縦割り行政の解消を図っていく

時事のツボ8 　**わいせつ教員対策法と日本版DBS**　　　関連ページ⇒P.151

教員による児童生徒へのわいせつ行為は法律により処罰されることとなった

◎**わいせつ教員対策法**により、**教育職員の児童生徒への性暴力が法律で禁止**された

◎懲戒処分で免許が失効した教員に**免許を再交付するかどうかを都道府県が判断**できるようになった

◎教員・保育従事者等の子どもへの性暴力防止のため、2024年に「**日本版DBS制度**」の創設に向けこども性暴力防止法案が成立し、**学校や法律上認可の対象となる認可保育所には性犯罪歴の確認**が義務付けられる。

本書の見方・使い方

タイトル

教科名と教科内の項目を示しています。学習した日付を書く欄も活用しましょう。

各テーマの頻出度がわかる！

過去の出題機会をもとに、現役講師による出題予想を加えて出された頻出度です。各項目ごとに頻出度 A 〜 C（A が高、B が中、C が低）であらわします。

出題ポイント

出題されている内容を具体的に示しています

教育法規
14 **教職員の配置**

日付 / /

頻出度
B

● 各学校に配置される教員について、必要のものは確実に覚えよう。
● 学校医、学校歯科医、学校薬剤師については知識の盲点になることが少なくない。学校安全の観点からも確実に覚える。

1 配置の基本 重要度 ★

□**学校教育法第7条**
学校には、校長及び相当数の教員を置かなければならない。
⇨ いわゆる「教員」の呼称や範囲は法によって異なる。また、「相当数」については各学校種の設置基準や標準法などによって定められる。
● 教育基本法 = 教員（法律に定める学校の教員すべてを対象とする）
● 学校教育法 = 教員（非常勤講師を含む）
● 教育公務員特例法 = 教育公務員（常勤講師まで）
● 教育職員免許法 = 教育職員・教員（「講師」を含む）
● 標準法 = 教職員（常勤講師・事務職員を含む）

2 各学校に配置される教員 重要度 ★★★

小・中学校 （「小学校」の規定であるがすべて中学校・義務教育学校に準用される） **重要!**
□**必置**（学校教育法第37条第1項）
……校長、教頭、教諭、養護教諭及び事務職員を置かなければならない。
□**置くことができるもの**（学校教育法第37条第2・18・19項）
2 ……副校長、主幹教諭、指導教諭、栄養教諭その他必要な職員……／18 特別の事情のあるときは……教諭に代えて**助教諭**を、講師を、養護教諭に代えて養護助教諭……／19 ……児童の養護又は栄養の指導及び管理をつかさどる主幹教諭……
（第19項は高校・中等教育学校にも準用）
⇨ 第18項については高校・中等教育学校にも同様の規定がある。
□**置かないことができるもの**（学校教育法第37条第3項）
3 ……副校長を置くときその他特別の事情のあるときは**教頭**を、養護をつかさどる主幹教諭を置くときは養護教諭を、特別の事情のあるときは**事務職員**……

136

各項目と重要度、出題自治体

項目を分けたもので、重要度を★の数であらわし、★3つが高、★2つが中、★1つが低ですがおさえておきたい内容に該当します。
特によく出題される自治体名を示すとともに、多くの自治体で出題されている場合は **★超頻出★** のアイコンを入れています。

本書は、広範囲な教員採用試験「教職教養」の内容を確実に理解し、問題に対応できるようにまとめた一冊です。この一冊を確実にマスターし、試験に臨みましょう。

チェック欄

きちんと内容を把握したところが分かるようにチェック欄を用意。すべてのチェック欄が埋まるようにひとつずつ確実におさえていきましょう。

高等学校

□ **必置（学校教育法第60条第1項）**
　　…校長、教頭、教諭及び事務職員を置かなければならない。
　⇨ 高等学校では「特別の事情」(= 学校の規模が小さい）が認められないため、教頭（副校長を置くときを除く）・事務職員は必置となる。

□ **置くことができるもの（学校教育法第60条第2項）**
　2　……副校長、主幹教諭、指導教諭、養護教諭、栄養教諭、養護助教諭、実習助手、技術職員その他必要な職員……

□ **置かないことができるもの（学校教育法第60条第3項）**
　……副校長を置くときは、教頭を置かないことができる。

中等教育学校

□ **必置（学校教育法第69条第1項）**
　　…校長、教頭、教諭、養護教諭及び事務職員を置かなければならない。

□ **置くことができるもの（学校教育法第69条第2項）**
　……副校長、主幹教諭、指導教諭、養護教諭、栄養教諭、実習助手、技術職員その他必要な職員……

□ **置かないことができるもの（学校教育法第69条第3項）**
　……副校長を置くときは教頭を、養護をつかさどる主幹教諭を置くときは養護教諭を、それぞれ置かないことができる。

特別支援学校

□ **配置** ⇨ 小学部・中学部・高等部はそれぞれ小学校・中学校・高等学校に準ずる。

□ **その他の必置（学校教育法第79条第1項）**
　寄宿舎を設ける特別支援学校には、寄宿舎指導員を置かなければならない。

3 ＞その他　　　　　　　　　　　　　　重要度 ★

□ **学校保健安全法第23条第1・2項**
　学校には、学校医を置くものとする。／2　大学以外の学校には、学校歯科医及び学校薬剤師を置くものとする。

> **確認テスト** 次の教員のうち、小・中学校に必ず配置しなければならないものはどれか。（解答P.138）
>
> □ ①校長　②副校長　③教頭　④教諭　⑤養護教諭　⑥事務職員

ポイント 小・中学校の養護教諭は、当分の間置かないことができる　　137

欄外右：教育法規 / 頻出度 B / 教職員の配置

ワンポイント

要点を覚えるポイントや豆知識を紹介。使いやすいものはどんどん利用していきましょう。

ポイント …ポイント
マメ …豆知識

試験に出る単語は隠して覚える！

赤字は必須単語
赤シートで隠せる赤字の単語は暗記すべき必須単語。前後の文をよく読んで内容を理解し、どのような問題形式でも答えられるように暗記しましょう。

黒太字は重要単語
赤字の次に重要な単語を黒太字にしてあります。赤字のチェックが終わったら、こちらも暗記しましょう。

● **重要！**
重要な項目を示しているので、確実に理解しましょう。

● **用語**
本文中に出てきた難しい用語の解説をしています。分からない単語は必ずチェックしましょう。

● **確認テスト**
項目内のことをきちんと理解したら、最後に問題を解いて、確実に理解できたか確認をしましょう。

● **一問一答 チェック！**
各ジャンルの最後に一問一答形式の問題を用意しました。覚えたものに抜けがないか、ここで確認をしましょう。

● **本試験対策　実力チェック問題**
一番最後に本試験対策のために、本書オリジナルの厳選した実力チェック問題を用意。選択問題、穴埋め問題、記述問題、並べ替え問題など、様々なパターンの問題があるので、どのような形式で問われても答えられるように内容をしっかり理解しましょう。また、間違えてしまった部分に関しては、繰り返し問題を解いて暗記し、しっかり身につけましょう。何度も繰り返し行うことで、確実な知識に結びつくので、頑張ってください。

13

目　次

教育心理　　　▶▶▶183

本試験対策 実力チェック問題…………**267**

本試験対策 実力チェック問題 解答 ……**295**

※本書は原則2024年7月1日時点の情報に基づいています。
※学校種と年号は省略して表記している箇所もあります。(例)幼稚園＝幼、昭和＝昭

● 編集協力：有限会社ヴュー企画　● 本文イラスト：高橋なおみ、宮本千弘

● デザイン・ＤＴＰ：有限会社プッシュ

● 企画・編集：成美堂出版編集部（原田洋介・芳賀篤史）

教育原理

教育の意義と目的

日付
／

●教育の根本概念を示す用語を覚え、教員志望者として、論文・面接で使えるようにする。
●教育の目的については、現代日本の公教育への要請を理解し、表現できるようにしよう。

1 教育の意義 重要度 ★★

教育とはなにか 重要!

□**語源** ⇨「教育」を意味する education（英）・éducation（仏）はラテン語の名詞 educatio（教育）を語源とする。

● 動詞形 educo の不定法

┌ educere: ❶引き出す＝内包する物を引き出す**援助**
└ educare: ❷教え込む・形成する＝模範的人間像に似せて**形成**

⇨ 教育は、もともと❶子どもの自主性を尊重した指導法と❷強制性の強い指導法の両面を有している。

人間の形成

□**ルソー**:『**エミール**』(1762)＝ 誕生時の人間は「弱い者」・無一物の者・「分別」のない者であるがゆえに力、援助、判断力が不可欠で、そうした「必要なもの」は「すべて教育によって私たちに与えられる」と説く。

⇨ **カント**:『**教育学(講義)**』(1803)＝「人間は教育されなければならない唯一の被造物である」とし、「人間は教育によって初めて人間となることができる」と説く（動物の誕生時には本能が与えられているが、人間には「未開の状態」の理性が与えられており、それを開発するために教育が必要）。

□**野生児** ⇨ 人間が人間による教育を受けられなければどうなるかの好例。

⇨ **アヴェロンの野生児**(ヴィクトール): 約11歳の野生児。「適切な訓練によって人間としての行動や生活の様式が身につけられる」という**イタール**の仮説による5年間の訓練が行われたが、言語の獲得や知的能力の発達という面では効果が上がらず、仮説の立証は失敗。

⇨ こうしたアヴェロンの野生児などの野生児研究は、発達の早期段階における教育や適応について重要な問題を提起している。＜例＞**臨界期**、**初期学習**、**ホスピタリズム**、**マターナル・デプリベーション**など

2 教育の類型　　　　　　　　　　　　重要度 ★★

形式的類型	
意図的教育	意図的・組織的・計画的な教育。**学校教育**が典型。**家庭教育、社会教育**など
無意図的教育	自然環境(気候・風土)や社会的環境が人間に及ぼす影響。あるいは、日常生活の中で偶発的に行われる教育
内容的類型	
訓育	教育活動による児童生徒の人格形成
陶冶 (とうや)	人間の持って生まれた性質を発達させること。広義には人間の内面形成を、狭義には文化や知識・技能の受容を意味する

3 教育の目的　　　　　　　　　　　　重要度 ★★★

教育の目的は各時代や社会を背景に、その時代や社会における理想的人間像として示されてきた。

□**明治以前** ⇨ 平安貴族社会:**三船(舟)の才**(漢詩・和歌・管弦に堪能な人)／中世武士:**弓馬の道**(武術の鍛錬に優れた者)／**近世武士**:**文武両道**(文芸と武道の両方に長けている者)／近世町人:**算用帳合**(商売用の計算と帳簿つけの才能のある者)

□**明治以降** ⇨ 教育の目的は「**教育勅語**」(明23)に示される。

□**戦後** ⇨ **教育基本法**(昭22制定・平18改正)の前文・第1条に示される。

教育基本法前文

> 我々日本国民は、たゆまぬ努力によって築いてきた民主的で文化的な国家を更に発展させるとともに、世界の平和と人類の福祉の向上に貢献することを願うものである。／我々は、この理想を実現するため、個人の尊厳を重んじ、真理と正義を希求し、公共の精神を尊び、豊かな人間性と創造性を備えた人間の育成を期するとともに、伝統を継承し、新しい文化の創造を目指す教育を推進する。／ここに、我々は、日本国憲法の精神にのっとり、我が国の未来を切り拓く教育の基本を確立し、その振興を図るため、この法律を制定する。

教育基本法第1条(教育の目的)

> 教育は、**人格の完成**を目指し、平和で民主的な国家及び社会の形成者として必要な資質を備えた心身ともに健康な国民の育成を期して行われなければならない。

ポイント 教育基本法は教育の「憲法」

教授・学習理論

日付
／

頻出度
A

●誰が何を述べたのか、人名とキーワードの組み合わせを必ず暗記しよう。
●特に新教育運動以降の教授・学習理論は、実際に学習指導案を書くときのヒントにもなる。

1 教授理論の発展

重要度 ★★★

□**コメニウス** ⇨ **近代教授学の祖**。すべての子どもに教育を受ける機会を与え、宗派を超えた信仰・道徳・知識を普及させることが世界平和に通じると考え、階級的差別のない単線型学校体系を構想した『**大教授学**』を著す。「**直観教授(事物教授)**」という教育理論を提唱。認知における**感覚**の重要性に着目し、世界初の絵入り教科書である『**世界図会(絵)**』を編纂。

□**ルソー** ⇨ 子どもを「小さな大人・親の従属物」と見る従来の見方を否定し、子どもの本来の姿として捉えるべきことを主張＝**子どもの発見者**。人間の自然的本性を善とみなし、人間の自然的善の回復を訴え「**自然に帰れ**」と唱える。教育に関する主著『**エミール**』では、子どもの自発的学習を尊重する**消極教育論**を唱え、発達段階に沿った教育を提唱。

□**ペスタロッチ** ⇨ ルソーの影響を受ける。人間の本質的平等を説いた『**隠者の夕暮**』が処女作。孤児貧民施設での実践内容を『**シュタンツだより**』として発表。子どもの自己活動を重視し、労働と教育を結合させた**労作教育**という生活主義の教育を主張(＝「**生活が陶冶する**」)。『**ゲルトルート児童教育法**』では、**3H's の思想**とその実践のための**直観教授・開発教授**を提唱。

□**ヘルバルト** ⇨ 『**一般教育学**』において、教育目的を倫理学、方法を心理学で基礎づけ、教育目標を「**道徳的品性の陶冶**」とし、その方法として「**教授**」(**教育的教授**)「**訓練**」「**管理**」の3つの概念に区分。「教授」の過程を「専心」→「致思」とし、さらに「**明瞭→連合→系統→方法**」に分けて、この4段階で進められなければならないと説く(**4段階教授説**)。これは弟子の**ツィラー**、**ライン**に引き継がれた後、**5段階**に修正され、発展していった。

□**フレーベル** ⇨ ペスタロッチの影響を受ける。教育目的を**神性の開発**とする。世界初の**幼稚園**を創設。生活教育と作業を重視した「**一般ドイツ教育舎**」を開設。神や事物を認識させる遊具として**恩物**を考案。主著『**人間の教育**』。

2 近現代の教授・学習理論 〔出題〕東京・神奈川・山口 〔重要度〕★★★

発見学習 ＝ブルーナー	ブルーナーはウッズホール会議の議長。学習者に知識の生成過程をたどらせることにより、知識を体系的・構造的に把握させようとする。『教育の過程』
問題解決学習 ＝デューイ	「なすことによって学ぶ」＝学習は児童の自発的活動を中心とすべき（児童中心主義）。学習者が生活体験の中から自ら問題を発見し、自らが実践的に解決してゆく過程で知識や論理的な考え方、問題解決の実践力を習得させようというもの。『学校と社会』
プログラム学習 ＝スキナー	オペラント条件づけの原理にもとづく。ティーチング・マシンを用い、❶スモールステップの原理、❷即時確認（フィードバック）の原理、❸積極的反応の原理、❹自己ペースの原理、により構成
完全習得学習 （マスタリー・ ラーニング） ＝ブルーム	明確な目標、それにもとづく合理的な評価の実施、適切な指導により、大半の学習者は時間的な差異はあっても同一程度までの学習達成が可能となるとする。一斉授業を中核にしつつ、類型化指導・個別化指導を併用し、最終的には90〜95％の子ども達の学習を成立させようとする。教育評価を診断的評価・形成的評価・総括的評価に分け、特に形成的評価を重視
範例学習 ＝ハインペルら	チュービンゲン会議で提唱。教授内容を「基本的」「本質的」なものに厳選し、それを「例」「範例」を通して把握させる方式を設定しようとする
適性処遇交互作用 （ATI） ＝クロンバック	すべての児童生徒に合う学習指導法を求めず、一人ひとりの適性（その学習者の興味や意欲、能力差、性格の違いなど）に応じてその指導法（処遇）を変えようとする学習理論
有意味受容学習 ＝オースベル	学習に先立って先行オーガナイザー（予備知識）を与えることで、学習者の認知構造に内面化しやすくして学習を促進する教授法
バズ学習 （バズ・セッション） ＝フィリップス	グループ学習と討議法を組み合わせた学習法。6人のグループで6分間討議させることから6-6討議法とも呼ばれる。学習者全員の積極的参加を目的とする

デューイはもともとは哲学者であったが、シカゴ大学に実験学校を創設した頃から教育学者として有名になった。その実践報告が『学校と社会』

ポイント 教授・学習理論はよく出題される。確実に覚えておこう

03 学習指導の形態と方法

日付
／

頻出度
B

●学習指導の一般的形態の用語とその意味を覚え、「分かりやすい授業」について答えるときに使えるようにする。
●学習指導形態の改革的試みでは特にドルトン・プランとプロジェクト・メソッドが頻出。後者はアクティブ・ラーニングの組み立てにも使える。

1 授業の概念の変化

重要度 ★

教師中心の教授形態 → 児童中心の自主的・自発的学習 → 教師と児童・生徒がともに中心になる授業の形態、へと変化＝考え方の近代化

【「考え方」の変化と特色】

5つの観点 ＼ 授業の類型	教授	自学の指導	教授－学習
授業の形態	一斉教授 （教師中心）	児童・生徒中心の 自己学習	児童・生徒と教師とともに中心の協同学習
授業の内容・構成	既習事項の確認と 新教材の教授	予習内容の 演示－その批正	立案や研究調査や 整理活動と指導
授業の成立条件	家庭での復習	家庭での予習	学校での学習活動
教育理論	素朴的経験論 （模写説）	自己活動の原理	自発性と指導性の 協同
心理学的基礎	記憶術・忘却の 心理	試行錯誤法	場の構造理論

2 学習指導の一般的形態

重要度 ★★

教師－生徒関係による分類

□**講義法** ⇨ 伝統的で日常一般的な教育方法。教師の言語活動により、基本的な知識・技能を徹底的に教えようとするときに有効。児童・生徒の興味関心から乖離し一方的な知識の注入となりがち → 教材の使用、質問などで講義法の欠点を補う。**説明法**（児童・生徒の知性に訴えて客観的な理解を促す）と**講話法**（臨場感豊かに話して想像力に訴え、理解を促す）がある。

□**討議法** ⇨ 自発性の原理にもとづき、平等・自由な立場で討議をして学習成果を上げる方法。**パネル・ディスカッション**、**シンポジウム**、**フォーラム**、**ディベート**、など。

□**問答法** ⇨ 子どもと教師との間で問答を中心に展開する学習方法。**課題式**（問題を与えて子ども自ら解決に至らせる）・**問答式**（教師と子どもの問答

によって内容を展開)・**対話式**(問答式より一層自由な形式)に分類。

□**一斉学習** ⇨ 共通性の多い子どもを対象に、共通の内容を一斉に学習させる学習方法。学習方法の形態のうち、一番多く活用されている。

□**グループ学習(小集団学習)** ⇨ 学級における子どもをいくつかのグループに組織し、各グループにそれぞれの学習目標をもたせて活動を展開させる学習形態。習熟度別編成とそうでないものとがある。

□**個別学習** ⇨ 子ども一人ひとりが個別にその能力、適性、興味に応じて学習する方法。

3 学習指導形態の改革的試み　重要度 ★★★

□**ドルトン・プラン** ⇨ **パーカースト**が提唱。従来の一定の時間割と**画一的な一斉授業**を廃し、小学校4年生以上と中等学校生徒について、教科を**主要教科(国語、数学、地理、歴史、外国語)**と**副次教科(音楽、図画工作、家庭、体育)**に分ける。主要教科は、教科別に参考書・教具などを備え、教科専門の教師がいて子どもの自学の個別指導や助言に当たる**実験室**(従来の教室を廃止)を設けて午前中に行い、副次教科は、従来通り午後に学級で一斉に学習する。なお、主要教科の学習は学級を超えて教師と子どもの**契約仕事**として行われ、その仕事の1ヵ月単位配当表に従って各自任意の実験室に入り自学する。**時間割やベル**は廃止され、自分の速度で学習でき、得意な教科は早く終わらせ、不得意教科は時間をかけて学習できる。よく似た形態に**ウォッシュバーン**が提唱した**ウィネトカ・プラン**がある。

□**プロジェクト・メソッド** ⇨ **キルパトリック**が提唱。**プロジェクト**とは「生徒が計画し、現実の生活そのものの中で達成される、目的を持った活動」と定義し、プロジェクト・メソッド自体は、**学習の目的を立てる → 具体的な計画を立てる → 遂行→ 結果を反省的に考察する**、というプロセスで展開される。教師は適切なテーマや問題の設定がなされているかを判断し、計画や活動に必要な条件を整え、学習者の相談に応ずるなどの支援を行う。

□**モリソン・プラン** ⇨ **モリソン**が提唱。教科を**5分類**し、それぞれに固有の教授段階を設定。たとえば、科学型の教科では、**探索 → 提示 → 類化 → 組織化 → 発表**、という段階で展開される。

ポイント ドルトン・プランは頻出。キーワードをおさえよう

授業とその過程

頻出度
B

● 授業の構造については、学習指導案の<指導観>につながる用語になるので、<指導観>を想起しながら理解する。
● ヘルバルトの4段階教授説、ラインの5段階教授説は頻出。それぞれの用語の意味も含めて覚えよう。

1 授業　　　　重要度 ★★

□**狭義の意味** ⇨ 通常、学校において一定の単位で区切られた時間(小学校では45分、中・高校では50分が通例)に展開される**各教科の教育活動**のことをいう。

□**広義の意味** ⇨ 一般的に、各教科だけでなく、**道徳や特別活動**といった教育活動も授業という。その意味で、授業とは学校で実務的に広く用いられる、**教育活動一般**を示す語ということができる。

2 授業の成立　　　　重要度 ★★

□**授業の成立要因** ⇨ 一般的に、**❶教師**、**❷教材**、**❸児童・生徒**、の相互媒介的な関係において成立する。

● 教師と教材との関係：教材を研究し、準備し、提示する活動をする。

● 教材と児童・生徒との関係：学ぶ主体は児童・生徒であり、その児童・生徒が学ぶ本体は教師からではなく教材からである。

● 児童・生徒と教師との関係：学習活動を進める児童・生徒に対して教師は支援し、方向づけ、指導する。

3 授業の構造　　　　重要度 ★★

決定要因　授業において教師が決定する要因

□**目標** ⇨ **教師が授業で目指す目標**。目標は焦点化され、具体的に細分化されていることが望ましい。

□**教材** ⇨ 授業のテーマ内容にもとづいて構成される。教材の善し悪しは授業の成否にかかわる重要事項となる。

□**教授方法** ⇨ 児童・生徒の学習活動を組織し展開することになる。教師の児童・生徒へのかかわり方や働きかけ方が重要な要素となる。

□**教具・学習用具** ⇨ 教授と学習の活動に用いる。教具・学習用具は多種多様であるが、うまく使いこなすことによって教育的効果が期待できる。

条件要因 授業の展開に影響を及ぼす要因

□**人間的・集団的条件** ⇨ 教師の人格・資質、児童・生徒の既習の知識や技能、学級内の人間関係やこれらの要因による学級集団の雰囲気など。

□**学校の経営的条件** ⇨ 施設や設備、教師集団の組織や士気など。

□**地域の社会・文化的条件**
　⇨ 地域の自然や産業構造、家庭の生活様式など。

> 決定要因は、授業の目標を軸にして相互依存の関係にあるといえる

4 授業の過程

重要度 ★★

□**授業の過程** ⇨ 教師の働きかけと児童・生徒の学習の活動が、授業の決定要因のひとつである**目標へ到達**していく**時間的な進行の道筋**のこと。この道筋でどんな歩みをとるのがよいかということが授業過程の問題となる。

□**授業過程の段階モデル**
　❶児童・生徒を学習の主体に置き、その能力の育成を中心にして活動の順序を考えるもの＝**問題解決学習**の過程がその典型
　❷科学に裏づけられた内容の論理的組織を軸にし、その内容の習得を中核に据えて学習活動の順序を考えるもの＝**系統学習**がその典型

□**授業の過程論** ⇨ **ヘルバルト**：**4段階教授説**（**明瞭**：個々の対象を明瞭にみる → **連合**：ひとつの専心〈一定の対象に没頭すること〉からほかの専心に移る → **系統**：連合された現象の互いの関係を考え、各々に適当な位置を与えて正しい秩序でこれらを統一 → **方法**：系統によって得たものを応用）／ **ライン**：**5段階教授説**（予備 → 提示 → 比較 → 総括 → 応用）

□**学習指導案** ⇨ 教師が学習者に対して教育内容を的確に指導できるように、事前に指導内容の分析を行い、**時間配分**を含めて**計画的に作成された単元の指導構成案。**
　●授業の過程としての「**本時の学習指導**」の要点
　❶**導入**：前時の確認（課題の確認・要点の確認）・本時の目標の提示
　❷**展開**：学習過程・学習活動・発問や板書事項・教材教具・時間・評価の観点
　❸**整理**（まとめ）：本時のまとめ・次時予告・課題の提示

教育課程の概念

頻出度 **B**

●教育課程（カリキュラム）の概念上の用語の分類は、筆記試験においてはもちろん、実務着任後のカリキュラムの組み立てで欠かせない知識になる。
●教科中心のカリキュラム、経験中心のカリキュラム、それぞれのカテゴリーの内容は必ず覚えよう。

1 教育課程

重要度 ★★

□**教育課程** ⇨ **カリキュラム**(curriculum)の訳。この語源は、ラテン語のcurrere(レースコースを走ること)に由来するといわれる。これが学校教育に転用され、日本では、初めは教育内容が知識や技能であると考えられ「**教科課程**」「**学科課程**」と呼ばれたこともあったが、昭和26(1951)年の学習指導要領以降、「**教育課程**」と呼ばれるようになった。

□**教育課程の定義** ⇨ 『**小学校学習指導要領解説　総則**』(平成29年7月)

> 学校において編成する教育課程は、学校教育の目的や目標を達成するために、教育の内容を児童の心身の発達に応じ、授業時数との関連において総合的に組織した各学校の教育計画である……学校の教育目標の設定、指導内容の組織及び授業時数の配当が教育課程の編成の基本的な要素になる。

□**教育課程の領域** ⇨ **教科指導**：国語・算数などといった各教科の指導のこと。／**教科外活動**：学習指導要領でいうところの特別活動。学校行事など。

□**教育課程編成の基準** ⇨ **国**が示すことになっており(学校教育法第33条ほか、学校教育法施行規則第52条ほか)、その基準として文部科学大臣が公示する学校種ごとの**学習指導要領(幼稚園教育要領)**がある。

2 教育課程の類型

重要度 ★★

教科中心のカリキュラム	経験中心のカリキュラム
(1) 教科(科目)カリキュラム	(1) コア・カリキュラム
(2) 相関(関連)カリキュラム	(2) 経験カリキュラム
(3) 融合(合科)カリキュラム	
(4) 広(領)域カリキュラム	
クロスカリキュラム	

教科中心のカリキュラム

型	編成方針	特色	事例
(1)	知識・技能の学問体系により編成されたカリキュラム	体系的知識の伝達に適するが知識偏重になったり子どもの興味から乖離しやすい	——
(2)	相互に関連する複数の教科を関連づけて編成する	関連する教科の学習で相乗効果を得られる	地理と歴史、地理と公民を関連づけて指導
(3)	複数の関連する教科をひとつの教科として再構成して編成	——	地理・歴史・公民を社会科として教える
(4)	融合カリキュラムを発展させ、ひとつのテーマに沿ってカリキュラムを編成する	——	生活経験をテーマに、社会科と理科を統合して生活科に

経験中心のカリキュラム

(1)	中心となる基本的科目を決め、それに関連する科目を周辺に配置する	学問体系や教科構造を前提とせず、子どもに共通して基礎となる内容を中心（コア）に学習	社会科を学びつつ内容に応じ必要な算数や理科を学習
(2)	子どもが興味をもつことができる内容を選択し、これを学ぶために必要な経験を体系化する	生活環境を重視するため自主性が培われるが、学習内容の体系化・系統化が困難	生活経験上の問題解決過程を、学習課程として組織

クロスカリキュラム

	複数の教科の教員が連携し、互いに他の教科の内容との関連を図ってカリキュラムを編成する（教科横断的編成）	広い視野から総合的に課題を理解し、判断することができる（特定の課題の学習に有効）	具体的な事例について地理、歴史、家庭、理科をクロスさせて学習課題を設定

確認テスト 次の説明に合致するカリキュラムの型を答えよ。（解答P.28）

□ ①複数の科目を、あるテーマに沿って統合してひとつの科目とする。
□ ②生活経験上の問題解決過程を学習課題として組織して学習する。
□ ③複数の関連する教科を、ひとつの教科として再構成して編成する。

ポイント 教科中心カリキュラムは学問中心になりやすい

06 学習指導要領と史的変遷

日付 ／

頻出度 A

●最初の学習指導要領の位置づけ、また、その経験主義教育の結果を必ず覚える。
●各学習指導要領のキーワードを覚えるときは、その前の学習指導要領における問題点を把握し、それがどのように変化したのかを理解しよう。

1 学習指導要領

重要度 ★★★

□ **教育課程との関連** ⇨ 教育課程の編成の基準となるのが **学習指導要領**。
学校教育法施行規則第52条(中・高・中等教育などに準用)

> 小学校の教育課程については、…(中略)…教育課程の基準として文部科学大臣が別に公示する小学校学習指導要領によるものとする。

⇨ わが国では教育課程の基準を編成する権限は **国**(文部科学大臣)にあり、その基準のひとつが **学習指導要領** となる。

□ **学習指導要領の基準の多面性** ⇨ **教科書** を **編集・検定** を受ける際の基準でもあり、各学校種での **入学試験問題** を作成する際の基準でもある。

□ **法的根拠** ⇨ 導入当初は、教員のための指導の **手引き書**、あるいは **参考書** という位置づけで、表紙には「**(試案)**」と印刷されていた。しかし、昭和33(1958)年の学校教育法施行規則の一部改正により、学習指導要領は、文部省(当時)「**告示**」となり、**法規命令の性格** をもつものとして位置づけられた。このことは、最高裁判所判決においても確定している(昭51.5.21「旭川学力テスト判決」・平2.1.18「福岡県立伝習館高校事件判決」など)。

□ **基準性の明確化** ⇨ 従前は、いわゆる **はどめ規定** としての性格を強く有していたが、平成15(2003)年の一部改正、さらには平成20年版ではすべての児童・生徒に教える **最低基準** としての性格が鮮明となっている。

2 学習指導要領の種類

重要度 ★

学習指導要領は、各学校段階別に作成されている。現行の学習指導要領には、次の種類がある ⇨ **小学校学習指導要領／中学校学習指導要領／高等学校学習指導要領／(幼稚園教育要領)／特別支援学校小学部・中学部学習指導要領／特別支援学校高等部学習指導要領／(特別支援学校幼稚部教育要領)**

3 学習指導要領の史的変遷 　出題 福井 　重要度 ★★★

改訂年	社会的背景	改訂の趣旨	特色
昭22	◎民主主義による新教育体制の開始	◎**児童中心主義**、**経験主義**、**単元学習** ◎「**(試案)**」との表記	◎**社会科**・家庭科(小)、職業科(中)、**自由研究**(小・中)の新設
昭26	―	―	◎自由研究を廃止し、教科以外の活動(小)、特別教育活動(中)に
昭33	◎日米講和条約調印、占領終了 ◎児童・生徒の問題行動、学力低下問題	◎基礎学力の充実と**道徳教育**の徹底 ◎科学教育の振興	◎学習指導要領の「**告示**」 ◎「**道徳の時間**」の特設 ◎数学、理科の授業時数増加 ◎技術新設(中) ◎教育課程の編成=小・中:各教科、**道徳**、**特別教育活動**、学校行事等/高:教科・科目、**特別教育活動**、学校行事
昭43	◎昭和30年代の物質面の進展に対し、精神面の立ち遅れ	◎教育内容の系統性の重視=**教育(内容)の現代化**	◎特別教育活動と学校行事等を統合して「特別活動」に再編 ◎必修のクラブ活動新設(中・高)
昭52	◎高校進学率の上昇	◎**ゆとり**ある教育課程 ◎教育内容の**精選** ◎個性や能力に応じた教育	◎授業時数の**1割削減** ◎指導内容の大幅な**精選・削減** ◎「**ゆとりの時間**」新設
平 元 幼 平2 小 平4 中 平5 高 平6 から 実施	◎情報化、国際化、価値観の多様化、核家族化、高齢化	◎**心豊かな人間**の育成 ◎自己教育力の育成 ◎基礎・基本の重視 ◎**個性教育の推進** ◎文化・伝統の重視と国際理解の推進	◎理科・社会科を統合し「**生活科**」を新設(小低学年) ◎**道徳教育**の大幅見直し ◎**情報基礎**(中) ◎社会科の改編=**地歴科**・**公民科**(高) ◎家庭科の男女必修化(高) ◎**国旗・国歌**の指導
平 10 幼 平12 小 平14 中 平14 高 平15 から 実施	◎「**心の教育**」の必要性 ◎**完全学校週5日制へ**の対応	◎横断的・総合的な学習 ◎国際社会に生きる日本人としての自覚の育成 ◎**自ら学び、自ら考える力**の育成 ◎**基礎・基本**の確実な定着 ◎特色ある学校	◎**生きる力** ◎教育内容の**3割削減** ◎**総合的な学習の時間**新設 ◎**英語必修化**(中・高) ◎英語教育の導入(小) ◎必修「**クラブ活動**」の廃止 ◎**情報**必修化(高)
平 20 小 平23 中 平24 高 平25 から 実施	◎改正教育基本法	◎「**生きる力**」を育むための基礎的・基本的な知識・技術の習得 ◎思考力・判断力・表現力の育成 ◎豊かな心・健やかな体の育成	◎言語活動の充実 ◎**外国語活動**(小学校高学年) ◎情報教育・環境教育・キャリア教育・食育・安全教育 ◎授業時数の増加
平 27 一部改訂	◎道徳の教科化	◎**道徳教育**の改善・充実を図るため	◎道徳の時間を「**特別の教科**である道徳」と位置づける

□**平成29年版** ⇨「教育原理07」(P.30・31)を参照。この学習指導要領のキーワードは、「**未来社会を切り拓くための資質・能力の一層確実な育成**」「**主体的・対話的で深い学び**」「**社会に開かれた教育課程**」。

*移行期の教員採用試験では、どちらも問われる対象になるので、学習指導要領全体の流れをおさえたうえで、現行学習指導要領と新学習指導要領との新旧比較学習を確実に進める。

ポイント 昭52から続いた「ゆとり教育」は平成20年版で廃止

学習指導要領の特色

日付 ／

●「改訂の基本的な考え方」の赤字部分はすべて覚え、「生きる力」の各要素が継承されていることを理解する。
●「アクティブ・ラーニング」は筆記試験だけでなく、論文・面接試験でも特に重視。詳細にわたって覚えよう。

1 前文

★超頻出★ 重要度 ★★★

教育基本法との関わりについて

□これからの学校には、（教育基本法に示された）教育の目的及び目標の達成を目指しつつ、一人ひとりの児童が、**自分のよさや可能性を認識するとともに、あらゆる他者を価値のある存在として尊重し、多様な人々と協働**しながら様々な社会的変化を乗り越え、**豊かな人生を切り拓き、持続可能な社会の創り手となることができるようにすること**が求められる。

今回の改訂の理念について

□教育課程を通して、これからの時代に求められる教育を実現していくためには、**よりよい学校教育を通してよりよい社会を創るという理念を学校と社会とが共有**し、それぞれの学校において、**必要な学習内容をどのように学び、どのような資質・能力を身につけられるようにするのかを教育課程において明確にしながら、社会との連携及び協働によりその実現を図っていく**という、**社会に開かれた教育課程**の実現が重要となる。

学習指導要領の意義

□学習指導要領とは、**理念の実現に向けて必要となる教育課程の基準を大綱的に定める**もの。

□学習指導要領が果たす役割のひとつは、**公の性質を有する学校における教育水準を全国的に確保**すること。

□各学校がその**特色を生かして創意工夫を重ね、長年にわたり積み重ねられてきた教育実践や学術研究の蓄積を生かしながら、児童や地域の現状や課題を捉え、家庭や地域社会と協力して、学習指導要領を踏まえた教育活動の更なる充実を図っていくことも重要。**

□児童が**学ぶことの意義を実感できる環境を整え、一人一人の資質・能力を伸ばせるようにしていくことは、教職員をはじめとする学校関係者はもと**

より、家庭や地域の人々も含め、様々な立場から児童や学校に関わるすべての大人に期待される役割である。

□幼児期の教育の基礎のうえに、**中学校以降の教育**や生涯にわたる学習とのつながりを見通しながら、児童の学習の在り方を展望していくために広く活用されるものとなることを期待する。

2 改訂の基本的な考え方 ／★超頻出★＼ 重要度 ★★★

□教育基本法、学校教育法などを踏まえ、これまでのわが国の学校教育の実践や蓄積を生かし、**子どもたちが未来社会を切り拓くための資質・能力を一層確実に育成**。その際、**子どもたちに求められる資質・能力とは何かを社会と共有**し、連携する「社会に開かれた教育課程」を重視。

□知識及び技能の習得と思考力、判断力、表現力等の育成のバランスを重視する現行学習指導要領の枠組みや教育内容を維持した上で、**知識の理解の質をさらに高め、確かな学力を育成**。

□先行する特別教科化など**道徳教育の充実**や**体験活動の重視**、**体育・健康**に関する**指導の充実**により、**豊かな心**や**健やかな体**を育成。

知識の理解の質を高め資質・能力を育む「主体的・対話的で深い学び」

□「何ができるようになるか」を明確化 ⇨ 知・徳・体にわたる「生きる力」を子どもたちに育むため、**「何のために学ぶのか」という学習の意義を共有**しながら、授業の創意工夫や教科書等の教材の改善を引き出していけるよう、**すべての教科等を、❶知識及び技能、❷思考力、判断力、表現力等、❸学びに向かう力、人間性等の3つの柱で再整理**。

□**高大接続**改革という、高等学校教育を含む初等中等教育改革と、大学教育改革、そして両者をつなぐ**大学入学者選抜**改革の中で実施される改訂。

3 各学校におけるカリキュラム・マネジメントの確立 ／★超頻出★＼ 重要度 ★★★

□特に**学習の基盤となる資質・能力**（言語能力、情報活用能力、問題発見・解決能力等）や現代的な諸課題に対応して求められる資質・能力の育成のためには、**教科等横断的な学習を充実**する必要。

□「主体的・対話的で深い学び」のための授業改善に必要な3つの視点 ⇨ 以下の3つの視点を手掛かりに、質の高い学びを実現し、学習内容を深く理解し、資質・能力を身につけ、生涯にわたって**能動的**（**アクティブ**）に学び続けるようにすることが求められている。

□**アクティブ・ラーニング**

❶学ぶことに**興味や関心**を持ち、自己の**キャリア形成**の方向性と関連付けながら、**見通し**をもって粘り強く取り組み、**自己の学習活動**を振り返って次につなげる「**主体的な学び**」が実現できているかという視点

❷子ども同士の**協働**、教職員や**地域の人**との**対話**、**先哲**の考え方を手掛かりに考えること等を通じ、自己の考えを広げ深める「**対話的な学び**」が実現できているかという視点

❸**習得**・**活用**・**探究**という学びの過程の中で、各教科等の特質に応じた「**見方・考え方**」を働かせながら、知識を**相互に関連付けて**より深く理解したり、**情報**を精査して考えを形成したり、**問題**を見いだして解決策を考えたり、思いや考えを基に**創造**したりすることに向かう「**深い学び**」が実現できているかという視点

□学校全体として、**教育内容や時間**の適切な配分、**必要な人的・物的**体制の確保、実施状況に基づく改善などを通して、教育課程に基づく**教育活動**の質を向上させ、**学習の効果**の最大化を図る**カリキュラム・マネジメント**を確立。

4 教育内容の主な改善事項 ★超頻出★ 重要度 ★★★

□**言語能力の確実な育成**

● 発達の段階に応じた、語彙の確実な習得、意見と根拠、具体と抽象をおさえて考えるなど**情報**を正確に理解し適切に表現する力の育成（小中：国語）

● 学習の基盤としての**各教科等における言語活動**（実験レポートの作成、立場や根拠を明確にして議論することなど）**の充実**（小中：総則、各教科等）

□**理数教育の充実**

● 前回改訂において**2～3割程度授業時数を増加し充実させた内容を今回も維持**した上で、**日常生活等から問題を見いだす活動**（小：算数、中：数学）**や見通しをもった観察・実験**（小中：理科）**などの充実**

● **必要なデータを収集・分析し、課題を解決するための統計教育の充実**（小：算数、中：数学）、**自然災害に関する内容の充実**（小中：理科）

□**文化や伝統に関する教育の充実**

● 正月、わらべうたや伝統的な遊びなど、**わが国や地域社会における様々な文化や伝統に親しむこと**（幼稚園）

● **古典**など、**わが国の言語文化**（小中：国語）、**県内の主な文化財や年中行事**の理解（小：社会）、**わが国や郷土の音楽、和楽器**（小中：音楽）、**武道**（中：

保健体育)、**和食や和服**(小：家庭、中：技術・家庭)などの指導の充実

□**道徳教育の充実**

- 先行する道徳の特別教科化(小：平成30年4月、中：平成31年4月)による、**道徳的価値を自分事として理解し、多面的・多角的に深く考えたり、議論したりする道徳教育**の充実

□**体験活動の充実**

- **生命の有限性や自然の大切さ、挑戦や他者との協働の重要性を実感するための体験活動の充実**(小中：総則)、**自然の中での集団宿泊体験活動や職場体験の重視**(小中：特別活動等)

□**外国語教育の充実**

- 小学校において、**中学年で「外国語活動」**を、**高学年で「外国語科」**を導入
  ※小学校の外国語教育の充実に当たっては、新教材の整備、研修、外部人材の活用などの条件整備を行い支援

- 小・中・高等学校一貫した学びを重視し、外国語能力の向上を図る目標を設定するとともに、**国語教育との連携を図り日本語の特徴やよさに気づく指導**の充実

□**職業教育の充実(高等学校)**

5 ▶ その他の重要事項 重要度 ★★★

□**初等中等教育の一貫した学びの充実**

- 小学校入学当初、**生活科を中心とした「スタートカリキュラム」**の充実
- **学校段階間の円滑な接続や教科等横断的な学習の重視**(小中：総則等)

□**主権者教育、消費者教育、防災・安全教育などの充実**

- **国民としての政治への関わり方について**(小：社会)、**民主政治の推進と公正な世論の形成や国民の政治参加**(中：社会)など
- **我が国の国土に関する指導**の充実(小中：社会)

□**情報活用能力(プログラミング教育を含む)**

- **コンピュータでの文字入力等の習得、プログラミング的思考の育成**(小：総則、各教科等(算数、理科、総合的な学習の時間など))

□**部活動**

- **社会教育関係団体等との連携による持続可能な運営体制**など(中：総則)

□**子供たちの発達の支援(障害に応じた指導、日本語の能力等に応じた指導、不登校等)**

教育課程の変遷と特例

●「教育課程の変遷」では、それぞれの内容を日本の学習指導要領の変遷と合わせて覚える。
●「教育課程編成の特例」では、特に特別支援教育についての知識が必須。「複式学級」「重複障害者」「通級指導」などの用語とその意味を正確に覚えよう。

1 教育課程の変遷

重要度 ★★

教育課程は、社会の変化と時代の要請に応じて変化する。

教科カリキュラム

□**前近代的教育課程** ⇨ （ヨーロッパ中・近世）**読・書・算**（**3R's**＝reading・writing・arithmetic）＋ 宗教教育

□**19C** ⇨ 教育内容の拡大によって教育課程も大きく変化。教科数も**3R's**などから大幅に増加。こうした多数の科目からなる教育課程（**教科カリキュラム**）が発達。

経験カリキュラム

□**経験カリキュラム** ⇨ **児童中心主義（経験主義）**の考えにもとづいて子どもの興味・関心を重視するように編成されたカリキュラム。

□**単元学習** ⇨ 昭和22（1947）年発行の学習指導要領（試案）で提示／**単元**：学習または教育すべき**内容（スコープ ＝scope）**を学習の**系列（シークエンス ＝sequence）**によって区切ったもの／**意図**：子どもたちと生活環境との相互作用を重視し、問題解決の学習課程を通して経験を再構築し、実生活を向上させて新しい民主社会と文化の創造を図ろうとした。

学問中心カリキュラム

□**ブルーナー** ⇨ **スプートニク・ショック**（1957年）による科学の発展に対応、あるいは英才教育の必要性が叫ばれる中で従来の経験主義教育を批判、問題解決学習と系統学習の利点を取り入れた**発見学習**を提唱 → カリキュラム改造運動：学問の構造を反映した**学問中心カリキュラム**が提示される。

人間中心カリキュラム

□**落ちこぼれ** ⇨ 学問中心カリキュラムによる教育が、授業についていけない「**落ちこぼれ**」と呼ばれる子どもたちを生む → 豊かな人間性の育成を目指した**人間中心カリキュラム**が登場。「**学校の人間化**」「**人間的な教育**」。

2　教育課程編成の特例

重要度 ★★★

☐ **複式学級の場合** ⇨ 数学年の児童(生徒)を一学級に編制する**複式学級**の場合には、学習指導要領「総則」で「各教科〔及び道徳←小のみ〕の目標及び内容について**学年別の順序**によらないことができる」としている。

☐ **重複障害者の教育・訪問教育の場合** ⇨ **重複障害者**(特別支援学校においてその学校に就学することとなった主たる障害以外にほかの障害をあわせもつ児童・生徒)の教育や**訪問教育**(障害が重度、または重複しているために特別支援学校等に通学して教育を受けることが困難な児童・生徒に対して、特別支援学校に籍を置く教員が家庭・施設・病院等へ訪問して行う教育)の場合、**特別の教育課程**によることができるとされている。

☐ **特別支援学級の場合** ⇨ 児童生徒の障害の種類や程度によっては、一般の児童生徒に対する教育内容を適用することが必ずしも適当でない場合があるので、**特別の教育課程**によることができるとされている。

☐ **通級による指導の場合** ⇨ **通級指導**とは、小・中学校・中等教育学校前期課程の通常の学級に在籍している児童・生徒のうち、言語障害児や自閉症児などの児童・生徒に対して、各教科等の指導は通常の学級で行いながら、その児童・生徒の障害に応じた特別な指導を特別の場(**通級指導教室**)で行うものである。この場合は規定通りの教育課程では実施が困難であるために、**特別の教育課程**によることができるとされている。また、通級指導によって在籍校以外の学校で受けた授業に関しては、その児童・生徒の在籍する学校の校長は在籍校で受けた授業とみなすことができる。

☐ **私立学校における宗教教育の場合** ⇨ 国および地方公共団体が設置する学校は宗教教育が禁止されている。しかし、私立学校にはこうした**政教分離の原則**(憲法第20条第3項)が適用されず、宗教教育の自由が認められている。私立学校には宗教団体が設立したものも多く、宗教教育をもって道徳性の育成が行われているものとして、「**宗教**」の時間をもって「**道徳科**」に代えることができるという**特例**が設けられている。

参考 　**学校における教育課程編成の主体**

学校教育法第37条第4項で「校務をつかさどり」と規定される職務を担うのは校長であるが、「学校は、……適正な教育課程を編成するものとする」(「東京都立学校の管理運営に関する規則」第13条)と、「学校」とする自治体もある。

ポイント 宗教系私立学校は、宗教教育で道徳性の育成を行っている

小・中学校の教育課程の編成／外国語活動

日付 ／

●「学習指導要領による編成基準」では、旧学習指導要領を踏まえて、「多様な人々との協働」や「豊かなスポーツライフ」など、時代にマッチする語句とその意味について覚える。
●「教育課程の実施と学習評価」では、「主体的・対話的で深い学び」が特に重要。キーワードを中心に内容を理解し、覚えよう。

1 学習指導要領による編成基準 ★超頻出★ 重要度 ★★★

小学校教育の基本と教育課程の役割 ＊中学校は「児童」→「生徒」

□各学校においては、「児童の人間として調和のとれた育成を目指し、児童の心身の発達の段階や特性及び学校や地域の実態を十分考慮して、適切な教育課程を編成」し、掲げる目標を達成するよう教育を行うものとする。

□学校の教育活動を進めるに当たっては、各学校において、第3の1に示す**主体的・対話的で深い学びの実現に向けた授業改善を通して、創意工夫を生かした特色ある教育活動**を展開する中で、次の❶から❸までに掲げる事項の実現を図り、豊かな創造性を備え**持続可能な社会の創り手**となることが期待される児童に、**生きる力を育む**ことを目指すものとする。

❶**基礎的・基本的な知識及び技能を確実に習得させ、これらを活用して課題を解決するために必要な思考力、判断力、表現力等を育む**とともに、**主体的に学習に取り組む態度**を養い、個性を生かし**多様な人々との協働を促す**教育の充実に努めること。その際、児童の発達の段階を考慮して、**児童の言語活動**など、**学習の基盤をつくる活動を充実するとともに、家庭との連携を図りながら、児童の学習習慣が確立するよう配慮**すること。

❷**道徳教育や体験活動、多様な表現や鑑賞の活動等を通して、豊かな心や創造性の涵養（かんよう）を目指した教育の充実に努めること。**

❸学校における体育・健康に関する指導を、児童の発達の段階を考慮して、学校の教育活動全体を通じて適切に行うことにより、**健康で安全な生活と豊かなスポーツライフの実現を目指した教育の充実に努めること**。特に、**学校における食育の推進**並びに体力の向上に関する指導、安全に関する指導及び心身の健康の保持増進に関する指導については、体育科、家庭科（中学校：保健体育科、技術・家庭科）及び特別活動の時間はもとより、**各教科、道徳科、外国語活動**（中学校なし）**及び総合的な学習の時間**などに

おいてもそれぞれの特質に応じて適切に行うよう努める。また、**家庭や地域社会との連携を図りながら、日常生活において適切な体育・健康に関する活動の実践を促し、生涯を通じて健康・安全で活力ある生活を送るための基礎**が培われるよう配慮する。

学校教育を通して育成すべき資質・能力

□児童の発達の段階や特性等を踏まえつつ、次に掲げることが偏りなく実現できるようにする。

- **知識及び技能**が習得されるようにすること。
- **思考力、判断力、表現力**等を育成すること。
- **学びに向かう力、人間性**等を涵養すること。

新カリキュラム・マネジメントに努める

□**カリキュラム・マネジメント** ⇨ 社会に開かれた教育課程の理念の実現に向けて、学校教育に関わる様々な取組を、教育課程を中心に据えながら、組織的かつ計画的に実施し、教育活動の質の向上につなげていくこと。

❶**教育の目的や目標の実現に必要な教育の内容等**を<u>教科等横断的な視点で組み立てていく</u>こと

❷**教育課程の実施状況**を<u>評価してその改善</u>を図っていくこと

❸**教育課程の実施に必要な人的又は物的な体制**を<u>確保するとともにその改善を図っていく</u>こと

授業時数等の取扱い

□各教科等の授業は、**年間35週(小学校第1学年については34週)以上**。夏季、冬季、学年末等の休業日を含め、これらの授業を**特定の期間**に行うことができる。

□**創意工夫を生かした時間割を弾力的に編成できること。**

□**短い時間を活用して特定の教科等の指導を行う場合**において、教師が、単元や題材など内容や時間のまとまりを見通した中で、その指導内容の決定や指導の成果の把握と活用等を責任を持って行う体制が整備されているときは、**その時間を当該教科等の年間授業時数に含めることができる(モジュールの活用)**。

□**総合的な学習の時間**における学習活動**特別活動の学校行事に掲げる各行事**の実施に替えることができる。

指導計画の作成等に当たっての配慮事項

□各教科等の指導内容については、単元や題材など内容や時間のまとまりを

見通しながら、そのまとめ方や重点の置き方に適切な工夫を加え、**主体的・対話的で深い学びの実現に向けた授業改善を通して資質・能力を育む**効果的な指導ができるようにする。

☐ **各教科等及び各学年相互間の関連**を図り、系統的、発展的指導ができるようにする。

☐ 学年の内容を**2学年まとめて示した教科及び外国語活動**については、当該学年間を見通して、**児童や学校、地域の実態**に応じ、**児童の発達の段階**を考慮しつつ、効果的、段階的に指導するようにする（小学校）。

☐ 児童の実態等を考慮し、指導の効果を高めるため、**児童の発達の段階や指導内容の関連性等を踏まえつつ**、合科的・関連的な指導を進めること。

学校段階等間の接続教育課程の編成に当たっての配慮

☐ **幼児期の教育**を通して育まれた資質・能力を踏まえて教育活動を実施し、**児童が主体的に自己を発揮しながら学びに向かう**ことが可能となるようにすること（**幼小の円滑な接続**）（小学校）。

☐ **低学年における教育全体**において、**教科等間の関連**を積極的に図り、**幼児期の教育及び中学年以降の教育との円滑な接続**について工夫（小学校）。

☐ **中学校教育及びその後の教育との円滑な接続**が図られるよう工夫すること。特に、義務教育学校などでは**義務教育9年間を見通した計画的かつ継続的な教育課程**を編成する（**小中高の円滑な接続**）（小学校）。

教育課程の実施と学習評価

☐ **主体的・対話的で深い学びの実現に向けた授業改善**のための配慮事項。

❶ **単元や題材など内容や時間のまとまり**を見通しながら、**児童の主体的・対話的で深い学び**の実現に向けた授業改善を行うこと。特に、各教科等において身につけた**知識及び技能を活用**したり、**思考力、判断力、表現力**等や**学びに向かう力、人間性等を発揮**させたりして、**学習の対象となる物事を捉え思考**することにより、各教科等の特質に応じた**物事を捉える視点や考え方**が鍛えられていくことに留意し、児童が各教科等の特質に応じた見方・考え方を働かせながら、**知識を相互に関連付けてより深く理解**したり、**情報を精査して考えを形成**したり、**問題を見いだして解決策を考え**たり、**思いや考えを基に創造**したりすることに向かう**過程を重視**した**学習**の充実を図ること。

❷ **言語能力の育成**を図るため、各学校において必要な**言語環境を整える**とともに、**国語科を要**としつつ各教科等の特質に応じて、児童の**言語活動を**

充実すること。**読書活動**を充実すること。

❸**コンピュータや情報通信ネットワークなどの情報手段**(ICT 環境の整備)。

□児童がコンピュータで文字を入力するなどの学習の基盤として必要となる**情報手段の基本的な操作を習得**するための学習活動(小学校)。

□児童が**プログラミング**を体験し、**コンピュータに意図した処理を行わせるために必要な論理的思考力**を身につける学習活動(小学校)。

□教育の情報化に関する手引き(令和元(2019)年12月)⇒新学習指導要領の下で教育の情報化が一層進展するよう、学校・教育委員会が実際に取組を行う際に参考となる「手引」が作成され、**教科等の指導における ICT の活用、校務の情報化の推進、学校における ICT 環境整備**等が図られることとなった。

□児童が**生命の有限性や自然の大切さ**、主体的に挑戦してみることや**多様な他者と協働することの重要性などを実感しながら**理解することができるよう、各教科等の特質に応じた**体験活動を重視し、家庭や地域社会と連携しつつ体系的・継続的に実施できるよう工夫すること。**

□学校図書館を計画的に利用しその機能の活用を図り、**児童の主体的・対話的で深い学びの実現**に向けた**授業改善**に生かすとともに、児童の**自主的**、**自発的**な学習活動や読書活動を充実すること。また、**地域の図書館や博物館、美術館、劇場、音楽堂等の施設の活用を積極的に図り、資料を活用した情報の収集や鑑賞等の学習活動を充実すること。**

評価の充実：学習評価の実施に当たっての配慮事項

□児童のよい点や進歩の状況などを積極的に評価し、**学習したことの意義や価値を実感**できるようにする。

□**学習の過程や成果を評価し、指導の改善や学習意欲の向上を図る。**

2 外国語活動(小学校第3・4学年)・外国語科(小学校第5・6学年) 重要度 ★★

□**外国語による聞くこと、話すことの言語活動**を通して、**コミュニケーション**を図る素地となる資質・能力を次のとおり育成することを目指す。

❶外国語を通して、**言語や文化について体験的**に理解を深め、音声の違い等に気づき、**外国語の音声**や基本的な**表現**に慣れ親しむようにする。

❷身近な事柄について自分の考えや気持ちなどを**伝え合う力**の素地を養う。

❸**言語やその背景にある文化に対する理解**を深め、相手に配慮しながら、**主体的に外国語を用いてコミュニケーション**を図ろうとする態度を養う。

総合的な学習(探究)の時間／特別活動／部活動改革

頻出度
A

●総合的な学習(探究)では、「探究的な見方・考え方」「横断的・総合的な学習」「自己の生き方を考えていくための資質・能力」というキーフレーズを必ず覚える。
●特別活動の各活動・学校行事の目標は必ず覚えよう。

1　総合的な学習(探究)の時間　　出題　東京・福岡・宮崎　　重要度 ★

□**目標(学習指導要領　小：第5章／中：第4章)** ⇨ 探究的な見方・考え方を働かせ、横断的・総合的な学習を行うことを通して、よりよく課題を解決し、自己の生き方を考えていくための**資質・能力**の育成を目指す。

❶**探究的**な学習の過程において、課題の解決に必要な**知識及び技能**を身につけ、課題に関わる**概念**を形成し、**探究的**な学習のよさを理解する。

❷**実社会**や**実生活**の中から問いを見いだし、**自分で課題を立て**、**情報を集め**、**整理・分析**して、**まとめ・表現する**ことができるようにする。

❸**探究的**な学習に**主体的・協働的**に取り組むとともに、互いのよさを生かしながら、積極的に社会に**参画**しようとする態度を養う。

2　特別活動　　　　　　　　　　　　　　　　　　　　重要度 ★★★

□**目標(学習指導要領　小：第6章／中：第5章)** ⇨ 集団や社会の**形成者**としての見方・考え方を働かせ、**様々な集団活動に自主的**、実践的に取り組み、**互いのよさや可能性**を発揮しながら**集団や自己の生活上の課題を解決する**ことを通して、次のとおり資質・能力を育成することを目指す。

❶多様な**他者**と**協働**する**様々な集団活動の意義**や**活動を行う上で必要となること**について理解し、**行動の仕方**を身につけるようにする。

❷**集団や自己の生活、人間関係の課題**を見いだし、**解決**するために話し合い、**合意形成**を図ったり、**意思決定**したりすることができるようにする。

❸**自主的、実践的な集団活動を通して身に付けたこと**を生かして、**集団や社会における生活及び人間関係をよりよく形成する**とともに、**自己の生き方**についての考えを深め、**自己実現**を図ろうとする態度を養う。

□各活動・学校行事の目標

● 小学校…学級活動・児童会活動・クラブ活動・学校行事

- 中学校…学級活動・生徒会活動・学校行事
- 高等学校…ホームルーム活動・生徒会活動・学校行事

□**各活動・学校行事の目標**

学級活動 (小・中)、ホームルーム活動 (高)	学級や学校での生活をよりよくするための課題を見いだし、**解決するために話し合い、合意形成し、役割を分担して協力して実践したり**、学級での話し合いを生かして自己の課題の解決及び将来の生き方を描くために**意思決定して実践したり**することに、**自主的、実践的に取り組む**ことを通して、第1の目標に掲げる資質・能力を育成することを目指す。
児童会活動 (小)、生徒会活動(中・高)	**異年齢の児童(生徒)同士で協力**し、学校生活の充実と向上を図るための諸問題の解決に向けて、**計画を立て役割を分担し、協力して運営することに自主的、実践的に取り組む**ことを通して、第1の目標に掲げる資質・能力を育成することを目指す。
クラブ活動 (小学校のみ)	**異年齢の児童同士で協力**し、**共通の興味・関心を追求する集団活動の計画を立てて運営することに自主的、実践的に取り組む**ことを通して、**個性の伸長**を図りながら、第1の目標に掲げる資質・能力を育成することを目指す。
学校行事	全校または学年の児童(生徒)で協力し、よりよい学校生活を築くための**体験的な活動を通して、集団への所属感や連帯感を深め、公共の精神を養い**ながら、第1の目標に掲げる資質・能力を育成することを目指す。 **入学式や卒業式などにおいては、その意義を踏まえ、国旗を掲揚するとともに、国歌を斉唱するよう指導する**ものとする。

3 部活動改革

重要度 ★★★

□「学校部活動及び新たな地域クラブ活動の在り方等に関する総合的なガイドライン」(令和4(2022)年12月)

- **教師の部活動への関与**について、法令等に基づき**業務改善**や**勤務管理**
- 部活動指導員や外部指導者を確保
- 心身の健康管理・事故防止の徹底、**体罰・ハラスメントの根絶の徹底**
- 週当たり**2日以上の休養日**の設定(平日1日、週末1日)
- 部活動に**強制的に加入させることがない**ようにする
- 地方公共団体等は、スポーツ・文化芸術団体との連携や保護者等の協力の下、学校と地域が協働・融合した形での環境整備を進める

高等学校の教育課程の編成

日付 ／

●「主体的・対話的で深い学び」が特に重要。キーワードを中心に内容を理解し、覚えよう。
●全日制の課程の週当たりの授業時数は、必要がある場合には増加できるなど、数字関係とその弾力的な運用を覚える。

1 学習指導要領による編成基準

重要度 ★★★

高等学校教育の基本と教育課程の役割（「総則」第1款）

□各学校において**主体的・対話的で深い学び**の実現に向けた授業改善を通して、創意工夫を生かした特色ある教育活動を展開する中で、次の❶から❸までに掲げる事項の実現を図り、生徒に**生きる力**を育むことを目指すものとする。

❶**基礎的・基本的な知識及び技能を確実に習得**させ、これらを活用して**課題を解決するために必要な思考力、判断力、表現力**等を育むとともに、**主体的に学習に取り組む態度**を養い、個性を生かし多様な人々との**協働**を促す教育の充実に努めること。

❷道徳教育や**体験活動**、多様な表現や鑑賞の活動等を通して、豊かな心や創造性の涵養(かんよう)を目指した教育の充実に努めること。

❸学校における体育・健康に関する指導（学校における**食育の推進**などを含む）を、生徒の発達の段階を考慮して、学校の教育活動全体を通じて適切に行うことにより、**健康で安全な生活**と豊かな**スポーツライフ**の実現を目指した教育の充実に努めること。

□豊かな創造性を備え**持続可能な社会の創り手となることが期待される生徒に、生きる力を育む**ことを目指すに当たっては、学校教育全体及び各教科・科目等の指導を通して**どのような資質・能力の育成を目指すのか**を明確にしながら、教育活動の充実を図るものとする。

❶**知識及び技能**が習得されるようにすること。

❷**思考力、判断力、表現力**等を育成すること。

❸**学びに向かう力、人間性**等を涵養すること。

□地域や学校の実態等に応じた**就業やボランティアに関わる体験的な学習**の指導。**勤労**の尊さや創造することの喜びの体得、望ましい**勤労観、職業観**の

育成や社会奉仕の精神の涵養。

□**教科等横断的な視点**や**カリキュラム・マネジメント**

教育課程の編成（「総則」第2款）

□**教科等横断的な視点**に立った資質・能力の育成

　生徒の発達の段階を考慮し、**言語能力、情報活用能力（情報モラルを含む。）、問題発見・解決能力等の学習の基盤となる資質・能力を育成**していくことができるよう**教科等横断的な視点**から教育課程の編成を図る。

□各生徒や学校、地域の実態及び生徒の発達の段階を考慮し、**豊かな人生の実現や災害等を乗り越えて次代の社会を形成する**ことに向けた現代的な諸課題に対応して求められる資質・能力を、**教科等横断的な視点**で育成していくことができるよう、各学校の特色を生かした教育課程の編成を図る。

□教育課程の編成における共通的事項

　各教科・科目及び総合的な探究の時間の単位数の計は、**74単位**以上。1単位時間を**50分**。**35単位時間**の授業を1単位。

国語　現代の国語 言語文化　各②／論理国語 文学国語 国語表現 古典探究　各④

地歴　地理総合 歴史総合　各②／地理探究 日本史探究 世界史探究　各③

公民　公共 倫理 政治・経済 各②

数学　数学Ⅰ③Ⅱ④Ⅲ③／数学ＡＢＣ 各②

理科　科学と人間生活 物理基礎 化学基礎 生物基礎 地学基礎　各②／物理 化学 生物 地学　各④　**理数 理数探究基礎① 理数探究②～⑤**

保健体育　体育⑦～⑧　保健②

芸術　音楽 美術 工芸 書道　各Ⅰ～Ⅲ　すべて②

家庭　家庭基礎② 家庭総合④

情報　情報Ⅰ・Ⅱ　各②　**総合的な探究の時間③～⑥**

外国語　英語コミュニケーションⅠ③Ⅱ④Ⅲ④／論理・表現Ⅰ～Ⅲ　各②

（丸数字は単位数）

□各教科・科目等の授業時数等

- 全日制課程における各教科・科目及びホームルーム活動の授業は、**年間35週標準**（必要がある場合には、各教科・科目の授業を特定の学期又は特定の期間に行うことができる）。

- 全日制の課程における週当たりの授業時数は、**30単位時間標準**。ただし、必要がある場合には、これを**増加**できる。

- 各教科・科目等の特質に応じ、**10分から15分程度の短い時間を活用して**特定の各教科・科目等の指導を行う場合**その時間を当該各教科・科目等の授業時数に含める**ことができる。
- 総合的な探究の時間における学習活動により、特別活動の学校行事に掲げる各行事の実施と同様の成果が期待できる場合においては、**総合的な探究の時間における学習活動をもって相当する特別活動の学校行事に掲げる各行事**の実施に替えることができる。

□学校段階等間の接続
- 中学校教育までの学習の成果が高等学校教育に**円滑に接続**され、高等学校教育段階の終わりまでに育成することを目指す資質・能力を、**生徒が確実に身に付けることができるよう**工夫すること。
- **義務教育段階での学習内容の確実な定着**を図るようにすること。
- **大学や専門学校等における教育や社会的・職業的自立、生涯にわたる学習**のために、**高等学校卒業以降の教育や職業との円滑な接続**が図られるよう、関連する教育機関や企業等との連携により、**卒業後の進路に求められる資質・能力**を着実に育成することができるよう工夫すること。

□学校においては、生徒や学校、地域の実態及び学科の特色等に応じ、特色ある教育課程の編成に資するよう、前掲の科目以外の科目（**学校設定科目**）を設けることができる。

□学校においては、生徒や学校、地域の実態及び学科の特色等に応じ、特色ある教育課程の編成に資するよう、前掲の教科以外の教科（**学校設定教科**）及び当該教科に関する科目（「**産業社会と人間**」など）を設けることができる。

教育課程の実施と学習評価（「総則」第3款）

□**主体的・対話的で深い学び**の実現に向けた授業改善

□学習評価の充実
- **生徒のよい点や進歩の状況**などを積極的に評価し、**学習したことの意義や価値を実感できる**ようにすること。**学習の過程や成果を評価**し、指導の改善や学習意欲の向上を図り、資質・能力の育成に生かすようにすること。
- 創意工夫の中で学習評価の妥当性や信頼性が高められるよう、**組織的かつ計画的な取組**を推進するとともに、**学年や学校段階を越えて生徒の学習の成果が円滑に接続される**ように工夫すること。

単位の修得及び卒業の認定（「総則」第4款）

□卒業までに修得させる単位数は、**74単位以上**とする。なお、普通科におい

ては、卒業までに修得させる単位数に含めることができる学校設定科目及び学校設定教科に関する科目に係る修得単位数は、合わせて**20単位**を超えることができない。

生徒の発達の支援（「総則」第5款）

- 学習や生活の基盤として、教師と生徒との信頼関係及び生徒相互のよりよい人間関係を育てるため、日頃から**ホームルーム経営の充実を図ること**。主に**集団の場面で必要な指導や援助を行うガイダンス**と、**個々の生徒の多様な実態を踏まえ、一人一人が抱える課題に個別に対応した指導を行うカウンセリング**の双方により、生徒の発達を支援すること。

- **障害のある生徒、海外から帰国した生徒、日本語の習得に困難のある生徒、不登校の生徒**などへの対応と配慮。

学校運営上の留意事項（「総則」第6款）

□教育課程の改善と学校評価、教育課程外の活動との連携等

- 校長の方針の下に、**校務分掌**に基づき教職員が適切に役割を分担しつつ、相互に連携しながら、各学校の特色を生かした**カリキュラム・マネジメントを行うよう努める**ものとする。

□家庭や地域社会との連携及び協働と学校間の連携

- 学校がその目的を達成するため、学校や地域の実態等に応じ、教育活動の実施に必要な人的又は物的な体制を**家庭や地域の人々の協力を得ながら整える**など、家庭や地域社会との連携及び協働を深めること。高齢者や異年齢の子供など、地域における世代を越えた交流の機会を設けること。

道徳教育に関する配慮事項（「総則」第7款）

□道徳教育の**全体計画**を作成し、**校長の方針の下に、道徳教育推進教師を中心に、全教師が協力して道徳教育を展開**。公民科の「**公共**」及び「**倫理**」並びに**特別活動が、人間としての在り方生き方に関する中核的な指導の場面である**ことに配慮すること。

□**中学校までの特別の教科である道徳の学習等を通じて深めたことの理解を基にしながら**、様々な体験や思索の機会等を通して、**人間としての在り方生き方についての考えを深めること**への留意など。

□**就業体験活動やボランティア活動、自然体験活動、地域の行事への参加などの豊かな体験の充実**など。

□学校の道徳教育の全体計画や道徳教育に関する諸活動などの情報を積極的に公表するなど、**家庭や地域社会との共通理解を深める**こと。

学校における道徳教育

日付
／

●特別の教科である道徳は道徳教育の要であること、道徳教育は学校の教育活動全体を通じて行うものであることを覚える。
●高等学校に教科としての道徳はないが、人間としての在り方・生き方に関する教育を学校の教育活動全体を通じて行うことを覚える。

1 学校における道徳教育　　　重要度 ★★

教育課程における道徳教育の位置づけ

□**小・中学校、義務教育学校** ⇨ 学校教育法施行規則第50条(小)と第72条 (中)によって、各教科、総合的な学習の時間、特別活動、外国語活動(小のみ) などとともに**教育課程の一領域**を占める。また、第50条第2項(第79条により中学校に準用)により、「**宗教**」の時間を置く私立学校においては、「**宗教**」をもって「**特別の教科である道徳**」に代えることができる。

□**高等学校** ⇨ 高等学校には「**道徳**」は配置されていないが、道徳教育が不要だからではなく、**学校の教育活動全体を通じて行う**ことになっている。

2 道徳教育の基本方針　　　重要度 ★★

「特別の教科　道徳（道徳科）」の新設

□平成27(2015)年3月、小学校・中学校・義務教育学校・特別支援学校学習指導要領の一部改正が行われ、「**特別の教科　道徳**」が**新設**された。小学校・特別支援学校小学部は平成30(2018)年度、中学校・中等教育学校前期課程・特別支援学校中学部は平成31(2019)年度から完全実施となった。

小・中学校 ➡ 学習指導要領「総則」第1-2(2)

学校における道徳教育は、**特別の教科である道徳**(以下「道徳科」という。)**を要**として**学校の教育活動全体を通じて行う**ものであり、道徳科はもとより、各教科(小:外国語活動)、総合的な学習の時間及び特別活動の**それぞれの特質に応じて**、児童(生徒)の発達の段階を考慮して、**適切な指導**を行うこと。／道徳教育は、教育基本法及び学校教育法に定められた教育の根本精神に基づき、**自己の生き方を考え、主体的な判断の下に行動し、自立した人間として他者と共によりよく生きる**ための基盤となる道徳性を養うことを目標とする。(以下略)

□**小・中学校**「自己の生き方を考え」 ⇨ 小学校、中学校の義務教育において は自らを見つめ、自らに問いかけることを出発点に、様々な物や事との関わ りの中で自らの生き方についての考えを深めることが重要。

主な配慮事項 学習指導要領(「総則」第1-2(2)　第4段落)

□改定前の学習指導要領(平成20年度版)では「総則」第1−2の第2段落に 置かれていたものを、文言を整理して第3段落とし、従来の第3段落で述べ られていた事項は、「総則」第4−3(3)で掲げられることとなった。

□「**伝統と文化**を尊重し、**それらを育んできた我が国と郷土**を愛し」「**公共の精神 を尊び**」「**他国を尊重**」「**環境の保全に貢献**」⇒新教育基本法を踏まえた文言。

高等学校 ➡ 学習指導要領「総則」第1款-2(2)

学校における道徳教育は、**人間としての在り方生き方に関する教育**を**学校の教育 活動全体を通じて行う**ことによりその充実を図るものとし、各教科に属する科 目、総合的な探究の時間及び特別活動の**それぞれの特質**に応じて、**適切な指導**を 行うこと。／道徳教育は、教育基本法及び学校教育法に定められた教育の根本精 神に基づき、生徒が**自己探求と自己実現に努め国家・社会の一員としての自覚**に 基づき行為しうる発達の段階にあることを考慮し、**人間としての在り方生き方を 考え、主体的な判断の下に行動し、自立した人間として他者と共によりよく生き るための基盤となる道徳性を養う**ことを目標とすること。／道徳教育を進める に当たっては、**人間尊重の精神と生命に対する畏敬の念**を家庭、学校、その他社会 における具体的な生活の中に生かし、**豊かな心**をもち、**伝統と文化を尊重し**、それ らを育んできた**我が国と郷土を愛し、個性豊かな文化の創造**を図るとともに、**平 和で民主的な国家及び社会の形成者**として、**公共の精神を尊び**、社会及び国家の **発展に努め、他国を尊重し**、国際社会の平和と発展や環境の保全に貢献し未来を **拓く主体性のある日本人の育成に資する**こととなるよう特に留意すること。

⇨ 高等学校における道徳教育の考え方として示されているのが、**人間とし ての在り方生き方に関する教育**であり、学校の教育活動全体を通じて、生徒 が**人間としての在り方生き方**を**主体的**に**探求**し**豊かな自己形成**ができるよ う、適切な指導を行うものとする。

　自立心や自律性を高め、**規律ある生活**をすること、**生命を尊重する心**を育 てること、**社会連帯の自覚**を高め、**主体的に社会の形成に参画する意欲と態 度**を養うこと、**義務**を果たし**責任を重んずる態度**及び**人権を尊重**し差別の ないよりよい社会を実現しようとする態度を養うこと、**伝統と文化を尊重** し、それらを育んできた**我が国と郷土を愛する**とともに、**他国を尊重するこ と、国際社会に生きる日本人としての自覚**を身に付けること。

ポイント 道徳教育の出題率は高くなっている

47

道徳教育の目標と内容

● 「考える道徳」「議論する道徳」への転換が図られたことを理解し、その意味するところについて、学習指導要領の記述をもとに、論文試験や面接試験時に表現できるようにしておく。
● 志望校種ごとの道徳科の目標については確実に覚えよう。

1 「道徳」から「特別な教科 道徳」へ　　重要度 ★★★

□平成27(2015)年3月に小学校・中学校・義務教育学校・特別支援学校学習指導要領の一部改正により、従来の「道徳」に代わり**「特別の教科　道徳」が新設**されたことを受けて、第3章が「特別の教科　道徳」として、その内容が全面的に改められた。今改正では、道徳が教科化されるとともに、平成26(2014)年10月に出された中央教育審議会教育課程部会答申「道徳に係る教育課程の改善等について」に基づいて、発達の段階に応じ、答えが一つではない道徳的な課題を一人一人の児童(生徒)が自分自身の問題と捉え、向き合う**「考える道徳」、「議論する道徳」へと転換を図る**ものとなった。

2 道徳科の目標　　重要度 ★★★

□**小・中学校学習指導要領「第3章 特別の教科　道徳　第1 目標」**

第1章総則の第1の2の(2)に示す道徳教育の目標に基づき、よりよく生きるための基盤となる道徳性を養うため、道徳的諸価値についての理解を基に、自己を見つめ、物事を(広い視野から)多面的・多角的に考え、〔自己の〕(人間としての)生き方についての考えを深める学習を通して、道徳的な判断力、心情、実践意欲と態度を育てる。　　　〈〔　〕内は中学校にはなく、(　)内は小学校にはない〉

配慮事項

● 第1章総則の第1の2の(2)に示された**道徳教育の目標に基づいて行う**こと。
● **道徳性**を養うために行う道徳科の学習
　❶**道徳的諸価値**について理解すること。
　❷**自己を見つめる**こと。
　❸物事を(広い視野から)**多面的・多角的に考える**こと。
　❹**自己の**(中：**人間としての**)**生き方についての考えを深める**こと。
● **道徳的な判断力、心情、実践意欲と態度**を育てること。

3　道徳科の内容　　（出題　福島・東京）　重要度 ★★★

□**小・中学校学習指導要領「第3章 特別の教科　道徳　第2 内容」**

　⇨ 次の4項目の視点に分け、そのそれぞれについて具体的な内容を列挙。

- A　主として自分自身に関すること
- B　主として人との関わりに関すること
- C　主として集団や社会との関わりに関すること
- D　主として生命や自然、崇高なものとの関わりに関すること

- Aの視点＝自己の在り方を自分自身との関わりにおいて捉え、**望ましい自己の形成を図る**ことに関するもの。
- Bの視点＝自己を他の人との関わりにおいて捉え、**望ましい人間関係の育成を図る**ことに関するもの。
- Cの視点＝自己を社会集団や郷土、国家、国際社会との関わりにおいて捉え、**国際社会に生きる日本人としての自覚**を持ち、**平和的で文化的な社会及び国家の成員として必要な道徳性の育成を図る**ことに関するもの。
- Dの視点＝自己を自然や美しいもの、崇高なものとの関わりにおいて捉え、**人間としての自覚を深める**ことに関するもの。

□**具体的項目** ⇨ 小学校では2学年ごとに、あるいは小学校と中学校（全学年）とでは、この視点の下に提示される具体的内容が徐々に高度になる。

4　道徳科の指導上の配慮事項　　重要度 ★★

□校長や教頭などの参加、他の教師との協力的な指導などについて工夫し、**道徳教育推進教師**を中心とした指導体制を充実すること。

□**学級担任の教師が行う**ことを原則とする（中学校）。

□特別活動等における多様な**実践活動**や**体験活動**も道徳科の授業に生かすようにすること。

□生命の尊厳、（中：社会参画、）自然、伝統と文化、先人の伝記、スポーツ、情報化への対応等の現代的な課題などを題材とし、児童（生徒）が問題意識をもって**多面的・多角的に考えたり、感動を覚えたり**するような**充実した教材の開発や活用**を行うこと。

□児童の学習状況や道徳性に係る成長の様子を継続的に把握し、指導に生かすよう努める必要がある。ただし、**数値などによる評価は行わない**ものとする。

ポイント 道徳の時間の指導内容としての4項目の視点は特に重要!!　　49

14 生徒指導の意義と基本原理

日付 ／

●『生徒指導提要』の「生徒指導の意義と課題」については、定義・意義・課題を覚えよう。
●集団指導・個別指導の方法原理となる、成長を促す指導・予防的指導・課題解決的指導の3つの目的は、「場面指導」でも活用できる。

1 生徒指導の教育課程上の位置づけ　重要度 ★★

□ **小・中学校学習指導要領「総則」第4　児童（中：生徒）の発達の支援－1-(1)**
　⇨ 学習や生活の基盤として、**教師と児童の信頼関係及び児童相互のよりよい人間関係**を育てるため、日頃から学級経営の充実を図ること。また、主に集団の場面で必要な指導や援助を行う**ガイダンス**と、一人一人が抱える課題に個別に対応した指導を行う**カウンセリング**の双方により、**児童の発達を支援**すること。

□ **小・中学校学習指導要領「総則」第4　児童（中：生徒）の発達の支援－1-(2)**
　⇨ 児童が、**自己の存在感を実感**しながら、**よりよい人間関係**を形成し、有意義で充実した学校生活を送る中で、**現在及び将来における自己実現**を図っていくことができるよう、**児童理解を深め、学習指導と関連付けながら、生徒指導の充実**を図ること（中学校の場合、「児童」は「生徒」）。

2 『生徒指導提要』　★超頻出★　重要度 ★★★

平成22（2010）年3月、文部科学省は公教育全体で生徒指導に取り組むため、『**生徒指導提要**』を作成、公表した。昭和56（1981）年に『**生徒指導の手引（改訂版）**』が作成されて以来、およそ**30年ぶり**の生徒指導用マニュアルの改訂である。

特徴

□ 現代日本における学校教育や家庭教育が直面する問題について対応。例えば、「**発達障害**」「**守秘義務と説明責任**」「**児童虐待**」「**インターネット**」「**懲戒と体罰**」などについて、「生徒指導の手引」では扱われなかった内容にも言及。

□ **小学校段階**から、**生徒指導を促し**、小・中・高段階における具体的実践における重点項目を示すとともに、**学校間連携についても強調**している。

生徒指導の意義と課題

□**生徒指導の定義** ⇨「生徒指導とは、一人一人の児童生徒の人格を尊重し、個性の伸長を図りながら、社会的資質や行動力を高めることを目指して行われる教育活動」

□**生徒指導の意義** ⇨「学校の教育目標を達成する上で重要な機能を果たすものであり、学習指導と並んで学校教育において重要な意義を持つ」

□**生徒指導の課題** ⇨ 学習指導要領に示されており、(1)**生徒指導の基盤となる児童生徒理解**、(2)**望ましい人間関係づくりと集団指導・個別指導**、(3)**学校全体で進める生徒指導**の3つが必要である。

教育課程における生徒指導の位置づけ

□『生徒指導提要』では、「生徒指導は、教育課程における特定の教科等だけで行われるものではなく、**教育課程のすべての領域**において機能することが求められて」いると述べている。

生徒指導の前提となる発達観と指導観

□**人間観・発達観** ⇨「人間の成長・発達というのは、個としての欲求の充足や人格の完成という側面が、社会への適応や社会の中での成功という側面と不可分の形で営まれていくもの」という人間観・発達観にたって、教育観・指導観が述べられている。

□**教育観** ⇨ 生徒指導を通して、「**ア 自発性・自主性**」、「**イ 自律性**」、「**ウ 主体性**」の3つの資質・能力が育まれていくべきである。また、自分から進んで学び、自分で自分を指導していくという力、自分から問題を発見し、自分で解決しようとする力、自己学習力や自己指導能力、課題発見力や課題解決力というものが育つ指導を行っていくことが望まれる。

□**指導観** ⇨ 児童生徒が主体的に人格の完成を求めるように育つためには、❶**場や機会の提供**、❷**自己決定と参加・役割・責任感**、❸**教員の関わり方**の3点に基づき指導を行う必要がある。

集団指導・個別指導の方法原理

□集団指導と個別指導は相互作用的なものである。また集団指導と個別指導のどちらにおいても、❶**成長を促す指導**、❷**予防的指導**、❸**課題解決的指導**の3つの目的に分けることができる。

学校運営と生徒指導

□学校運営を生徒指導の観点から見直し、また、生徒指導を学校運営の観点から見直すという視点を持つことが必要。

ポイント 30年ぶりに生徒指導用マニュアルが改訂された背景を理解！

15 生徒指導の方法

頻出度 **B**

●生徒指導の領域は、どのような局面で指導するのか を想定する枠組みとなるよう、理解した上で覚えよう。
●個別指導の方法としてのカウンセリングの種類は、 来談者中心カウンセリングを中心に、言葉とその 意味を覚える。

1 生徒指導の領域 　出題 宮城・群馬・山口・宮崎 　重要度 ★★★

学業指導	学業の不適応解消、学習意欲高揚、望ましい学習習慣形成、学習環境整備・改善、各教科・科目等の選択などに関する指導、など
個人的適応指導	生徒指導の中でも最も基本的な領域。情緒不安の解消、社会的不適応の治療、精神的健康の増進など、生活適応のための指導
社会性・公民性指導	児童生徒が集団生活の中で社会性や公民性を育成するよう、望ましい集団の形成、健全な集団活動と集団への適応の指導
道徳性指導	人間としての望ましい生き方や人間関係の在り方に関する指導。自己の人生観や価値観の形成を図るよう行われる
進路指導	主体的に進路を選択・決定する能力、積極的に社会に関わっていく態度・能力を育成し、社会的・職業的な自己実現を図れるように指導・援助するもの。自己理解促進、進路情報提供、啓発的経験提供、進路相談、進学・就職斡旋、卒業生に対する指導、など
保健・安全指導	心身の発達や健康の保持・増進、保健衛生、男女の特質と相互の在り方、交通安全などに関する指導
余暇指導	余暇・休暇における事故防止や行動規制に関する指導。余暇を自己の人生のために積極的に活用する態度の育成を目指す

*いかなる生徒指導においても体罰は絶対に禁止されている(学校教育法第11条)。

2 生徒指導の方法 　重要度 ★★

生徒理解

□**生徒理解** ⇨ 生徒指導の対象となる児童生徒の**能力**や**特性**、さらにはその 時々の**心身の状態**を的確に把握すること。生徒指導は「**生徒理解に始まり生 徒理解に終わる**」といわれるほどに、教師と児童・生徒との**相互信頼を前提 とした良好なる人間関係**の中で、十分な生徒理解があって初めて効果を生 む。また、生徒理解は生徒指導だけではなく、**すべての指導の前提**となる。

□生徒理解の方法

手段	方法	内容
観察	自然のままの言動を観察記録する方法	観察から得られたデータや外に表れた行動の背景にある特性などを把握する
面接	児童生徒と直接に話し合い、感じ方、考え方を捉える方法	内容·話し方·表情などから心情、判断力、態度、交友関係を把握していく
質問紙	あらかじめ準備した質問に回答させる方法　自己評価·ゲス·フー·テスト	各種の特性や能力の把握のための設定が可能(ただし、児童生徒は常に本当のことを記入するとは限らない)
作文	児童生徒の生活体験·反省·意見·希望等を書かせる 日記·道徳ノート	日常の生活、交友関係、物事に対する感じ方·考え方などを読み取る

個別指導の方法

□**教育相談** ⇨ 一人ひとりの子どもの教育上の諸問題について、本人またはその親、教師などに、望ましい在り方について助言指導をすること ＝ 個人のもつ悩みや困難の解決を援助することによって、その生活によく適応させ、人格の成長への援助を図ろうとするもの。**教育相談室**が利用される。

□**カウンセリング** ⇨ 生徒指導における個別指導の具体的方法のひとつ。

● **臨床的カウンセリング(指示的カウンセリング)** ≫ 様々な心理検査による**科学的診断**にもとづいて、クライエントに**指示·指導·助言**を与え、問題の理論的な解決を目指す。**進路指導や学業指導に有効**。

● **来談者中心カウンセリング(非指示的カウンセリング)** ≫ **ロジャーズ**によって提唱されたカウンセリングの方法。カウンセラーがクライエントをひとりの人間として**心から受容**し、**共感的に理解**することによって、**クライエント自身の洞察**にもとづくパーソナリティの再体制化を目指すものである。学校で行われているスクールカウンセリングは、来談者中心カウンセリングの方法をとりつつも、カウンセラー(教師など)の側から声をかけたり、カウンセリングの日時を指示したりするなどの方法もとられている。

● **折衷的カウンセリング** ≫ 上記の2つのカウンセリングを折衷したもの。カウンセリングの**第1段階では非指示的方法**を、**第2段階では指示的方法**によって問題解決を目指す。あらゆる領域の問題を扱う**学校教育の場において有効**とされる。

ポイント カウンセリングは教育心理でも扱う重要事項だ

教育原理

16

問題行動とその対応（暴力行為）

日付 /

頻出度 B

●小学校では学年が上がるごとに暴力行為が多くなる。
●中学校では1年生が最多（令和4年度）。

1 問題行動

重要度 ★★★

□**文部科学省による調査** ⇨ 毎年、生徒指導上の現状について調査を行い、その結果を「（**各年度**）『**児童生徒の問題行動・不登校等生徒指導上の諸課題に関する調査結果**』」として発表。

＊以下の「問題行動」に関する数値は、すべて「令和4年度　児童生徒の問題行動・不登校等生徒指導上の諸課題に関する調査結果」（令和5年10月4日　文部科学省）による。

□**調査項目** ⇨ （問題行動に関連があるもの）❶**暴力行為の発生件数**、❷**いじめの認知件数**、❸**不登校児童生徒数**、❹**高等学校中途退学者**数、❺**出席停止**の措置が取られた件数、❻**児童生徒の自殺者**数。

つまり、文部科学省は上記6件を「問題行動」として捉えていることになる。

● **出席停止**＝**学校教育法第35条**の規定により、学校内における**性行不良者**があるときに**市町村教育委員会**がその**保護者**に対して**児童・生徒の出席の停止を命じる**（校長にその権限を委任する場合もある）もので、いわゆる非行への対応措置。

2 暴力行為

重要度 ★★★

□**定義**

「**暴力行為**」とは、「**自校の児童生徒が、故意に有形力**（目に見える物理的な力）**を加える行為**」をいい、被暴力行為の対象によって、「**対教師暴力**」（教師に限らず、用務員等の学校職員も含む）、「**生徒間暴力**」（何らかの人間関係がある児童生徒同士に限る）、「**対人暴力**」（対教師暴力、生徒間暴力の対象者を除く）、学校の施設・設備等の「**器物損壊**」の四形態に分ける。ただし、家族・同居人に対する暴力行為は、調査対象外とする。　　　（平成19年度調査の際の「調査票」の説明による）

□**発生件数など**

- **国公私立の小・中・高等学校の児童生徒が起こした暴力行為**

  95,426件【小：61,455件・中：29,699件・高：4,272件】

  前年度より18,985件増加・前年比24.8%増加

- **暴力行為が発生した学校数（%は全校数に占める割合）**

  13,619校＝39.4% ⇨ 前年度より1,064校増加

  発生件数は全学校種合計では**平成27～令和4年度に増加**。小学校は令和**2年度に減少し令和3～4年度に増加、中学校は平成30年度に増加、令和元～2年度に減少し令和3～4年度に増加、高校も令和元～2年度に減少し、令和3～4年度に増加。**

□**形態別**

「**生徒間暴力**」（全体の72.9%）が**最も多く**、「**器物損壊**」（同13.3%）「**対教師暴力**」（同12.5%）「**対人暴力**」（同1.2%）が続く。

□**加害児童生徒**

加害児童生徒数は78,409人（前年度＝64,039人）であり、学年別では、**小学校では学年が上がるごとに多くなる**傾向にあるが、令和4年度調査では中学1年生が最も多く、**高校では学年が上がるごとに減少**する。

【発生件数の推移】

年度 種別	令和2年度	令和3年度	令和4年度
小学校	41,056	48,138	61,455
中学校	21,293	24,450	29,699
高校	3,852	3,853	4,272
合計	66,201	76,441	95,426

【形態別発生件数の構成比】（国公私立の小・中・高等学校が対象）

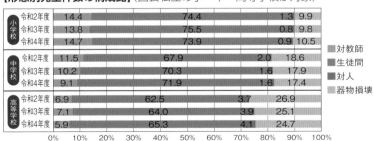

		対教師	生徒間	対人	器物損壊
小学校	令和2年度	14.4	74.4	1.3	9.9
	令和3年度	13.8	75.5	0.8	9.8
	令和4年度	14.7	73.9	0.9	10.5
中学校	令和2年度	11.5	67.9	2.0	18.6
	令和3年度	10.2	70.3	1.6	17.9
	令和4年度	9.1	71.9	1.6	17.4
高等学校	令和2年度	6.9	62.5	3.7	26.9
	令和3年度	7.1	64.0	3.9	25.1
	令和4年度	5.9	65.3	4.1	24.7

ポイント 暴力行為は小学生の増加が著しかった

問題行動の現状（いじめ）

日付
／

●いじめの様態では、「冷やかしやからかい」が最多。
●いじめの発見のきっかけについては、アンケート調査などが最多。

1　いじめ　　出題 千葉・福井　重要度 ★★★

□いじめ対策推進法の定義

「いじめ」とは、「児童等に対して、当該児童等が在籍する学校に在籍している等当該児童等と**一定の人的関係**のある他の児童等が行う**心理的又は物理的な影響**を与える行為（インターネットを通じて行われるものも含む。）であって、当該行為の対象となった児童等が**心身の苦痛**を感じているもの」とする。なお、起こった場所は学校の内外を問わない。

　上記の定義は平成25年度から用いられるようになったもので、それまでは次のような基準にもとづいていた。
　「本調査において、個々の行為が『いじめ』に当たるか否かの判断は、表面的・形式的に行うことなく、いじめられた児童生徒の立場に立って行うものとする」としたうえで、

当該児童等が、**一定の人間関係**のある者から、**心理的**、**物理的な攻撃**を受けたことにより、**精神的な苦痛**を感じているもの。なお起こった場所は学校の内外を問わない。

2　いじめの様態　　出題 千葉・福井　重要度 ★★

□**文科省の調査項目** ⇨ 冷やかしやからかい、悪口や脅し文句、嫌なことを言われる／仲間はずれ、集団による無視をされる／軽くぶつかられたり、遊ぶふりをして叩かれたり、蹴られたりする／ひどくぶつかられたり、叩かれたり、蹴られたりする／金品をたかられる／金品を隠されたり、盗まれたり、壊されたり、捨てられたりする／ 嫌なことや恥ずかしいこと、危険なことをされたり、させられたりする／**パソコン**や携帯電話等で、**誹謗中傷**や嫌なこと**をされる（注：この項目は定義の変更と同時に加えられたもの）

3 認知件数など

出題 千葉・福井　重要度 ★★

☐ **認知件数**（〈　〉内は前年度数など）＝ 国公私立小・中・高・特別）

小学校 551,944件〈500,562件〉　中学校　111,404件〈97,937件〉

高等学校 15,568件〈14,157件〉　特別支援学校 3,032件〈2,695件〉

合計 681,948件〈615,351件〉＝ 前年度より 66,597件・10.8％増加

⇨ **令和4年度**のいじめの認知件数は**過去最高**となった。

☐ **学年別の認知件数**（小学1年生～高校4年生）

小学校では認知件数の山となる学年が年々若年化、令和4年度は**小学2年生**が**最も多く**なり、その後、小学6年生まで徐々に減少する。**高校4年生**※**まで学年を追うごとに減少**していく。※高校4年生は通信課程

☐ **いじめの態様別**

すべての学校種で「**冷やかしやからかい、悪口や脅し文句、嫌なことを言われる**」が**最も多く**（全体で57.4％）、「パソコンや携帯電話等で、誹謗中傷や嫌なことをされる」は全体で3.5％。

☐ **いじめの発見のきっかけ** ⇨ 学校の教職員が発見したのは63.8％ であり、学校の教職員以外の情報により発見したのが36.2％である。学校の教職員が発見したいじめのうち、全学校種で「**アンケート調査など学校の取組により発見**」が**最も多い**（小55.2％・中33.9％・高43.9％・特38.9％）。しかし、**中学校では小・高・特よりも著しく低い点に留意。学級担任が発見したのは全学校種の平均で9.6％ に過ぎない。**

学校の教職員以外の情報により発見したいじめのうち、最も多いのは「本人からの訴え」である（小17.3％・中27.2％・高30.9％・特20.0％）。いじめを受けている児童生徒の保護者からの訴えが全学校種平均11.8％（小11.4％・中14.2％・高9.8％・特6.3％）であることを考えると、親にいえずにひとりで苦しみ、何らかのメッセージを教師・学校に伝えようとする児童・生徒の姿が見える。

☐ **学校におけるいじめの問題に対する日常の取組**

全学校種とも「職員会議等を通じて、いじめの問題について教職員間で共通理解を図った」（小98.3％・中96.6％・高87.1％・特92.1％）が最も多く、次いで「いじめ防止対策推進法第22条に基づく、いじめ防止等の対策のための組織を招集した」（小95.7％・中92.0％・高80.7％・特89.6％）が多くなっている。

ポイント 認知件数は令和4年度は過去最高

4 いじめ防止対策推進法 出題 千葉・福井 重要度 ★★★

□学校及び学校の教職員の責務

第8条
学校及び学校の教職員は、基本理念にのっとり、当該学校に在籍する児童等の保護者、地域住民、児童相談所その他の関係者との連携を図りつつ、学校全体でいじめの防止及び早期発見に取り組むとともに、当該学校に在籍する児童等がいじめを受けていると思われるときは、適切かつ迅速にこれに対処する責務を有する。

5 いじめ問題に対する基本的認識 出題 千葉・福井 重要度 ★★★

学校における「いじめの防止」「早期発見」「いじめに対する措置」のポイント （平29・3）

下記の児童生徒を含め、学校として特に配慮が必要な児童生徒については、日常的に、当該児童生徒の特性を踏まえた適切な支援を行うとともに、保護者との連携、周囲の児童生徒に対する必要な指導を組織的に行う。

□ (1) 障害のある児童生徒

発達障害を含む、障害のある児童生徒がかかわるいじめについては、教職員が個々の児童生徒の障害の特性への理解を深めるとともに、個別の教育支援計画や個別の指導計画を活用した情報共有を行いつつ、当該児童生徒のニーズや特性、専門家の意見を踏まえた適切な指導及び必要な支援を行うことが必要である。

□ (2) 海外から帰国した児童生徒や外国人

海外から帰国した児童生徒や外国人の児童生徒、国際結婚の保護者を持つなどの外国につながる児童生徒は、言語や文化の差から、学校での学びにおいて困難を抱える場合も多いことに留意し、それらの差からいじめが行われることがないよう、教職員、児童生徒、保護者等の外国人児童生徒等への理解を促進するとともに、学校全体で注意深く見守り、必要な支援を行う。

□ (3) 性同一性障害や性的指向・性自認に係る児童生徒

性同一性障害や性的指向・性自認に係る児童生徒に対するいじめを防止するため、性同一性障害や性的指向・性自認について、教職員への正しい理解の促進や、学校として必要な対応について周知する。

□ (4) 被災児童生徒

東日本大震災により被災した児童生徒または原子力発電所事故により避難

している児童生徒(以下「被災児童生徒」という。)については、被災児童生徒が受けた心身への多大な影響や慣れない環境への不安感等を教職員が十分に理解し、当該児童生徒に対する心のケアを適切に行い、細心の注意を払いながら、被災児童生徒に対するいじめの未然防止・早期発見に取り組む。

6 いじめ問題に対する主な対応 （出題 千葉・福井） 重要度 ★★★

□**出席停止** ⇨ 悪質、かつ反復していじめを繰り返す児童・生徒に対しては、市町村教育委員会は学校教育法第35条を適用して、その保護者に児童・生徒の出席停止を命ずることができる(暴力行為に対しても同様)。

□**入学指定学校の変更・区域外就学** ⇨ 学校教育法施行令第5条第2項は、市町村内に小学校や中学校が2校以上ある場合には市町村教育委員会が入学すべき学校を指定する。同第8条は、その**学校指定の変更**の、同第9条は**区域外就学**(児童生徒がその住所の存する市町村が設置する小・中学校以外の小・中学校・中等教育学校に就学すること)に関する規定であるが、これらは、深刻ないじめをその要件として適用できることになっている。

Check!

令和4年度中に、いじめの問題により就学校の指定変更または区域外就学を認められた児童・生徒は、小学校で151人、中学校で160人、特別支援学校0人の、合計311人である。また、就学校の指定の変更などを認めた事例のある市町村数は、142市町村となっている。

□**保健主事の配置** ⇨ いじめ問題への対応に当たって養護教諭が果たす役割が大きいことにかんがみ、養護教諭を**保健主事**に充当することができる。

【いじめの認知件数の推移】 (単位：人)

種別＼年度	令和2年度	令和3年度	令和4年度
小学校	420,897	500,562	551,944
中学校	80,877	97,937	111,404
高校	13,126	14,157	15,568
特別支援	2,263	2,695	3,032
合計	517,163	615,351	681,948

令和4年度の1,000人当たりの認知件数は53.3だ

【学年別認知件数】 (単位：件)

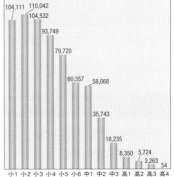

104,111　110,042
104,532
93,749
79,720
60,357　58,068
35,743
18,235
8,350　5,724
3,263　54

小1 小2 小3 小4 小5 小6 中1 中2 中3 高1 高2 高3 高4

18 不登校の現状

日付
／

●不登校の定義について覚える。
●学年が進むにつれて多くなり、中学3年生が最多
となる。

---

1 不登校　　出題 福井　重要度 ★★

□定義

> 何らかの**心理的、情緒的、身体的**、あるいは**社会的要因・背景**により、児童生徒が**登校しないあるいはしたくともできない**状況にあること（ただし、**病気**や**経済的な理由、新型コロナウイルスの感染回避**によるものを除く）。

⇨ **統計上、不登校**とは「定義」にあるような理由で、**年間30日以上の欠席**のある児童生徒ということになる。

> 「30日」という数値は、あくまでも統計上の基準値であり、不登校であるか否かを決定づける数値ではないことに注意

⇨ 不登校は、**人間関係が崩れたり、勉強がわからなくなったりするなど、様々な要因・背景の結果として起きた状態**であり、「**問題行動」ではなく、取り巻く環境によって、どの児童生徒にも起こりうる**。

□不登校児童生徒への支援 ⇨ 誰一人取り残されない学びの保障に向けた不登校対策（COCOLO プラン）

* 不登校特例校の設置を促進
* 校内教育支援センター（スペシャルサポートルーム等）の設置を促進
* 教育支援センターの機能を強化
* 高等学校等においても柔軟で質の高い学びを保障
* 多様な学びの場、居場所を確保

2 学校不適応対策調査研究協力者会議　　重要度 ★★

□会議報告「登校拒否（不登校）問題について」

* **不登校に陥った直接の「きっかけ」の区分** = ❶学校生活での影響、❷家庭生活での影響、❸本人の問題、❹その他、❺不明

- 態様の区分＝❶学校生活に起因する型、❷遊び・非行型、❸無気力型、❹不安など情緒的混乱の型、❺意図的な登校拒否の型、❻複合型、❼その他

□「登校拒否問題に対応する上での基本的な視点」（「報告」による）

(1) 登校拒否は**どの児童生徒にも起こりうるもの**であるという視点。

(2) **学校生活上の問題が起因**して登校拒否になる場合がしばしばみられるので、**学校や教職員一人一人の努力がきわめて重要**であること。

(3) <u>学校</u>、**家庭**、関係機関、本人の努力等によって、登校拒否の問題はかなりの部分を**改善ないし解決することができる**こと。

(4) 児童生徒の<u>自立</u>を促し、**学校生活への<u>適応</u>を図る**ために多様な方法を検討する必要があること。

(5) **児童生徒の<u>好ましい変化</u>**は、**積極的に<u>評価</u>する**こと。

3 不登校の現状　　　　　（出題 福井）　重要度 ★★

□**発生件数など**（国公私立の小・中学校〈中等前期を含む〉の発生状況など）

- **不登校を理由として30日以上欠席した不登校児童生徒**

小学生　105,112人〔前年度　81,498人〕（出現率1.7%＝**約59人に1人**）

中学生193,936人〔前年度　163,442人〕（出現率6.0%＝**約17人に1人**）

合　計299,048人〔前年度244,940人〕（出現率3.2%＝**約31人に1人**）

⇨ 平成20～24年度は連続して減少、25～令和4年度は著しい増加。

- **不登校児童生徒が在籍している学校**

25,074校（小学校15,543校・中学校9,531校）

＝国公私立学校総数のうち、**84.7%**（小学校80.4%・中学校**93.0%**）

- **学年別発生件数**

学年が進むほど多くなり、**<u>中学2年生</u>が最多**で全体の**23.6%**を占める。

- **不登校になった理由**

小：①無気力・不安、②生活リズムの乱れ・遊び・非行、③親子の関わり方、④いじめを除く友人関係をめぐる問題

中：①無気力・不安、②生活リズムの乱れ・遊び・非行、③いじめを除く友人関係をめぐる問題、④学業の不振

- **不登校児童生徒の27.2%は指導により登校できるようになっている**が、指導中の児童生徒は72.8%にのぼる。

ポイント **不登校は増加する一方であり、教育機会確保法の意義は大きい**

問題行動の現状（その他）

日付 ／

●本項の内容は筆記試験で直接問われる例は少ないが、論文試験や面接試験における補強材料とすることができる。
●中学生の自殺者が近年増加傾向にある。

1 出席停止措置の現状

重要度 ★★

□**出席停止件数の推移**

種別　　　年度	令和元年度	令和2年度	令和3年度	令和4年度
小学校	1	0	1	1
中学校	2	4	3	4
合　計	3	4	4	5

Check!

最多は昭和60年度の137件（中学のみ）

□**出席停止の期間**（令和3年度）⇨ 中：1〜3日＝1件・4〜6日＝1件・7〜13日＝1件・21日以上1件

□**出席停止の理由（重複あり）** ⇨ 中：❶暴力行為＝4件。❷授業妨害＝1件・いじめ＝1件。学校教育法第35条では、出席停止措置の要件として❶生徒間暴力、❷対教師暴力、❸授業妨害、❹器物損壊等、を挙げている。

2 児童生徒の自殺の現状

重要度 ★

□**自殺者数の推移**（国私立学校＝平成18年度より調査）

種別　　年度	令和2年度	令和3年度	令和4年度
小学校	7	8	19
中学校	103	109	123
高　校	305	251	269
合　計	415	368	411

Check!

昭和54年の380人（公立学校のみ＝小11人・中104人・高265人）が最多であったが令和2年度に、調査開始以来最多の415人となった

□**自殺者が置かれていた状況** ⇨ 家庭不和10.5%・進路問題9.0%・父母等の叱責8.3%・友人関係（いじめを除く）7.8%・精神障害6.3%・学業等不振5.4%・厭世3.4%・病弱等による悲観2.9%・恋愛関係での悩み2.2%・いじめ1.2%・教職員による体罰、不適切指導0.5%・その他5.6%・不明62.0%

いじめを理由とするものは12件（1.6%）。不明を除いて、小では家庭不和・精神障害、中では父母等の叱責、高では家庭不和が最多の理由

3 高等学校における現状　　　　　重要度 ★

□理由別長期欠席者数の推移(カッコ内は在籍者数に占める割合)

年度	在籍者数	不登校	経済的理由	病気	その他	合計
令和2	3,098,203	43,051 (1.39)	429 (0.01)	16,521 (0.53)	11,144 (0.36)	80,527 (2.60)
令和3	3,014,194	50,985 (1.69)	385 (0.01)	22,864 (0.76)	31,610 (1.05)	118,232 (3.92)
令和4	2,963,517	60,575 (2.04)	343 (0.01)	30,976 (1.05)	21,621 (0.73)	122,771 (4.14)

＊「不登校」は小・中学校における定義に合致する者。

□中途退学者数の推移(カッコ内は在籍者数に占める割合)

		令和元年度	令和2年度	令和3年度	令和4年度
退学者数		42,882(1.3)	34,965(1.1)	38,928(1.2)	43,401(1.4)
内訳	国立	44(0.4)	51(0.5)	54(0.6)	64(0.7)
	公立	25,038(1.1)	20,283(1.0)	20,607(1.1)	22,631(1.1)
	私立	17,800(1.5)	14,631(1.3)	18,267(1.6)	20,706(11.7)

□**中途退学の事由** ⇨ 進路変更43.9%、学校生活・学業不適応32.8%、学業不振6.0%、病気・けが・死亡4.9%、家庭の事情3.3%、問題行動等2.8%など

参考 『令和5年における少年非行及び子供の性被害の状況』
（警察庁生活安全局人身安全・少年課）

　令和5年中における刑法犯少年の検挙人員は、2年連続で増加となった。
　令和5年中の触法少年の補導人員は3年連続で増加した。不良行為少年の補導人員は11年ぶりに増加し、平成24年以降100万人を割っている。

● 令和4年中の刑法犯少年の検挙人員…18,949人

(前年比4,062人〈27.3%〉増加)

● 令和4年中の刑法犯総検挙人員に占める少年の割合…10.3%

(前年比1.5ポイント増加)

● 令和4年中の同年齢層の人口1,000人当たりの刑法犯少年の検挙人員

…2.9人(前年比0.6人増加)

ポイント 中学校の出席停止の理由は、暴力行為4件となった

特別支援教育とその目的・意義

日付
／

頻出度
A

●京都盲唖院以来の日本の障害児教育の歴史について流れをつかみ、特に、戦後から特別支援教育に至るまでの変遷については正確に覚える。
●自立活動の定義については、論文試験や面接試験でも活用できるので、確実に覚えよう。

1 特別支援教育

重要度 ★★★

□**法改正前** ⇨ 障害の<u>種類</u>に応じて、**盲学校**・**聾学校**・**養護学校**による**特殊教育体制**。

⬇

● 障害の重複化・重度化 → 障害種の区分が適用できない
● **LD**（学習障害）・**ADHD**（注意欠如多動性障害）・**高機能自閉症**など、従来の**特殊教育から取り残されてきた障害児の増加** → 対応の必要性

⬇

□**特別支援教育の在り方に関する調査研究協力者会議** ⇨「**今後の特別支援教育の在り方について（最終報告）**」（平成15（2003）年3月）:LD・ADHD・高機能自閉症も含めて、一人ひとりの**教育的ニーズ**を把握し、適切な教育を通じて必要な**支援**を行うための教育体制の構築の必要性を指摘。同時に地域の障害児教育を支援する**センター的役割**を担うべきことにも言及。

⬇

□**法改正** ⇨ **学校教育法**が改正されて、平成19年4月1日より、**特別支援教育体制**に移行。

2 わが国の障害児教育の歴史

重要度 ★★

□**盲・聾教育** ⇨ わが国近代の盲・聾教育は、明治11（1878）年の**京都盲唖院**に始まる。大正12（1923）年、「**盲学校及聾唖学校令**」公布、盲学校・聾唖学校の**設置義務**と**無償制**の実施を規定。昭和22（1947）年、学校教育法公布。障害児に関する就学の義務化はまたしても規定されず、翌年4月、「**盲学校・聾学校の就学義務及び設置義務に関する政令**」が公布され、この年度から、盲学校・聾学校の就学義務化が学年進行で実施開始。昭和31（1956）年3月、**盲・聾教育の6・3制**の**義務制**が完成。

□**養護教育** ⇨ 学校教育法制定時にその設置が皆無であったこと、設置が国庫補助の対象外などにより設置の進展は鈍かった。各種の障害児の親の会などの運動の展開により、昭和31（1956）年、養護学校設置の促進を図るための**「公立養護学校整備特別措置法」**が公布・施行。公立養護学校は国庫補助の対象となり、養護学校の設置が進む。昭和48（1973）年11月、旧文部省は「養護学校における就学義務及び設置義務に関する施行期日を定める」予告政令を出し、昭和54（1979）年度からの**養護学校への就学義務**と**都道府県による設置義務**が実施されることとなる。

3 特別支援教育の目的と意義　　　　重要度 ★★★

□**学校教育法第72条**

> 特別支援学校は、**視覚障害者**、**聴覚障害者**、**知的障害者**、**肢体不自由者**又は**病体者**（**身体虚弱者**を含む。以下同じ。）に対して、幼稚園、小学校、中学校又は高等学校に**準ずる教育**を施すとともに、障害による学習上又は生活上の**困難を克服し自立を図る**ために必要な**知識技能を授ける**ことを目的とする。

⇨この「目的」が憲法第26条の教育の権利・義務、あるいは教育基本法第4条の教育の機会均等の理念にもとづいていることはいうまでもない。この権利、理念は、健常児であれ障害児であれ、あまねく享受されなければならない。

□**障害児等教育の一般的定義** ⇨ **心身に何らかの障害**がある児童・生徒に対して、**普通教育の上**に、さらにその**障害の特性**、障害の程度に応じて**特別の配慮**をもって行われる教育。

□**呼称の問題** ⇨ 従来、わが国ではこうした教育を法令上で「**特殊教育**」（旧学校教育法第6章）と規定。「**特殊教育**」の呼称には、障害児を〈特殊な子ども〉視しているという見方もあった。しかし、この呼称は、**「障害児のための特殊な教育」**という意味であり、障害児蔑視の意味合いはない。

□**準ずる教育** ⇨ 目的のこの文言は、幼稚園、小学校、中学校または高等学校と**同様の教育目標と教育内容**であり、その上で、**心身の状況に応じて適宜、配慮**する、ということを意味する。

□**自立活動** ⇨ 「障害による学習上又は生活上の**困難を克服し自立を図るために、必要な知識技能を授ける**」とは、**特別支援学校独自の教育目標**で、それを「**自立活動**」という。具体的な教育内容は**「学習指導要領」**に規定。

ポイント 特殊教育という名称が、特別支援教育となったことに注意！

障害の分類・程度と教育機関

日付
／

●障害児の分類についての知識は必須となる。
●特別支援学校は、地域の特別支援教育のセンターとしての機能を担っている。

1 障害児の分類

出題 埼玉・福井　重要度 ★★

障害児の分類としては、障害の部位または内容などの観点によって、いくつかの分類法があるが、次のように5つにまとめる分類が一般的。

身体障害児	盲児・弱視児・聾児・難聴児・肢体不自由児・病弱児など
情緒障害児	情緒的不適応児・神経症児など
知能障害児	知的障害児など
言語障害児	構音障害児・口蓋裂児・吃音児・言語発達遅滞児など
精神障害児	小児自閉症児・幼児共生精神病児・学習障害児など

＊障害の程度に関しては各法令によってまちまちで統一的な基準はない。

このうちの視覚障害と聴覚障害は入力機能である感覚器官の障害、肢体不自由や言語障害は出力機能の障害。情緒障害や精神障害は中枢統合機能の障害であると考えられる。また、重複障害児や、学校教育の対象とすることが難しい重度の心身障害も存在する。

2 教育機関

重要度 ★★

特殊教育体制 ━━━━━━━━━━▶ **特別支援教育体制**

盲学校：盲者（強度の弱視者含む）		
聾学校：聾者（強度の難聴者含む）		
養護学校	知的障害養護学校：知的障害者	
	肢体不自由養護学校：肢体不自由者	
	病弱養護学校：病弱者（身体虚弱者含む）	

特別支援学校
（各学校は教育の対象とする障害の種類を明示する）

特別支援学校は、小・中学校などの要請に応じて支援を必要とする児童・生徒等の教育に関する助言・援助を行うことも求められている。

＝地域の**特別支援教育のセンターとしての機能**を担う。

3 障害の程度 重要度 ★★

特別支援教育対象の障害の程度は学校教育法施行令第22条の3に規定。

区分	心身の故障の程度
視覚障害者	両眼の視力がおおむね**0.3未満**のものまたは視力以外の**視機能障害**が高度のもののうち、**拡大鏡**等の使用によっても通常の文字、図形等の視覚による認識が不可能または著しく困難な程度のもの
聴覚障害者	両耳の聴力レベルがおおむね**60デシベル**以上のもののうち、補聴器等の使用によっても**通常の話声**を解することが不可能または著しく困難な程度のもの
知的障害者	❶ **知的発達の遅滞**があり、他人との**意思疎通が困難**で日常生活を営むのに**頻繁に援助を必要**とする程度のもの ❷ 知的発達の遅滞の程度が前号に掲げる程度に達しないもののうち、**社会生活への適応が著しく困難**なもの
肢体不自由者	❶ 肢体不自由の状態が補装具の使用によっても歩行、筆記等**日常生活における基本的な動作が不可能または困難**な程度のもの ❷ 肢体不自由の状態が前号に掲げる程度に達しないもののうち、常時の**医学的観察指導**を必要とする程度のもの
病弱者	❶ 慢性の呼吸器疾患、腎臓疾患及び神経疾患、悪性新生物その他の疾患の状態が**継続して医療または生活規制を必要**とする程度のもの ❷ **身体虚弱**の状態が継続して**生活規制を必要**とする程度のもの

＊障害の程度に関しては各法令によってまちまちで統一的な基準はない。

> 視覚障害のうち視力障害の基準を0.3とするのは、教科書を眼から30cm以上離して読むために必要とされる視力だから

□**認定就学** ⇨ 視覚障害者等のうち、**当該市町村の教育委員会**が、その者の障害の状態、その者の教育上必要な支援の内容、地域における教育の体制の整備の状況その他の事情を勘案して、その住所の存する都道府県の設置する特別支援学校に就学させることが適当であると認める者を**認定特別支援学校就学者**という。認定は、当該児童生徒の障害の種類・程度についての専門的な調査・審議、受け入れ先の学校の施設・設備の状況など、総合的な判断による。

□**就学猶予・免除** ⇨ 障害が重度、または重複によって特別支援教育に耐えられないと**市町村教育委員会**が判断すれば、**就学の義務**が**猶予**、または**免除**される（学校教育法第18条＝理由には「その他やむを得ない事由」を含む）。令和3年の病弱・発育不完全による該当者は、免除・猶予者36人（「特別支援教育資料（令和4年度）」）。

特別支援教育の教育課程

日付 ／

●教育課程については、自立活動や高等部における道徳科の記載など、普通学校と対比してその差異を把握し、覚えよう。
●合科授業や統合授業など、特別支援教育の教育課程編成上の特例の用語とその意味について覚える。

1 特別支援学校の教育課程 出題 高知・宮崎・沖縄 重要度 ★★★

□学校教育法第77条

特別支援学校の幼稚部の教育課程その他の保育内容、小学部及び中学部の教育課程又は高等部の学科及び教育課程に関する事項は、幼稚園、小学校、中学校又は高等学校に**準じて**、**文部科学大臣**が定める。

⇨ 特別支援学校の教育課程の基準は、他の学校種と同様に「**文部科学大臣**がこれを定める」ことになっている。その際の、「**準じて**」というのは、すでに触れたとおり、特別支援学校においても幼稚園・小学校・中学校または高等学校と同様の教育目標と教育内容であり、その上で、**心身の状況に応じて適宜配慮する**、ということを意味するものである。

□学校教育法施行規則第126条

特別支援学校の小学部の教育課程は、国語、社会、算数、理科、生活、音楽、図画工作、家庭及び体育の各教科、特別の教科である道徳、外国語活動、総合的な学習の時間、特別活動並びに**自立活動**によつて編成するものとする。／2 前項の規定にかかわらず、知的障害者である児童を教育する場合は、生活、国語、算数、音楽、図画工作及び体育の各教科、特別の教科である道徳、特別活動並びに**自立活動**によつて教育課程を編成するものとする。

□特別支援学校の教育課程の領域

- **小・中学部**：各教科・道徳科・**外国語活動（小のみ）**・総合的な学習の時間・特別活動・**自立活動**（施行規則第126・127条）

- **高等部**：各教科に属する科目・総合的な学習の時間・特別活動・自立活動（知的障害者である生徒を教育する場合は各教科・**道徳科**・総合的な学習の時間・特別活動・**自立活動**）（施行規則第128条）

□「各教科」の内容（知的障害者＝知的障害者である児童を教育する場合）

- **小学部**：国語、社会、算数、理科、生活、音楽、図画工作、家庭、体育（知的障害者＝**生活**、国語*、算数、音楽、図画工作、体育）

- **中学部**：国語、社会、数学、理科、音楽、美術、保健体育、技術・家庭、外国語（知的障害者＝国語、社会、数学、理科、音楽、美術、保健体育、職業・家庭〈**必要がある場合には外国語**〉）

- **高等部**：学校教育法施行規則第128条の別表第3、別表第5に定める各教科（知的障害者＝国語、社会、数学、理科、音楽、美術、保健体育、職業、家庭、外国語、情報、家政、農業、工業、流通・サービス、**福祉**、高等部学習指導要領で定めるこれら以外の教科）

□**学習指導要領** ⇨ 教育課程編成のもうひとつの基準である学習指導要領に規定する各部の教育課程編成も、各学校種のそれに「**自立活動**」を加えたもので、まさしく各学校種に「**準ずる**」ものとなっている。**高等部**においては、**知的障害者**である生徒を教育する場合に「**道徳科**」が設定されている。

2　特別支援学級とその教育課程　出題 高知・宮崎・沖縄　重要度 ★★

□**特別支援学級** ⇨ 学校教育法第81条は、「1 知的障害者／2 肢体不自由者／3 身体虚弱者／4 弱視者／5 難聴者／6 その他障害のある者で、特別支援学級において教育を行うことが適当なもの」を挙げて、第1項で「**幼稚園、小学校、中学校、義務教育学校、高等学校及び中等教育学校において**」、1～6、および「**教育上特別の支援**を必要とする」「幼児、児童、生徒に対し」て「**障害による学習上又は生活上の困難を克服するための教育を行うものとする**」と定め、また第2項で、「**小学校、中学校、義務教育学校、高等学校及び中等教育学校**には、次の各号のいずれか（＝1～6）に該当する児童及び生徒のために、**特別支援学級**を置くことが**できる**」としている。

□**特別支援学級の教育課程** ⇨ 原則として**小学校、中学校、高等学校の教育課程に拠る**ことになる。ただし、学校教育法施行規則第138条では「小学校、中学校若しくは義務教育学校又は中等教育学校の前期課程における特別支援学級に係る教育課程については、**特に必要がある場合**は、（中略）**特別の教育課程**によることができる」と定めている。

□通常の学級には**8.8％の割合**で、**学習面または行動面において困難のある児童生徒が在籍**し、この中には**発達障害**のある児童生徒が含まれている可能性がある。

用語 ※国語…「国語」はどの課程においても各教科の最初に配置される（筆頭教科）。ただし、特別支援学校の知的障害教育の場合だけ「生活」科となる。

ポイント 「すべての学校種において高校に道徳はない」は誤り！ 69

☐ **合科授業** ⇨ **2つ以上の教科**を一緒にして行う授業形態。普通学校では**小学校のみ**規定されているが（施行規則第53条）、特別支援学校では「**小学部、中学部又は高等部において**」、「**各教科に属する科目の全部又は一部について、合わせて授業を行うことができる**」としている（同第130条第1項）。

☐ **統合授業** ⇨ 教育課程の**領域をあわせて授業を行う**形態。「特別支援学校の小学部、中学部又は高等部において」、「**知的障害**」の児童・生徒、または**重複障害**の児童・生徒を教育する場合、特に必要があるときには、各教科、道徳などの領域の「**全部又は一部について、合わせて授業を行うことができる**」ことになっている（同第130条第2項）。

☐ **特別の教育課程** ⇨ 「特別支援学校の小学部、中学部又は高等部において」、**重複障害**の児童・生徒を教育する場合、または、**教員を派遣して教育を行う場合**（＝**訪問教育**）、「**特別の教育課程によることができる**」（同第131条第1項）。また、**特別支援学級においても同様**である（同第138条）。

☐ **教科書使用の特例** ⇨ 特別の教育課程による場合、いわゆる検定済み教科書を「**使用することが適当でない**」ときには、**学校教育法第34条**に規定する**検定済み教科書の使用義務**の特例として「**当該学校の設置者の定める**ところにより、**他の適切な教科用図書を使用**することができる」（同第131条第2項）。**特別支援学級においても同様の規定**がある（同第139条）。

文部科学省著作教科書として、視覚障害者の教育のための点字教科書、聴覚障害者の教育のための国語および音楽の教科書、知的障害者の教育のための国語、算数・数学および音楽の教科書が作成されている

4 重複障害者等に関する教育課程の取扱い 重要度 ★★

特別支援学校の学習指導要領「総則」（小学部・中学部：第8節、高等部：第6款）には、障害の程度や重複障害で教育活動が困難な者の教育について、教育課程編成上の特別の配慮事項が記載されている。主要な事項は次の通り。

☐ **障害の状態により特に必要がある場合**
- 小中高：各教科（及び外国語活動）の目標及び内容に関する事項の一部を**取り扱わない**ことができる。
- 小中：各教科の各学年の目標及び内容の全部又は一部を、当該学年の前各学年の目標及び内容の全部又は一部によって、**替える**ことができる。

- **中学部（高等部）**の各教科の目標及び内容に関する事項の全部又は一部を、当該各教科に相当する**小学部（中学部または小学部）**の各教科の目標及び内容に関する事項の全部又は一部によって、**替える**ことができる。

□知的障害を併せ有する者の教育

- 知的障害者である児童・生徒を教育する場合の各教科や各教科の目標・内容の一部を替えることができる。この場合、**小学部では外国語活動・総合的な学習の時間を、中学部では外国語科を設けないことができる。**

□重複障害者の教育

- 各教科、道徳科、外国語活動若しくは特別活動の目標及び内容に関する事項の一部又は各教科、外国語活動若しくは総合的な学習の時間に替えて、**自立活動を主として指導**を行うことができるものとする。

5 ▶ 自立活動　　　　　重要度 ★★

□自立活動の位置づけ（学習指導要領「総則」）

学校における自立活動の指導は、障害による学習上又は生活上の困難を改善・克服し、自立し社会参加する資質を養うため、自立活動の時間はもとより、学校の教育活動全体を通じて適切に行うものとする。特に、自立活動の時間における指導は、各教科（に属する科目）、〔道徳科、外国語活動、〕総合的な学習の時間及び特別活動（知的障害者である生徒に対する教育を行う特別支援学校においては、各教科、道徳、総合的な学習の時間及び特別活動）と密接な関連を保ち、個々の〔児童又は〕生徒の障害の状態や発達の段階等を的確に把握して、適切な指導計画の下に行うよう配慮しなければならない。〈（　）は高等部だけに、〔　〕は小・中学部だけにある文言〉

⇨ 昭和46（1971）年３月に告示された特殊教育諸学校の「学習指導要領」でそれぞれの学校に「**養護・訓練**」が教育課程の領域として新たに設けられたことに始まる。平成11（1999）年の改訂で「**自立活動**」に。

□**目標** ⇨ 個々の（児童又は）生徒が**自立**を目指し、障害による学習上又は生活上の**困難**を**主体的**に**改善・克服**するために必要な知識、技能、態度及び習慣を養い、もって**心身の調和的発達の基盤**を培う。〈（　）は小・中学部〉

□**内容** ⇨ 1 **健康**の保持／2 **心理的**な安定／3 **人間関係**の形成／4 **環境**の把握／5 **身体**の動き／6 **コミュニケーション**

ポイント 特別支援学校の教育課程領域の自立活動を忘れないこと

障害の特質と指導法・指導形態

頻出度

B

●本項は特別支援教育における障害の特質に沿った指導について記載している。
●すべての教員志望者は、特別支援学校、特別支援学級、通級による指導を受けている児童・生徒がどのような教育を受けているのかを知る必要がある。

1 障害の特質と指導法

出題 埼玉・福井 重要度 ★★

視覚障害児とその指導法

□**視覚障害** ⇨ 視力・視野・色覚などの障害の総称(最多は視力障害)。教育上特別に配慮を要する場合の判定基準として、**視力0.3**(矯正可能な場合は矯正視力)の有無が重要。分類=**盲**：矯正視力が両眼で0.02未満／**準盲**：矯正視力が両眼で0.02以上0.04未満(以上を盲教育)／**弱視**：矯正視力が両眼で0.04以上0.3未満(弱視教育)

□**盲教育** ⇨ 盲児のための教育は**点字**を用いるほか、視覚を補うために**触覚や聴覚を利用する教材教具**も多く使用。

□**弱視教育** ⇨ 特別支援学校で行われる場合と、弱視学級で行われる場合がある。**拡大鏡・拡大文字**を使用。視知覚をよくする訓練も行われる。

聴覚障害児とその指導

□**聴覚障害教育** ⇨ 聴覚障害の**早期発見・早期教育**は現在では常識。そのための診断技術や公的システムも確立。早期教育には、**就学前教育と幼稚部教育**とがある。早期教育を行うのは、音・音声・ことばなどが受信できないことによる発達の遅れや、人格形成上の影響を最小限にとどめるため。

□**聾教育** ⇨ 聾児・高度難聴児が対象。かつては聾教育の主な方法は、**手話**や**指文字**であったが、表現能力が乏しいので、**口話法**が用いられる。読話・発語・聴能訓練を中心に、聾者を社会に適応させるための方法である。

□**難聴教育** ⇨ 中度または軽度難聴児を対象。**聴覚を用いての言語指導**。聴能訓練によって**話音弁別**の能力を高め、**正しい構音にもとづく発語指導**を行う。難聴度が大きい場合は補聴器の装用が効果的な場合も多い。

知的障害児とその指導

□**知的障害児** ⇨ 種々の原因により**知的発達が恒久的に遅滞**し、自己の身辺の事柄の処理、および社会生活への適応が著しく困難なもの。

【知的障害の程度と特徴】

程　度	特　徴
重度知的障害児	ことばはほとんどないか、もしくは不明瞭。**ことばによる意思の疎通は困難**。衣食については**他人の助け**が必要。知能指数はおおむね25以下。
中度知的障害児	ことばによる意思の表現は可能だが、その**表現は単純**で**具体的**なもの。他人の援助があれば**単純な作業**に従事可能。知能指数は25〜50程度。
軽度知的障害児	抽象的な思考や推理は困難だが、**日常の言語理解**や**簡単な思考活動**に**支障はない**。**教科の学習**もある程度可能、**職業**に就いての**自立**も可能。知能指数は50〜75程度。

□**知的障害児教育** ⇨ 具体的目標：❶日常生活での**基本的習慣**を確立し、自らその**処理**ができるようになる、❷**集団**に**参加**する**意欲・能力**を高め、**社会**生活に必要な**基礎的・基本的知識、技能**および**態度習慣**を身につける、❸**勤労**への意欲、職業・家庭・経済生活に必要な**能力**を体得し、**社会**に**参加**。
　⇨ この3点を各段階に応じて設定し、**具体的な経験**を通して達成させる。

肢体不自由児とその指導

□**肢体不自由** ⇨ 「神経、筋肉、骨・関節など運動・動作に関係する器官が、種々の外傷や疾病で損傷を受けて、**長期**にわたって**日常生活や学校生活を自立して行うことが困難**な状態」にあること。その状態は複雑多岐。

□**肢体不自由児の教育** ⇨ **脳性麻痺児**の場合は、運動機能障害の部位や程度、知的能力など**個人差**が大きいので、**個人**指導と集団指導を組み合わせた指導**が必要。生活経験の狭さを補う指導や、自己理解と**障害克服意欲**の向上を目指す指導も必要。

病弱・虚弱児とその指導

□**病弱・虚弱児の教育** ⇨ 治療優先の考えもあったが、今日では、病弱・虚弱児教育の対象となる児童・生徒は、**長期にわたる医療や生活規制が必要**で、健康の回復や心身の望ましい発達を図るためにも、**医療や生活規制と並行**して**適切な教育**を行うことが重要とされるようになっている。

□**病弱・虚弱児教育の配慮事項** ⇨ **医療**との連携の下に、原則として**個別指導**により、❶自分の状態を理解させ、**健康状態を回復・改善させるために必要な生活様式を適切に実施する態度や習慣を養う、❷病気に対する不安、行動障害などによる欲求不満などの**心理的動揺を極力解消するための指導**を行う、❸適切な指導内容を選択し、指導方法を工夫することで、**学習の遅滞や空白**をできるだけ補う。

ポイント 口話法の「読話」は、話し手の口の動きや表情を読み取るもの

73

情緒障害児とその指導

□**情緒障害児** ⇨ **情緒的要因**が大きく働いて**問題行動**を示している児童・生徒のこと。

□**問題行動** ⇨ 食事・排泄・睡眠などの問題（過食症や拒食症、不眠症など）、言語障害・神経症・神経的習癖・登校拒否・緘黙（かんもく）・盗み・虚言・家出など。自閉症も情緒障害として取り扱われる。

□**情緒障害を引き起こす要因** ⇨ 人格の発達に関与する身体的要因・知能的要因・環境的要因の３つのどれかの欠陥によって**人格の発達のバランス**が崩れ、不適応行動を起こすきっかけとなる。情緒障害はその問題行動が個人にとどまっている場合もあるが、多かれ少なかれ、対人関係の不調となって表れ、さらに**社会的行動**の問題となる。

□**社会的問題行動** ⇨ **非社会的行動**：対人関係を中心とした社会的接触を回避する行動＝対人恐怖・緘黙・不登校など。一般に心理的なストレスの抑圧が原因であると考えられる／**反社会的行動**：盗み・家出・暴力行動などがあり、犯罪につながる可能性が高い。一般に意志薄弱で抑制力や共感性に欠け、精神的発達が遅滞している場合が多いと考えられる。

□**情緒障害児の教育** ⇨ **障害や不適応を治療**することが必要。その治療は、その発生の原因を心理学的または医学的に明らかにし、それに対応して心理学的・医学的・教育的立場から治療や指導が行われる。いろいろな形の心理療法や医学的療法が選択され、さらに教育的指導・援助が必要とされる。

言語障害児とその指導

□**言語障害児の分類** ⇨ 構音障害・吃音（きつおん）・口蓋裂（こうがいれつ）などの**身体障害**によるもの、**言語発達遅滞・知的発達遅滞・心理的要因**によるものに分類。医学的な治療を必要とする場合は早期に行う。

□**言語障害児の教育** ⇨ それぞれの原因や程度に応じて**治療**や**訓練**を進める。それぞれのもつ言語障害だけをみるのではなく、障害をもつ子どもの生活環境、特に家族や友達、学校などの関係からみていく必要がある。

重複障害児とその指導

□**２つ、もしくはそれ以上の心身障害をもつ児童・生徒の指導** ⇨ **個々の特性を的確に把握**することが必要だが、現実としては困難な場合が多い。どの障害が中心となっているかを判定することも大切。生育歴や既往症歴（きおう）などを参考にしながら、**医学的診断**や**検査**をふまえて、個々に指導の方針を立てることが必要。

2　特別支援教育の指導形態　　出題 宮城　重要度 ★★

□**統合教育** ⇨ 欧米では**インテグレーション**（integration：イギリス）、**メインストリーミング**（main-streaming：アメリカ）、**ノーマライゼーション**（normalization：北欧諸国）などと呼ばれている考え方で、可能な限り、障害のない子どもと障害児を**一緒に教育**していこうというもの。わが国ではまだ統合教育の原則は確立されていない。

□**交流教育** ⇨ 特別支援学校または特別支援学級の児童・生徒等が、小・中・高等学校の通常の学級の児童・生徒と、特別活動等の学校の教育活動の一環として、**活動を共にする**教育活動で、特に昭和54（1979）年度以降活発化している。この交流教育は、障害児の社会性の拡大や社会参加への態度等の育成をねらいとした教育活動であるが、障害児に対する理解・認識を通じて、**一般の児童・生徒の人間性の育成にも寄与**するものとなっている。

□**訪問教育** ⇨ 2つ以上の障害（重複障害）を有し、就学は可能であるが通学して教育を受けることの困難な児童生徒に対する教育措置として設けられた方法で、その者が在籍する特別支援学校または特別支援学級から、**家庭**や**病院**、児童福祉施設等へ**教員を派遣**して**教育を行う制度**。当初、重度・重複障害等により就学猶予・免除等が適用されて教育の対象外だった児童・生徒に対し、昭和40年代前半に、大都市部を中心とした親たちの強い要望により、**訪問指導**という方法で、常時介護を要する在宅児や重度の入院児の指導が行われてきた。それは当初、任意的なものだったが、昭和54（1979）年度からの養護学校の義務制と同時に、訪問教育として制度化。訪問教育には種々の課題があるものの、教育の対象外とされてきた重度・重複障害の学齢児に対する教育権の保障という点では、画期的な意味をもつ。

□**通級学級・通級指導** ⇨ 小・中・高等学校（中等教育学校前期を含む）に設置された特別支援学級で、主として難聴学級や情緒障害学級にみられる指導形態である。通級学級は、**通常の学級で学習・生活**し、個別指導が中心となるため、特定の時間に「きこえとことばの指導」や難聴学級に**通級して指導**を受け、終わったらまた通常の学級（**親学級**）において学習することになる。学区外から特定の時間に通級する場合もある。また、教師の方から難聴の児童生徒の在籍する学校を訪問し指導することもある。現在、最高で**週当たり8単位時間**まで認められている。令和3年度では、小・中・高あわせて183,879人が指導を受けている。

ポイント 通級教育は効果があるため、活用の幅が広がっている　　75

同和問題と同和教育

● 「同和対策審議会」答申に同和問題の本質が凝縮されているので、キーワードについては理解した上で覚えよう。
● 関東以北ではほとんど出題がない。

1 同和問題とはなにか

重要度 ★

□ 同和問題 ⇨ 部落問題ともいわれ、**同和地区（被差別部落）**に生まれた人が、人間の働きや努力などの個人の営為に関係なく、ただそこに生まれたというだけの理由で、**不平等な扱い**を受け、**基本的な人権が不当に侵され、いわれのない差別**を受けていることである。

● 同和問題の本質＝「同和対策審議会（同対審）」答申（昭和40〈1965〉年）

いわゆる同和問題とは、日本社会の歴史的発展の過程において形成された**身分階層構造**に基づく差別により、日本国民の**一部の集団**が経済的・社会的・文化的に**低位の状態**におかれ、現代社会においても、なおいちじるしく**基本的人権を侵害**され、とくに、近代社会の原理として何人にも保障されている**市民的権利と自由**を完全に保障されていないという、もっとも深刻にして重大な**社会問題**である。

2 近代社会における同和問題の問題性

重要度 ★

近代社会における部落差別とは、ひとくちにいえば、**市民的権利、自由の侵害**にほかならない。市民的権利、自由とは、**職業選択**の自由、**教育の機会均等**を保障される権利、**居住**及び**移転**の自由、**結婚**の自由などであり、これらの権利と自由が同和地区住民にたいしては**完全に保障されていない**ことが差別なのである。これらの市民的権利と自由のうち、職業選択の自由、すなわち**就業の機会均等**が完全に保障されていないことが特に重大である。 （「同和対策審議会」答申）

3 差別の形態（「同和対策審議会」答申より）

重要度 ★

実に部落差別は、半封建的な身分的差別であり、わが国の社会に**潜在的**または**顕在的**に厳存し、多種多様の形態で発現する。 （「同和対策審議会」答申）

□**心理的差別** ⇨ **人々の観念や意識のうちに潜在**する差別であるが、それは、**言語や文字や行為を媒介**として**顕在化**する。たとえば、言葉や文字で封建的身分の賤称(せんしょう)を表して侮蔑(ぶべつ)する差別、非合理な偏見や嫌悪の感情によって交際を拒み、婚約を破棄するなどの行動に表れる差別である。

□**実態的差別** ⇨ 同和地区住民の**生活実態に具現**されている差別。就職・**教育の機会均等**が実質的に保障されず、**政治に参与する権利**が選挙などの機会に阻害され、一般行政諸施策がその対象から疎外されるなどの差別であり、劣悪な生活環境、特殊で低位の職業構成、平均値の数倍にのぼる高率の生活保護率、きわだって低い教育文化水準など同和地区の特徴として指摘される諸現象は、すべて差別の具象化であるとする見方である。

4 同和対策審議会と答申　　出題 熊本　重要度 ★★

□**「同和対策審議会」答申** ⇨ 政府は昭和36(1961)年、**同和対策審議会**を発足させ、審議会は昭和40(1965)年**「同和対策審議会」答申**を提出。この答申は、今日でも**同和問題対策の「憲法」**ともいわれ、その後の同和問題改善、同和教育推進の基本とされる重要なもので、この答申にもとづいて昭和44(1969)年に、同和対策事業を円滑に実施することが国や地方公共団体の責務とする**同和対策事業特別措置法**が成立した。その後、昭和57(1982)年、5ヵ年の時限法として**地域改善対策特別措置法**が制定された。

5 同和教育　　重要度 ★★

この教育では、**教育を受ける権利**(憲法第26条)および**教育の機会均等**(旧教育基本法第3条)に照らして、**同和地区の教育を高める施策**を強力に推進するとともに**個人の尊厳**を重んじ、**合理的精神**を尊重する教育活動が積極的に、全国的に展開されねばならない。特に**直接関係のない地方**においても**啓蒙的教育**が積極的に行われなければならない。　　　　　　　　　　　　　　(「同和対策審議会」答申)

⇨ 同和教育とは、「**差別を許さぬ教育**」であり、国が国民に保障している**基本的人権の確立**を目指し、教育基本法の理念を**具現化**する教育といえる。同和教育を進めるに当たり、学校教育の中に**同和教育の指導目標**や**具体的な指導の方法**を明確にすることはもとより、同和地区に対しては、高等教育への進学の援助や教員配分についての特別の配慮、学校の施設や設備の整備など**教育条件の整備**を図り、**基礎学力の向上**、進路指導の充実と**進路を保障**し、さらには**社会教育分野の充実**が当面の課題といわれている。

ポイント 同和問題は、いわれのない差別との認識をもとう

人権教育

頻出度
A

●人権に関する条約については、世界人権宣言と国際人権規約を軸に、それぞれの特徴を覚えよう。
●子どもの権利条約については、子どもを権利の主体とし、意見表明権など、弱者としての子どもの立場を配慮した明文規定がある点を理解する。

1　国際社会における人権に関する宣言・条約など　重要度 ★★

□**世界人権宣言** ⇨ 昭和23(1948)年12月10日、第3回国連総会において、第2次世界大戦での未曾有の人権侵害を反省し、**国際社会において初めて包括的に**<u>人権尊重</u>を扱った**文書**。すべての人々とすべての国々が達成すべき人権の共通規準として採択されている。**法的な拘束力はもたない**が、各国の憲法や人権条約に大きな影響を与えている。

□<u>**人種差別撤廃条約**</u> ⇨ 昭和40(1965)年12月、第20回国連総会において、人種、皮膚の色、民族などにもとづく**あらゆる種類の**<u>人種差別の撤廃</u>を目指して採択された条約。昭和35(1960)年、南アフリカ共和国で**反アパルトヘイト**(反有色人種差別政策)集会が政府の弾圧によって大惨事となった事件がきっかけ。日本は平成7(1995)年に批准。

□<u>**国際人権規約**</u> ⇨ 昭和41(1966)年12月、第21回国連総会において採択された国際規約。世界人権宣言にもとづいて条約化されたものであり、**人権に関する様々な条約の中で最も基本的なもの**。**法的拘束力**をもつ。内容は、「A規約、社会権規約」「B規約、自由権規約」「市民的及び政治的諸権利に関する選択議定書」「市民的及び政治的権利に関する国際規約の第2選択議定書」の4つの条約で構成されている。

□**児童(子ども)の権利に関する条約** ⇨ 平成元(1989)年11月、第44回国連総会において採択された国際条約。「児童の権利に関する宣言」の30周年にあわせて、**児童を放置、搾取、虐待から守るための**<u>世界基準</u>を設けた。児童(18歳未満)を保護の対象としてではなく、**権利の主体**としているところにその特徴がある。日本は平成6(1994)年に批准。令和4(2022)年、**児童の権利条約を国内法化する**こども基本法が成立した。

□<u>**人権教育のための国連10年**</u> ⇨ 平成6年、国連は世界に**人権を尊重する文化を構築**することを目指して、1995～2004年までの10年間を、「人権

教育のための国連10年」とすることを決め、行動計画を策定した。

2 人権教育の指導方法等の在り方について[第一次とりまとめ]平成16年 重要度 ★★

□学校教育における人権教育の現状は、**知的理解にとどまり、人権感覚が十分身に付いていない**など**指導方法の問題**がある。

□人権教育の目標 ⇨ **人権尊重の理念**について、**人権感覚の側面**について**分かりやすく表現**する。

　　⇨ **人権感覚**を身に付け、**態度や行動に現れる**ようにする。

3 人権教育の指導法の在り方について[第二次とりまとめ]平成18年 重要度 ★★

□第一次とりまとめを踏まえ、**教育委員会や学校等に対して理論的・実践的な指針**を提供。

□人権教育の目標 ⇨ **発達段階**に応じ、**人権の意義・内容**等について理解し、自分の大切さとともに他の人の大切さを認めることができるようになり、様々な場面等で具体的な態度や行動に現れるようにする。

□目標を実現するため、**行政の支援**、**学校での指導や方法の工夫**、**地域・家庭等との連携**、**校種間連携**を進めていく。

4 人権教育の指導法等の在り方について[第三次とりまとめ] 重要度 ★★

□**人権教育のさらなる充実を求める機運が高揚**している。

□**人権が尊重される教育の場**としての学校・学級を実現する。

□指導等の在り方の理解を助ける**実践事例**、学校教育における人権教育の指**導方法等の改善・充実**。

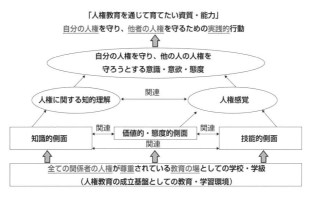

「人権教育を通じて育てたい資質・能力」
自分の人権を守り、他者の人権を守るための実践的行動

自分の人権を守り、他の人の人権を
守ろうとする意識・意欲・態度

人権に関する知的理解　関連　人権感覚

知識的側面　関連　価値的・態度的側面　関連　技能的側面
関連

全ての関係者の人権が尊重されている教育の場としての学校・学級
（人権教育の成立基盤としての教育・学習環境）

ポイント 宣言や条約の名称と内容とが結びつけられるようにしよう

教育原理 26 キャリア教育

日付
／

頻出度 **A**

●キャリア教育は、人生全体を考え、その中での職業を考える教育である。
●職業教育とは一線を画して理解しよう。

1 キャリア教育

重要度 ★★

> **今後の学校におけるキャリア教育・職業教育の在り方について**
> **（平成23・1）**

☐ **若者の現状** ⇨ 学校からの社会・職業への移行が円滑に行われておらず、コミュニケーション能力や職業意識の低さなど、様々な課題が見られる。

☐ **キャリア教育・職業教育の基本的方向性** ⇨ 生涯にわたる社会人・職業人としてのキャリア形成を支援する機能を充実することが必要。

- **キャリア教育** ⇨ **一人ひとりの社会的・職業的自立に向け、必要な基盤となる能力や態度を育てることを通して、キャリア発達を促す教育**。

- **職業教育** ⇨ **一定または特定の職業に従事するために必要な知識、技能、能力や態度を育てる教育**（実践的な職業教育）。

☐ **発達の段階に応じた体系的なキャリア教育の基本的な考え方**
❶後期中等教育：多様なキャリア形成に共通して必要な能力や態度を育成し、勤労観・職業観等の価値観を自ら形成・確立する。**❷高等教育**：後期中等教育終了までを基礎に、学校から社会・職業への移行を見据え、教育課程の内外での学習や活動を通じ、高等教育全般においてキャリア教育を充実する。**❸特別支援教育**：個々の障害の状況に応じたきめ細かい指導・支援。

2 キャリア・パスポート

重要度 ★★

☐ 文部科学省は、2020（令和４）年４月から**日本全国の小・中・高校での**キャリア・パスポート導入**を決めた。**キャリア・パスポート**とは、小学校から高校までの学びと活動の様子を児童生徒自身が自分のファイルに記録を積み重ねて、各人の将来のキャリア形成の見通しを立てるためのもの。

- 小学校から高校までの12年間を１冊にまとめ、全国どの学校に通っていても、学びの足跡を各自キャリア・パスポートに蓄積して、学年や学

校を越えて児童生徒の成長をつないでいくことを目指している。

□**キャリア・パスポート**の様式 ⇨ 児童生徒自らが記録する、国公私立すべ
ての学校で取り組む、各シートはA4判（両面使用可）に統一、各学年での蓄
積は5ページ以内、学年間の引き継ぎは原則として教員間で行う、学校を越
えての引き継ぎは原則子どもを通じて行う

3 「必要な力」の具体化　　　　重要度 ★★★

前掲答申では、社会的・職業的自立、学校から社会・職業への円滑な移行に必
要な力に含まれる要素として、基礎的・基本的な知識・技術／基礎的・汎用
的能力／論理的思考力・創造力／意欲・態度及び価値観／専門的な知識・技
能によって構成されると示されている。

基礎的・基本的な知識・技術		読み・書き・計算、税金・社会保険・労働者の権利と義務など。
基礎的・汎用的能力		分野や職種にかかわらず、社会的・職業的自立に向けて必要な基盤となる能力。
	人間関係形成・社会形成能力	多様な他者の考えや立場を理解し、相手の意見を聴いて自分の考えを正確に伝えることができるとともに、自分の置かれている状況を受けとめ、役割を果たしつつ他者と協働して社会に参画し、今後の社会を積極的に形成できる力。
	自己理解・自己管理能力	自分が「できること」「意義を感じること」「したいこと」について、社会との相互関係を保ちつつ、今後の自分自身の可能性を含めた肯定的な理解に基づき主体的に行動すると同時に、自らの思考や感情を律し、かつ、今後の成長のために進んで学ぼうとする力。
	課題対応能力	仕事をする上での様々な課題を発見・分析し、適切な計画を立ててその課題を処理し、解決することができる力。
	キャリアプランニング能力	「働くこと」の意義を理解し、自らが果たすべき様々な立場や役割との関連を踏まえて「働くこと」を位置づけ、多様な生き方に関する様々な情報を適切に取捨選択・活用しながら、自ら主体的に判断してキャリアを形成していく力。
論理的思考力・創造力		物事を論理的に考え、新たな発想等を考え出す力。
意欲・態度及び価値観		意欲・態度：生涯にわたって社会で仕事に取り組み、具体的に行動する際にきわめて重要な要素。 価値観：「なぜ仕事をするのか」「自分の人生の中で仕事や職業をどのように位置づけるか」。
専門的な知識・技能		特定の資格が必要な職業等を除けば、これまでは企業内教育で育成することが中心だったが、今後は学校教育の中でも意識的に育成していくことが重要。

27 食育と食物アレルギー対応

●平成17年に食育基本法が、平成18年に食育推進基本計画が制定された。
●子どもたちが食に関する正しい知識と望ましい食習慣を身に付けることができるよう、学校においても積極的に食育に取り組んでいくこととなった。

1 食育

重要度 ★★

□食育とは

❶<u>生きる上での基本</u>であって、<u>知育、徳育及び体育の基礎</u>となるべきもの

❷様々な経験を通じて「食」に関する知識と「食」を選択する力を習得し、健全な食生活を実践することができる人間を育てること

『食に関する指導の手引（第二次改訂版）』（平31・3）

（1）食に関する資質・能力を踏まえた指導の目標

❶現代的な諸課題に対応して求められる食に関する資質・能力

□中央教育審議会答申「幼稚園、小学校、中学校、高等学校及び特別支援学校の学習指導要領等の改善及び必要な方策について」（平成28年12月）

⇨ 児童生徒の姿や地域の実情を踏まえつつ、**自らの健康や食、安全の状況を適切に評価するとともに、必要な情報を収集し、健康で安全な生活や健全な食生活を実現するために何が必要かを考え、適切に意思決定し、行動するために必要な力を身に付けている**こと。

❷学習指導要領における食育の位置付け・食に関する指導の目標

□小・中・高等学校共通の改善として、**教育課程編成の一般方針の学校における体育・健康に関する指導において、心身の健康の保持増進に関する指導に加え、学校における食育の推進、安全に関する指導**が、<u>食に関する指導の目標</u>として、<u>学校教育活動</u>全体を通して、<u>食に関わる資質・能力</u>を次のとおり<u>育成</u>することを目指すことが明示された。

（2）「食に関する指導に係る全体計画」

□**「食に関する指導の全体計画の作成」**は学校給食法第10条に規定されているが、新たに、小学校、中学校、高等学校及び特別支援学校学習指導要領の総則にも位置づけられた。

（3）栄養教諭の職務

❶食に関する指導

- **肥満、偏食、食物アレルギー**などの**児童生徒に対する個別指導**を行う。
- 学級活動、教科、学校行事等の時間に、**学級担任等と連携**して、**集団的な食に関する指導**を行う。
- 他の教職員や家庭・地域と連携した食に関する指導を推進するための連絡・調整を行う。

❷学校給食の管理

栄養管理、衛生管理、検食、物資管理等

（4）期待される効果

- **望ましい食習慣**の形成
- **食品の安全性等に対する判断能力**の育成
- **地場産物等への理解**
- **食文化の継承**
- **自然の恵みや勤労の大切さの理解** 等

| **2** | **食物アレルギー対応の概要** | 重要度 ★★ |

□学校給食における食物アレルギー対応の基本的な考え方は、**すべての児童生徒が給食時間を安全に、かつ、楽しんで過ごせるようにする**こと。そのためにも**安全性を最優先**し、すべての**教職員**、調理場及び教育委員会関係者、**医療**関係者、**消防**関係者等が相互に連携し、**当事者としての意識と共通認識**を強く持って**組織的に対応する**ことが不可欠。

| **3** | **食物アレルギー対応の大原則** | 重要度 ★★★ |

□**食物アレルギーを有する児童生徒**にも、**給食を提供**する。そのためにも、**安全性を最優先**とする。

□**食物アレルギー対応委員会等により組織的に行う。**

□**「学校のアレルギー疾患に対する取り組みガイドライン」**にもとづき、**医師の診断による「学校生活管理指導表」の提出を必須**とする。

□**安全性確保のため、原因食物の完全除去対応（提供するかしないか）が原則。**

□**学校及び調理場の施設設備、人員等**をかんがみ**無理な（過度に複雑な）対応**は行わない。

□**教育委員会等は食物アレルギー対応について一定の方針を示す**とともに、**各学校の取り組みを支援する。**

社会教育

日付
／

●社会教育の施設、特に学校施設の利用については
　要点をおさえよう。
●学校施設の利用には管理機関、校長の許可が必
　要である。

1　社会教育

重要度 ★★

□**教育基本法第12条**

> **個人の要望や社会の要請にこたえ、社会において行われる教育**は、国及び地方公
> 共団体によって**奨励**されなければならない。／2　**国及び地方公共団体**は、図書
> 館、博物館、公民館その他の**社会教育施設**の設置、**学校の施設の利用**、学習の機会
> 及び情報の提供その他の適当な方法によって**社会教育の振興**に努めなければな
> らない。

⇨ 社会教育を「**個人の要望や社会の要請にこたえ、社会において行われる
教育**」と定義づけ、その主体はあくまでも国民であることから、社会教育が
「国及び地方公共団体によって**奨励**」される必要があることを述べている。
そのために「国及び地方公共団体」は社会教育のための施設を**設置**したり、
ほかの施設の利用を**推進**したりしなければならないとする。

□**社会教育法第2条**

> この法律において「社会教育」とは、学校教育法……又は就学前の子どもに関する
> 教育、保育等の総合的な提供の推進に関する法律……に基づき、学校の教育課程
> として行われる教育活動を除き、**主として青少年及び成人**に対して行われる**組織
> 的な教育活動**（**体育**及び**レクリエーション**の活動を含む。）をいう。

⇨ 社会教育について、その**範囲**を**学校教育以外**、その**対象**を「主として**青少
年及び成人**」、その**形態**を「**組織的な教育活動**」としている。

2　国・地方公共団体の任務

重要度 ★★

□**教育基本法** ⇨ 「**奨励**」および「**振興**」の任務があるとされる。

□**社会教育法** ⇨ 施設の設置および運営・集会の開催・資料の作製・頒布そ
の他の方法により、国民の社会教育のための**環境醸成**を行う任務がある。

3 ▶ 社会教育における専門職員 　重要度 ★★

□**社会教育主事** ⇨ 都道府県・市町村教育委員会の事務局に置かれる（**社会教育主事補**を置くこともできる）。その任務は「社会教育を行う者に**専門的技術的**な**助言**と**指導**を与える」こと。ただし、「**命令**及び**監督**をしてはならない」ことになっている（社会教育法第9条の2・3）。

□**社会教育委員** ⇨ 都道府県・市町村に置くことができる。その委員は教育委員会が委嘱し、「**社会教育に関し教育委員会に助言する**」職務を担う（社会教育法第15・17条）。

4 ▶ 社会教育の施設 　重要度 ★★

□**社会教育の施設** ⇨ ❶**主として社会教育活動を目的として設けられた施設**：**公民館**・**図書館**・**博物館**・体育館・青年の家など。❷元来は社会教育活動のための施設ではないが、**社会教育活動のために利用される施設**：**学校教育施設**・厚生施設・職業訓練施設・農業研修施設など。

□**公民館** ⇨ 「市町村その他一定区域内の住民」の「**実際生活に即する教育、学術及び文化**に関する各種の事業」のために、「**市町村**」または「公民館の設置を目的とする**一般社団法人**又は**一般財団法人**」が設置する。運営は**館長**を中心に**公民館運営審議会**が行う（社会教育法第20・21・27・29条）。

□**図書館** ⇨ 「図書、記録その他必要な資料を**収集**し、**整理**し、**保存**して、一般公衆の利用に供し、その教養、調査研究、レクリエーション等に資することを目的」として、「**地方公共団体**」（**公立図書館**）のほか「**日本赤十字社**又は**一般社団法人**若しくは**一般財団法人**」（**私立図書館**）が設置することができる。専門職員として**司書**・**司書補**がある（図書館法第2・4条）。図書館には、このほかに**国立国会図書館**・**学校図書館**がある。

□**博物館** ⇨ 「歴史、芸術、民俗、産業、自然科学等に関する資料」の**収集**・**保管**・**展示**、資料の「**調査研究**」を目的とし、「**地方公共団体**」（**公立博物館**）および「**一般社団法人**若しくは**一般財団法人、宗教法人**」「政令で定める法人（**独立行政法人**を除く）」（**私立博物館**）が設置。**館長**・**学芸員**（**学芸員補**）が置かれる（博物館法第2・4条）。

□**学校施設の利用** ⇨ 「学校教育上支障のない限り、学校には、**社会教育に関する施設**を**附置**し、又は**学校の施設**を社会教育その他公共のために、**利用**させることができる」（学校教育法第137条）。社会教育法も同様に規定。

ポイント 生涯学習と関連づけて要点をつかむことが大切だ　85

生涯学習

頻出度
B

●生涯学習は、改正教育基本法にも新たに盛り込まれた重要な理念である。
●目的・理念・リカレント教育はよく扱われるのでおさえよう。

1 生涯学習 重要度 ★★★

□**生涯学習の目的** ⇨ 人間が過去に習得した知識・技能の**陳腐化**（ちんぷか）を防ぎ、労働の機会や自己の能力を生かす機会を保障し、**自己実現や生きがいのある人生**を過ごせるようにすること。lifelong learning の訳語として、日本でも1970年代以来盛んに用いられている（**波多野完治**が紹介）。

□**生涯学習の理念** ⇨ 1965年12月、ユネスコ事務局長の諮問（しもん）機関であった成人教育推進国際委員会（1969年廃止）の会議用に、継続教育部長、フランスの**ポール・ラングラン**が事前配布した一通の覚書に始まる。

= **その趣意**：人の誕生から死に至るまでの**人間の一生を通じて教育（学習）の機会**を提供する。／人間発達の総合的な統一性という視点から、**様々な教育を調和させ、統合したもの**にする、など。

□**その後** ⇨ イギリスの**フランク・ジェサップ**は、個々人の生涯学習を助ける教育的諸配慮と相互間の学習者の個性的発達に見あう**「垂直的統合」**と発達現況に見あう**「水平的統合」**とによって、教育的過程全体の充実を図ることを強調。そのとき用いた lifelong の語が注目され、**「統合された生涯教育」**（lifelong〔integrated〕education）の語の使用が頻繁（ひんぱん）となった。

2 わが国における生涯学習の歩み 重要度 ★★★

● 1981年6月：中教審答申**「生涯教育について」**（生涯学習に関する**初答申**）

● 1986年4月：臨時教育審議会答申による「生涯学習体系への移行」の提唱
⇨ 自主性・主体性を重んじて**「教育」**から**「学習」**に

● 1988年7月：旧文部省に**「生涯学習局」**新設（社会教育局を改組（かいそ））

● 1990年6月：**「生涯学習振興法」**公布 → 8月：生涯学習審議会発足

● 1992年7月：生涯学習審議会答申「今後の社会の動向に対応した生涯学習の振興方策について」（重点課題＝リカレント教育の推進、など）

3 生涯学習の戦略　　　　重要度 ★★

□ **OECD のリカレント教育**(1973) ⇨ **リカレント**(recurrent)は、「循環する」という意味の形容詞。リカレント教育とは、教育の機会を義務教育段階だけに限らず、**義務教育終了後における就学の時期や方法を弾力的**なものとし、**生涯**にわたって教育を受けることと労働などの諸活動を交互に**循環的**に行えるようにしようとするもの。労働者の権利としての教育休暇や大学開放が提言され、イギリスの**オープン・ユニバーシティ**やアメリカの**「壁のない大学」**を生みだすきっかけとなった。

□**生涯学習の振興のための施策の推進体制等の整備に関する法律**〈**生涯学習振興法**〉(1990年6月) ⇨ 生涯学習に関する**初めての法律** → 法的整備

- **目的**(第1条)抜粋

> 国民が生涯にわたって学習する機会があまねく求められている状況にかんがみ、生涯学習の振興に資するための都道府県の事業に関しその推進体制の整備その他の必要な事項を定め、及び特定の地区において生涯学習に係る機会の総合的な提供を促進するための措置について定めるとともに、都道府県生涯学習審議会の事務について定める等の措置を講ずることにより、生涯学習の振興のための施策の推進体制及び地域における生涯学習に係る機会の整備を図り、もって生涯学習の振興に寄与する。

- **都道府県の事業**(第3条)＝ ❶**学習・文化活動の機会**に関する情報の収集・整理・提供、❷住民の**学習需要**等の調査研究、❸**地域の実情**に即した学習の方法の開発、❹**指導者**・**助言者**に対する研修、❺関係機関・団体相互の**連携**への助言・援助、❻**社会教育講座**の開設、など。

- **地域生涯学習振興基本構想**(第5条)＝ **都道府県**は「生涯学習に資する諸活動の多様な機会の総合的な提供を**民間事業者の能力を活用**しつつ行うことに関する基本的な構想……を作成することができる」とされ、その際には「あらかじめ、関係市町村に協議」し、その後「**文部科学大臣及び経済産業大臣**に協議することができる」とされている。

- **都道府県生涯学習審議会**(第10条)＝「都道府県の**教育委員会又は知事**の諮問に応じ、当該都道府県の処理する事務に関し、生涯学習に資するための施策の総合的な推進に関する**重要事項**を**調査審議**する」機関。

＊施行時の第10条で平成2(1990)年に設置された国の生涯学習審議会は、省庁改編に伴い平成13年に中央教育審議会生涯学習分科会となった。

ポイント 教育基本法第3条をよく読みこんでおくこと！

学校経営・学級経営

日付 /

頻出度
C

● 出題頻度は低いが、学校が組織である以上、組織としての運営（経営）がなされる、という根本は理解しよう。
● 学級づくりは学級経営の要なので、様々な事例を研究する必要がある。

1 学校経営

重要度 ★

学校経営とはなにか

□ **学校経営** ⇨ 教職員が協力し、また、各々のもつ力を発揮し、学校の施設・設備、保護者や地域住民の人的・物的資源、資金、情報等を効果的に活用して、**学校の教育目的を達成するために行う活動**。法制的側面からは**学校行政**といい、学校の秩序維持の面を重視するときには**学校管理**という。

学校経営の領域

□ **学校運営上の管理** ⇨ 採用・給与・勤務評定などの組織人事、教育研究活動、職員会議、学校評議委員、各種委員会、学校予算その他の事務管理など。

● **職員会議**：学校経営を円滑に行うために、各学校に置かれる会議。全教職員を構成員とする。**校長が主宰**する。

□ **学校施設・設備管理** ⇨ 校舎等の建物・教室・教具などを教育活動に役立つように管理する。

□ **児童・生徒の管理** ⇨ 学級編成、出欠の状況、児童福祉、学校保健、学校安全などについて管理する。

□ **教育活動に関する指導** ⇨ 各教科・道徳・特別活動の総括、成績評価、教科書、学校図書館、給食などの指導。

● **指導要録**：学校外部に対する証明などの原簿のほか、指導に役立たせるための記録をするもの。**責任者は校長**。

□ **学校と家庭の連携**：PTA、母親教室、授業参観、家庭通信などによる連携。

校務分掌

□ **校務** ⇨ 学校経営上の様々な業務。**責任と権限は校長**にある。

□ **校務分掌**（ぶんしょう）⇨ 学校における多種多様な校務の校長ひとりでの処理は不可能。そこで、**教職員がこれらの業務を分担して処理**することになる。

2 学級経営 　重要度 ★

学級経営とはなにか

□**学級経営** ⇨ 学級(クラス)は、学校における学習活動を含めた児童・生徒の活動の拠点となる場であると同時に、学校経営のひとつの経営主体の場でもある。この両面における教師、特に**学級(クラス)担任**(副担任)の活動。

学級経営上で配慮すべき点

□**小学校の学級編制**は、令和3(2021)年4月以降40人から**35人**に。

□**教室環境の整備** ⇨ 教室そのものや、室内の施設・設備などの物的環境の整備。教室の規模や椅子の規格、採光や通風、教材教具、教室内のレイアウトなど、教室環境を構成する要素について、児童・生徒の快適な学習活動がなされるように学級担任が中心となって配慮し整備すること。

【学校環境衛生基準】(令和4年4月1日)

照度	教室及び黒板の照度は**500ルクス以上**(最下限300ルクス)、コンピュータを使用する教室等の机上の照度は**500〜1000ルクス程度**
温度	**18℃以上、28℃以下**であることが望ましい
騒音	窓を閉じているとき:**50デシベル以下** 窓を開けているとき:**55デシベル以下**
換気	幼稚園:1時間当たり**2.1回以上**、小学校(低学年):同**2.4回以上**、小学校(高学年)・中学校:同**3.4回以上**、高校等:同**4.6回以上**

□**学級づくり** ⇨ よりよい学級であるためには、学級集団が望ましい関係を保っていることが条件。そのために、学級担任は、家庭との密接な連携の下、児童・生徒の基本的な生活習慣や対人関係の築き方の指導を行う。学級集団の不和や対立も、その克服を通じて児童・生徒の相互理解を図り、個々の個性の伸長が望めるような学級集団づくりであることが望ましい。

□**学習指導** ⇨ 学習指導は、基本的には学校の教育課程に従って実施されるものであるが、**担任の創意工夫**による部分も大きい。学校における学習指導は一斉指導による場面が多いが、児童・生徒の個性や心身的特性や能力に応じた個別的な指導も必要となる場合も多い。また、集団の中で学ぶという特性を生かして、競争と協同とを適切に組み合わせた学習指導も大切である。なお、教師は児童・生徒に教えるというだけの存在ではなく、子どもたちと自ら学ぶ存在であるという自覚も重要である。

ポイント 学級経営は学級(クラス)担任の力量に負うところが多い

教育振興基本計画

日付
／

頻出度
B

● 「2030年以降の社会を展望した教育政策」のうち、「個人と社会の目指すべき姿」「教育政策の重点事項」は内容を理解して覚える。
● 「今後の教育政策に関する基本的な方針」については、論文試験・面接試験で活用できるようにしよう。

1 教育の普遍的な使命　　出題 埼玉　重要度 ★★★

□改正教育基本法に規定する教育の目的である「**人格の完成**」「平和で民主的な国家及び社会の形成者として必要な資質を備えた**心身ともに健康な国民の育成**」と、教育の目標を達成すべく、「**教育立国**」の実現に向け、さらなる取り組みが必要。

2 社会の現状や2030年以降の変化等を踏まえ、取り組むべき課題　重要度 ★★★

□**❶社会状況の変化** ⇨ **人口減少・高齢化**、技術革新、**グローバル化**、子供の貧困、地域間格差等

□**❷教育をめぐる状況変化** ⇨ 子供や若者の学習・生活面の課題、地域や家庭の状況変化、教師の負担、高等教育の質保証等の課題

□**❸教育をめぐる国際的な政策の動向** ⇨ OECDによる**教育政策レビュー**等

3 2030年以降の社会を展望した教育政策　重要度 ★★

個人と社会の目指すべき姿

□**個人** ⇨ **自立した人間**として、**主体的**に判断し、**多様な人々と協働しながら新たな価値を創造する**人材の育成。

□**社会** ⇨ 一人一人が活躍し、豊かで安心して暮らせる社会。

教育政策の重点事項

□「**超スマート社会（Society 5.0）**」の実現に向けた技術革新が進展するなか「**人生100年時代**」を豊かに生きていくためには、「**人づくり革命**」「**生産性革命**」の一環として、若年期の教育、生涯にわたる学習や能力向上が必要。

□教育を通じて生涯にわたる一人一人の「**可能性**」と「**チャンス**」を最大化することを今後の教育政策の中心に据えて取り組む。

【今後5年間の教育政策の目標と施策群】

基本的な方針	教育政策の目標	測定指標・参考指標(例)	施策群(例)
❶夢と志を持ち、可能性に挑戦するために必要となる力を育成する	(1)**確かな学力**の育成＜主として初等中等教育段階＞ (2)**豊かな心**の育成＜〃＞ (3)**健やかな体**の育成＜〃＞ (4)問題発見・解決能力の修得＜主として高等教育段階＞ (5)**社会的・職業的自立に向けた能力・態度**の育成＜生涯の各段階＞ (6)**家庭・地域の教育力**の向上、学校との連携・**協働の推進**＜〃＞	○知識・技能、思考力・判断力・表現力等、**学びに向かう力・人間性等の資質・能力の調和がとれた個人を育成**し、OECDのPISA調査等の各種国際調査を通じて世界トップレベルを維持 ○自分にはよいところがあると思う児童生徒の割合の改善 ○いじめの認知件数に占める、いじめの解消しているものの割合の改善など	○新学習指導要領の着実な実施等 ○子供たちの自己肯定感・自己有用感の育成 ○いじめ等への対応の徹底、人権教育など
❷社会の持続的な発展を牽引するための多様な力を育成する	(7)**グローバルに活躍する人材**の育成 (8)**大学院教育の改革等**を通じたイノベーションを牽引する人材の育成 (9)スポーツ・文化等**多様な分野の人材**の育成	○**外国人留学生数30万人**を引き続き目指していくとともに、外国人**留学生の日本国内での就職率を5割**とする ○修士課程修了者の博士課程への進学率の増加など	○日本人生徒・学生の海外留学支援 ○大学院教育改革の推進など
❸生涯学び、活躍できる環境を整える	(10)**人生100年時代**を見据えた**生涯学習**の推進 (11)人々の暮らしの向上と社会の持続的発展のための学びの推進 (12)職業に必要な知識やスキルを生涯を通じて身に付けるための**社会人の学び直し**の推進 (13)**障害者の生涯学習**の推進	○これまでの学習を通じて身に付けた知識・技能や経験を地域や社会での活動に生かしている者の割合の向上 ○**大学・専門学校等での社会人受講者数を100万人**にするなど	○新しい地域づくりに向けた社会教育の振興方策の検討 ○社会人が働きながら学べる学習環境の整備など
❹誰もが社会の担い手となるための学びのセーフティネットを構築する	(14)家庭の経済状況や地理的条件への対応 (15)多様なニーズに対応した教育機会の提供	○生活保護世帯に属する子供、ひとり親家庭の子供、児童養護施設の子供の**高等学校等進学率、大学等進学率の改善**など	○教育へのアクセスの向上、教育費負担の軽減に向けた経済的支援など
❺教育政策推進のための基盤を整備する	(16)新しい時代の教育に向けた**持続可能な学校指導体制**の整備等 (17)**ICT利活用**のための基盤の整備 (18)安全・安心で質の高い教育研究環境の整備 (19)児童生徒等の安全の確保 (20)教育研究の基盤強化に向けた**高等教育のシステム改革** (21)日本型教育の海外展開と我が国の教育の国際化	○**小中学校の教師の1週間当たりの学内総勤務時間の短縮** ○**学習者用コンピュータ**を3クラスに1クラス分程度整備 ○緊急的に老朽化対策が必要な公立小中学校施設の未改修面積の計画的な縮減 ○私立学校の耐震化等の推進(早期の耐震化、天井等落下防止対策の完了) ○学校管理下における障害や重度の負傷を伴う事故等の発生件数の改善など	○教職員指導体制・指導環境の整備 ○学校のICT環境整備の促進 ○安全・安心で質の高い学校施設等の整備など ○学校安全の推進など

マメ 各自治体でも教育振興基本計画は作成されている。志望自治体は要チェック

持続可能な開発のための教育(ESD)

日付 /

頻出度 **B**

●ESDとは、Education for Sustainable Developmentの略である。
●これからの教育の内容としてグローバルかつローカルな視点が盛り込まれている。

1 ESDとは

重要度 ★★★

環境、貧困、人権、平和、開発など、世界には様々な問題がある。ESDとは、**これらを自らの問題として捉え、身近なところから取り組む**(think globally, act locally)**ことで、それらの課題の解決につながる新たな価値観や行動を生み出し、それによって持続可能な社会の創造を目指す学習や活動**をいう。

□**持続可能な社会づくりの担い手を育む**ESDの実施には、特に次の二つの観点が必要とされている。

- **人格の発達や、自律心、判断力、責任感などの人間性**を育むこと。
- 他人との関係性、社会との関係性、自然環境との関係性を認識し、**「関わり」、「つながり」を尊重できる**個人を育むこと。

□上記のESDの対象となる様々な課題への取り組みをベースに、**環境、経済、社会、文化の各側面から学際的かつ総合的に取り組む**ことが重要。

2 ESDの目標

重要度 ★★

- **全ての人が質の高い教育の恩恵を享受する**こと。
- **持続可能な開発のために求められる原則、価値観及び行動**が、あらゆる教育や学びの場に取り込まれること。
- 環境、経済、社会の面において**持続可能な将来が実現できるような価値観と行動の変革をもたらす**こと。

3 ESDで育みたい力

重要度 ★★

- **持続可能な開発に関する価値観**(人間の尊重、多様性の尊重、非排他性、機会均等、環境の尊重等)
- **体系的な思考力**(問題や現象の背景の理解、多面的かつ総合的なものの見方)

- **代替案の思考力**(批判力) ● **データや情報の分析能力**
- **コミュニケーション能力** ● **リーダーシップ**の向上

4 ＥＳＤの学び方・教え方 重要度 ★★

- 「**関心の喚起→理解の深化→参加する態度や問題解決能力の育成**」を通じて「**具体的な行動**」を**促す**という一連の流れの中に位置付けること。
- 単に知識の伝達にとどまらず、**体験、体感**を重視して、**探求**や**実践**を重視する**参加**型アプローチをとること。
- 活動の場で**学習者の自発的**な行動を上手に引き出すこと。

5 日本が優先的に取り組むべき課題 重要度 ★★★

先進国が取り組むべき環境保全を中心とした課題を入り口として、環境、経済、社会の統合的な発展について取り組みつつ、**開発途上国を含む世界規模の持続可能な開発につながる諸課題を視野に入れた取組**を進めていく。（「我が国における「国連持続可能な開発のための教育の10年」実施計画」より）

6 ＥＳＤに関するグローバル・アクション・プログラム 重要度 ★★★

2013年、ユネスコ総会において、「国連ＥＳＤの10年」（2005～2014年）の後継プログラムとして「ESD に関するグローバル・アクション・プログラム（GAP）」が採択され、2014年国連総会で承認された。

持続可能な開発は政治的な合意、金銭的誘因、又は技術的解決策だけでは達成できない。**持続可能な開発のためには我々の思考と行動の変革が必要であり、教育はこの変革を実現する重要な役割を担っている。**そのため、様々な行動によってＥＳＤの可能性を最大限に引き出し、**万人に対する持続可能な開発の学習の機会を増やす**ことが必要である。

ESD の基本的考え方
環境・経済・社会の
総合的発展

環境教育
エネルギー教育
国際理解教育
防災教育
世界遺産・地域の文化財の教育
生物多様性
その他
気候変動

ポイント 教育現場もグローバル化が押しよせている。それに対処するためにもＥＳＤの視点はとても大切

「令和の日本型学校教育」の構築を目指して

日付
／

●全ての子供たちの可能性を引き出す個別最適な学びと協働的な学びの実現を目指した答申。
●その実現のためには、ICTは必要不可欠。ただし、ICTが児童生徒に与える影響にも留意しよう。

1 総論

重要度 ★★★

急激に変化する時代の中で育むべき資質・能力

☐ **Society5.0時代**が到来、**新型コロナウイルス感染症の感染拡大**など先行き不透明で予測困難な時代が到来し、**新学習指導要領を着実に実施**するため、**ICT の活用**を通じ、**一人一人の児童生徒が**、自分のよさや可能性を認識するとともにあらゆる他者を価値のある存在として尊重し、多様な人々と協働しながら様々な**社会的変化**を乗り越え豊かな人生を切り拓き、**持続可能な社会の創り手となる**ことができるようにする。

日本型学校教育が直面する課題

- 学校及び教師が担うべき**業務の範囲が拡大されその負担が増大**。
- **子供たちの多様化**(特別支援教育を受ける児童生徒や外国人児童生徒等の増加、貧困、いじめの重大事態や不登校児童生徒数の増加等)。
- **生徒の学習意欲の低下**。
- **教員採用試験の倍率低下、教師の労働環境の悪化や教師不足の深刻化**。
- **情報化への対応の遅れ**。
- 人口減少による**学校教育の維持とその質の保証に向けた取組の必要性**。
- 新型コロナウイルス感染症の感染防止策と学校教育活動の両立、**今後起こり得る新たな感染症への備え**としての教室環境や指導体制等の整備。

2 2020 年代を通じて実現すべき「令和の日本型学校教育」

重要度 ★★★

個別最適な学び

- **「個に応じた指導」の充実**を図るとともに、**コンピュータや情報通信ネットワークなどの情報手段を活用するために必要な環境を整える**ことが示され、これらを適切に活用した学習活動の充実を図ることが必要。
- **GIGA スクール構想の実現による ICT 環境の活用**、少人数によるきめ細

かな指導体制の整備を進め、「**個に応じた指導**」を充実していく。

- 「**主体的・対話的で深い学び**」を実現し、個々の家庭の**経済事情**等に左右されることなく、子供たちに必要な力を育む。

協働的な学び

- 「**孤立した学び**」に陥らないよう、子供同士で、あるいは多様な他者と協働しながら、他者を価値ある存在として尊重し、様々な社会的な変化を乗り越え、**持続可能な社会**の創り手となることができるよう、**必要な資質・能力を育成する「協働的な学び」**を充実する。
- **集団の中で個が埋没してしまうことのない**よう、一人一人のよい点や可能性を生かし、異なる考え方が組み合わさり、よりよい学びを生み出す。

3　今後の方向性　　　　重要度 ★★★

- 日本型学校教育が果たしてきた、**学習機会と学力**の保障、社会の形成者としての全人的な**発達・成長**の保障、安全安心な居場所・セーフティネットとしての**身体的**、**精神的**な健康の保障を**学校教育の本質的な役割**として重視し、継承していく。
- **教職員定数、専門スタッフの拡充等の人的資源、ICT 環境や学校施設の整備等の物的資源を十分に供給・支援**することが国に求められる役割。
- 学校だけでなく**地域住民等**と連携・協働し、**学校と地域が相互に**パートナーとして一体となって子供たちの成長を支えていく。
- デジタルかアナログか、遠隔か対面か、といった「**二項対立**」に陥らず、**教育の質の向上のため、どちらのよさも適切に組み合わせ**生かしていく。
- 教育政策の PDCA サイクルの着実な推進。

4　ICT の活用に関する基本的な考え方　　　重要度 ★★★

- 「令和の日本型学校教育」を構築し、子供たちの可能性を引き出す、**個別最適な学びと、協働的な学びを実現する**ため、**ICT は必要不可欠**。
- **これまでの実践と ICT とを最適に組み合わせ**、教育の質の向上につなげていくことが必要。
- ICT を活用すること自体が目的化しないよう留意し、健康面を含め、**ICTが児童生徒に与える影響にも留意する**ことが必要。
- ICT の全面的活用による Society5.0時代にふさわしい学校の実現が必要。

ポイント ウィズコロナ、アフターコロナ時代の学校教育の目指す姿をしっかりイメージしておこう

性同一性障害／性的マイノリティ

日付 ／

頻出度
B

●2015年、文部科学省は「性同一性障害に係る児童生徒に対するきめ細かな対応の実施等について」との通知を発し、学校現場での少数者理解をさらに前進させた。
●支援の事例の内容について覚え、論文試験や面接試験で活用しよう。

1　性同一性障害に係る児童生徒についての特有の支援　重要度 ★★★

性同一性障害者の定義

❶生物学的には性別が明らかであるにもかかわらず、❷心理的にはそれとは別の性別（以下「他の性別」）であるとの持続的な確信をもち、❸自己を身体的及び社会的に他の性別に適合させようとする意思を有する者であって、❹そのことについてその診断を的確に行うために必要な知識及び経験を有する二人以上の医師の一般に認められている医学的知見に基づき行う診断が一致しているもの。

2　求められる様々な対応　重要度 ★★★

学校における支援体制

● 性同一性障害に係る児童生徒の支援は、**組織的に取り組むことが重要**であり、**学校内外に「サポートチーム」を作り、「支援委員会」**（校内）や**ケース会議**（校外）等を適時開催しながら対応を進める。

● 教職員間の**情報共有**は、児童生徒が**秘匿**しておきたい意思があることを踏まえながら、当事者たる**児童生徒だけでなくその保護者**に対し、情報共有の意図を十分に説明・相談し理解を得つつ、対応を進める。

医療機関との連携

● 学校が支援を行うに当たり、**医療機関と連携しつつ進める**ことが重要。

● 児童生徒や保護者の**同意がなくても、一般的な助言を受けることは可能**。

学校生活の各場面での支援

● 学校では、**当該児童生徒と他の児童生徒との均衡**を取りながら**支援**。

● 性同一性障害に係る児童生徒が求める支援は、**学校として当事者への先入観をもたず、**その時々の児童生徒の**状況**等に応じた支援を行う。

● 他の児童生徒や保護者との情報共有は、**当事者である児童生徒や保護者の意向**等を踏まえ、**個別の事情**に応じて進める。

- 性同一性障害の**診断**がなされない場合でも、**医療機関**との相談の状況、児童生徒や保護者の意向等を踏まえつつ、支援を行い得る。

卒業証明書等

- **指導要録**の記載については**学齢簿**の記載に基づき行う。卒業後は、**戸籍**を確認した上で、当該者が**不利益**を被らないよう適切に対応する。

当事者である児童生徒の保護者との関係

- 学校と保護者とが**緊密**に**連携**して支援を進める。保護者が**受容していない**ときは、学校での児童生徒の悩みや不安を**軽減**し、**問題行動**を未然に防止するよう、保護者と十分話し合い可能な支援を行っていく。

性同一性障害や性的マイノリティとされる児童生徒に対する相談体制等の充実

- 学級・ホームルームにおいては、**いかなる理由でもいじめや差別を許さ**ない適切な**生徒指導・人権教育等**を推進することが、支援の土台。
- **性的マイノリティ**とされる児童生徒全般にも、良き**理解者**となるよう努め、悩みや不安を受け止める。
- 学校では日頃から**児童生徒が相談しやすい環境**を整えていく。そのためにも**教職員自身は心ない言動**を慎まねばならない。

□**性同一性障害に係る児童生徒に対する学校における支援の事例**

服装	**自認**する性別の制服・衣服や、体操着の着用を認める。
髪型	標準より長い髪型を**一定の範囲**で認める（戸籍上男性）。
更衣室	**保健室**・多目的トイレ等の利用を認める。
トイレ	職員トイレ・多目的トイレの利用を認める。
呼称の工夫	校内文書（通知表を含む。）を児童生徒が**希望する**呼称で記す。**自認**する性別として名簿上扱う。
授業	体育又は保健体育において**別メニュー**を設定する。
水泳	上半身が隠れる水着の着用を認める（戸籍上男性）。**補習**として別日に実施、又は**レポート提出**で代替する。
運動部の活動	**自認**する性別に係る活動への参加を認める。
修学旅行等	1人部屋の使用を認める。**入浴**時間をずらす。

3 LGBT 理解増進法　　　　重要度 ★★★

- 2023（令和5）年6月、**LGBT 理解増進法が成立・施行**され、**学校等でも理解を広げる取り組みが促される**こととなった。

教育原理
一問一答 チェック!

次の（　）にあてはまる語を答えなさい。

Q1 教育は、学校教育をその典型とする（　①　）と、気候・風土など自然環境も教育のひとつとする（　②　）とに分けられる。 参照▶ P.19

A1 ①意図的教育
②無意図的教育

Q2 近代教授学の祖といわれる（　①　）は、（　②　）教授理論を提唱し、その理論にもとづく絵入り教科書である『（　③　）』を著した。 参照▶ P.20

A2 ①コメニウス
②直観（事物）
③世界図会
③は世界図絵でも可

Q3 （　①　）は、本質的な人間の平等を説いた処女作『（　②　）』を著すほか、頭・胸・手の調和的発達を意味する（　③　）の思想を掲げた。 参照▶ P.20

A3 ①ペスタロッチ
②隠者の夕暮
③3H's

Q4 発見学習は（　①　）が、問題解決学習は（　②　）が、（　③　）はスキナーが、それぞれ提唱した。 参照▶ P.21

A4 ①ブルーナー
②デューイ
③プログラム学習

Q5 ドルトン・プランは、（　①　）が提唱した時間割と（　②　）を廃した個別学習の形態で、（　③　）と副次教科に分ける特色がある。 参照▶ P.23

A5 ①パーカースト
②画一的な一斉授業
③主要教科

Q6 以前（　①　）と呼ばれた教育課程には、教科カリキュラムや（　②　）があるが、（　②　）は知識の体系化・系統化が困難とされる。 参照▶P.26・27

A6 ①教科（学科）課程
②経験カリキュラム

Q7 学習指導要領は当初、教員の（　①　）の役目であったが、昭和33年以降文部省（現文科省）の（　②　）として法的拘束力をもつ。 参照▶ P.28

A7 ①手引き書
②告示
①は参考書でも可

Q8 昭和43年版は（　①　）、52年版は（　②　）、平成10年版は（　③　）が、それぞれの学習指導要領の特色を示す語である。 参照▶ P.29

A8 ①教育の現代化
②ゆとり教育
③生きる力
頻出事項である

Q9 現行学習指導要領は、（　①　）は従前通りとしたが、（　②　）は廃止し、授業内容・時数ともに増加させた。 参照▶ P.29

A9 ①生きる力の育成
②ゆとり教育

Q10 現行学習指導要領では、小学校での（ ① ）教育や中学での（ ② ）の必修化など、（ ③ ）に関する教育の充実が図られている。 参照▶P.32・33

A10 ①古典
②武道
③伝統や文化

Q11 平成20年の学習指導要領から小学校において新たに（ ① ）が加わった。 参照▶P.33

A11 ①外国語活動

Q12 教育課程編成の特例のひとつとして、私立学校に置かれる「宗教」をもって（ ① ）に代えることが可能である。 参照▶P.35

A12 ①道徳科
特例は種々ある。覚えておきたい

Q13 各学校において、（ ① ）を生かした（ ② ）ある教育活動を展開することが求められている。 参照▶P.36

A13 ①創意工夫
②特色
「総則」第1

Q14 小・中学校の各教科の授業は年間（ ① ）週以上行うことが標準であるが、これらを（ ② ）に行うことが可能である。 参照▶P.37

A14 ①35
②特定の期間
小1は34週

Q15 高校において卒業に必要な総単位数は（ ① ）単位以上とされる。 参照▶P.44

A15 ①74

Q16 高校の全日制における週当たりの授業時数は（ ① ）単位時間が標準となる。 参照▶P.43

A16 ①30

Q17 高校では学習指導要領に定める科目以外の科目を置くことができるが、それを（ ① ）科目という。 参照▶P.44

A17 ①学校設定
学校設定教科を置くこともできる（20単位まで）

Q18 学校における道徳教育は、学校の（ ① ）全体を通じて行うものと、（ ② ）として行うものとがある。 参照▶P.46

A18 ①教育活動
②道徳科

Q19 道徳性は、道徳的な（ ① ）、道徳的な（ ② ）、道徳的な実践意欲と態度の諸様相から構成される。 参照▶P.48

A19 ①判断力
②心情
順不同

Q20 小中学校における道徳教育の内容は4項目で構成されており、その第1は「主として（ ① ）に関すること」である。 参照▶P.49

A20 ①自分自身
ほかの3項目も確実に覚えること

Q21 現行学習指導要領では、道徳教育の中心的教員として（ ① ）を置くものとするが、（ ② ）による評価は行わない。 参照▶ P.49

A21 ①道徳教育推進教師
②数値
評価を行わないのではない

Q22 特別活動においては、多様な（ ① ）との（ ② ）を通じて、（ ③ ）を身につけるようにすることが求められる。 参照▶ P.40

A22 ①他者
②協働
③行動の仕方

Q23 特別活動では、集団や自己の生活、人間関係の課題を見いだし、解決するために話し合い、（ ① ）を図ったり、（ ② ）したりできるようになることが目指される。 参照▶ P.40・41

A23 ①合意形成
②意思決定

Q24 入学式などには、（ ① ）を掲揚し（ ② ）を斉唱するよう指導するものとする、となっている。 参照▶ P.41

A24 ①国旗
②国歌

Q25 生徒指導は学校の教育目標を達成する上で重要な役割を果たすものであり、（ ① ）と並んで学校教育において重要な意義を持つ。 参照▶ P.51

A25 ①学習指導

Q26 生徒指導には、学習意欲の高揚などを目的とした（ ① ）も含まれる。 参照▶ P.52

A26 ①学業指導
そのほかの領域もおさえること

Q27 問題行動のうち、暴力行為の形態別では（ ① ）が最も多く、ついで（ ② ）が多い。 参照▶ P.55

A27 ①生徒間暴力
②器物損壊

Q28 いじめは、児童生徒に対し、（ ① ）を通じて行われるものを含み、心理的・物理的な（ ② ）を与える行為であり、対象となった児童生徒が心身の苦痛を感じるものである。 参照▶ P.56

A28 ①インターネット
②影響

Q29 いじめの学年別の認知件数（令和4年度）では、（ ① ）が最も多くなっている。 参照▶ P.57

A29 ①小学2年生

Q30 統計上、不登校とは、年間（ ① ）日以上の欠席のある児童生徒である。 参照▶ P.60

A30 ①30

Q31 不登校の出現率（令和4年度）は中学校では約（ ① ）人に1人の割合となっており、学年別では（ ② ）が最も多くなっている。 参照▶ P.61

A31 ①17
②中学2年生

Q32 誰一人取り残されない学びの保障に向けた不登校対策として、（ ① ）が策定されている。 参照▶ P.60

A32 ①COCOLOプラン

Q33 特別支援教育とは、LD・ADHD・（ ① ）も含めて個々の（ ② ）を把握し、適切な教育を通じて必要な（ ③ ）を行うことである。 参照▶ P.64

A33 ①高機能自閉症
②教育的ニーズ
③支援

Q34 特別支援教育の目的には、幼・小・中・高校の教育に（ ① ）教育を施すほか、（ ② ）活動を行うことがある。 参照▶ P.65

A34 ①準ずる
②自立

Q35 視覚障害の場合、特別支援教育の対象は視力（ ① ）未満だが、それに該当しても、（ ② ）として普通学校就学も可能である。 参照▶ P.67

A35 ①0.3
②認定特別支援学校就学者

Q36 特別支援学校の教育課程で知的障害児を教育する場合、小学部では（ ① ）が教科となり、高等部では（ ② ）が置かれる。 参照▶ P.68・69

A36 ①生活科
②道徳科

Q37 特別支援学校の各部では、各教科あわせて授業を行う（ ① ）ができるほか、適切でない場合は（ ② ）の使用義務も免除される。 参照▶ P.70

A37 ①合科授業
②（検定済み）教科書

Q38 視覚障害の教育では、盲・準盲のための（ ① ）を用いる盲教育のほか、（ ② ）などを用いる（ ③ ）教育がある。 参照▶ P.72

A38 ①点字
②拡大鏡
③弱視

Q39 特別支援教育の指導形態には、健常児と一緒に教育しようとする（ ① ）のほか、病院などに教師を派遣する（ ② ）などがある。 参照▶ P.75

A39 ①統合教育
②訪問教育

Q40 親学級と個別指導を行う特別教室とで授業を受ける指導形態を（ ① ）といい、現在最高で週（ ② ）単位時間まで認められる。 参照▶ P.75

A40 ①通級指導
②8

Q41 同和問題の解決に向けて（ ① ）審議会が設置され、その最初の答申は同和問題対策の（ ② ）ともいわれている。 参照▶ P.77

A41 ①同和対策
②憲法

Q42 （ ① ）は国際社会における人権尊重を初めて謳ったもので、（ ② ）拘束力はないが、世界中で大きな影響を与えた。 参照▶ P.78

A42 ①世界人権宣言
②法的

Q43 キャリア教育とは、一人ひとりの社会的・職業的自立に向け、（ ① ）を促す教育のことである。
参照▶ P.80

A43 ①キャリア発達

Q44 社会教育法では社会教育を「主として（ ① ）に対して行われる（ ② ）教育活動」とする。
参照▶ P.84

A44 ①青少年及び成人
②組織的な

Q45 社会教育に関して指導・助言に当たる専門的職員には（ ① ）があり、また、その施設として（ ② ）・図書館・博物館などがある。　参照▶ P.85

A45 ①社会教育主事
②公民館

Q46 生涯教育（学習）の理念はフランスの（ ① ）が提唱したもので、生涯の様々な教育を調和・（ ② ）させる、などであった。　参照▶ P.86

A46 ①ポール・ラングラン
②統合

Q47 教育と労働などを生涯にわたって（ ① ）に行えるようにしようというのが（ ② ）教育であり、（ ③ ）が打ち出した。　参照▶ P.87

A47 ①循環的
②リカレント
③OECD

Q48 学校経営における種々の業務を（ ① ）といい、その権限と責任は（ ② ）にあるが、職務を分担して遂行することを（ ③ ）という。　参照▶ P.88

A48 ①校務
②校長
③校務分掌

Q49 学級経営には教室環境の整備も含まれるが、基準では教室の温度は冬期（ ① ）℃以上、夏期（ ② ）℃以下とされている。　参照▶ P.89

A49 ①18
②28

Q50 教育振興基本計画では、充実した教育機会にアクセスできるように「（ ① ）」を構築することを掲げている。　参照▶ P.91

A50 ①学びのセーフティネット

Q51 性同一性障害に係る児童生徒については、（ ① ）が必要な場合があり、児童・生徒の（ ② ）等に配慮した対応を行う。　参照▶ P.96

A51 ①特有の支援
②心情

教育法規

近代公教育と日本国憲法

日付 ／

頻出度
A

●公教育の概念とそれを成り立たせる要素、3原則については、しっかりと把握しておきたい。
●憲法第26条は頻出!

1 近代公教育

重要度 ★

公教育

□**公教育** ⇨ 国家が法制度を整備することによって国家的規模で行う教育のこと。⇦⇨ **私教育**(個人や宗教組織などが行う教育)

□**公教育の制度的概念** ⇨ 国または地方公共団体、またはその機関が管理する教育の総称。

● 公教育の概念要素

公　設=公の団体が設置する ⎤
公　費=公の費用で運営する ⎬ 左記3つのすべてを含む場合、
公管理=公の機関が管理する ⎦ 公教育=国公立学校教育のみ

↓

公教育=国公私立学校教育+社会教育など(今日的な公教育概念)

近代公教育の3原則 重要!

□**義務制** ⇨ 日本では明治19(1886)年の小学校令によって尋常小学校4年間を義務教育とすることが確定された。

□**無償制** ⇨ 日本では明治33(1900)年の第3次小学校令によって市町村立尋常小学校の授業料の無償を定めた(特別な事情のある場合には徴収が可能であった)。

□**世俗性** ⇨ 宗教的中立性という意味。日本では、近代的学校制度の確立においてはほとんど問題とならなかった。

> 義務教育制度の確立という場合には、<世俗性>の代わりに<学校設置義務>が入る。日本において市町村に尋常小学校設置が義務づけられたのは明治23(1890)年の第2次(改正)小学校令によってである

2 ▶ 日本国憲法 [出題] 東京・神奈川・愛知・山口・福岡・熊本・大分 [重要度 ★★★]

法律主義

□教育は国会の議決によって制定される**法律**によってのみ運営されるとする考え方。その最高法規が**日本国憲法**。◁▷ **勅令主義**※

日本国憲法の重要条文 ✐ 重要!

□3大原理 ⇨ **国民主権** · **平和主義** · **基本的人権の尊重**

□そのほかの基本原理 ⇨ 権力分立原理 · 福祉国家原理 · 地方自治原理 · 国際協調主義、など。

□第14条第1項(**法の下の平等**)

> すべて国民は、法の下に平等であつて、人種、信条、性別、社会的身分又は門地により、政治的、経済的又は社会的関係において、差別されない。

⇨ 掲げてある項目は例示であってこれ以外の差別も禁止されるが、合理的差別(法、または社会通念上許される差別)もある。

この原則の教育上の適用が**教育基本法第4条**の**教育の機会均等**条項。

□第19条(**思想・良心の自由**)

> 思想及び良心の自由は、これを侵してはならない。

⇨ 内面的精神活動の自由の中で最も基本的なもの。

□第23条(**学問の自由**)

> 学問の自由は、これを保障する。

⇨ 研究の自由、研究成果発表の自由、教授(教育)の自由のこと。小・中学校などの教師は完全な教授の自由は許されないと判示されている。

□第26条(教育を受ける**権利**、教育の**義務**)

> すべて国民は、法律の定めるところにより、**その能力に応じて**、ひとしく教育を受ける**権利**を有する。/2　すべて国民は、法律の定めるところにより、その保護する子女に**普通教育**を受けさせる**義務**を負ふ。**義務**教育は、これを**無償**とする。

⇨ 第1項:教育の**機会均等**を定めたもの。ただし、「ひとしく」とはすべての子どもに画一的な教育を施すことを規定したものではなく、発達段階や個性、さらに「**その能力**」に応じて施されるものである。

⇨ 第2項:典型的な義務教育規定であるが、義務を負うのは**保護者**であることに注意。また、「**無償**」は国公立学校の**授業料**のみである。

用語 ※勅令主義…勅令(天皇の命令)や行政官庁の命令で定められる法によること。

ポイント 帝国憲法には教育に関する条項はなかった

105

教育基本法

日付
／

頻出度
A

●教育基本法の各条文については、特に改正された
　内容は、頻出事項なのでおさえよう。
●教育基本法の各条文は、完全に覚えた上で試験に
　臨みたい。

1　教育基本法　　★超頻出★　重要度 ★★★

□**制定** ⇨ 昭和**22(1947)**年、**日本国憲法**の理念にもとづいて、太平洋戦争
後の民主的な**教育の理念**や**教育行政**の大綱を明示した法律。**前文**と**11条**
の条文によって、教育の目的・方針・機会均等・義務教育・男女共学・教
育的中立・教育行政などについて規定していた。

□**改正** ⇨ 社会の変化に伴って法の不備を指摘されつつも、教育における憲
法的な役割を担っているだけに改正には慎重な声も強かった。そのような
中、平成12(2000)年には**小渕恵三**首相(当時＝死後は**森喜朗**首相)の私
的諮問機関の**教育改革国民会議**の報告書において、公的機関としては初め
て教育基本法改正の必要性に言及した。この報告を受けた文部科学省は**中
央教育審議会(中教審)**に対して改正の必要性やその内容についての諮問を
行い、中教審は平成15(2003)年、改正の視点などとともに改正法の原案
を答申した。その後、改正案は国会での審議・可決を経て、**前文**と**全4章・
18条**からなる改正法が、平成**18(2006)**年**12**月22日、公布・施行され
た。

2　前文　　★超頻出★　重要度 ★★★

我々日本国民は、たゆまぬ努力によって築いてきた**民主的**で**文化的**な国家を更に
発展させるとともに、**世界の平和**と**人類の福祉**の向上に貢献することを願うもの
である。／我々は、この理想を実現するため、個人の尊厳を重んじ、真理と正義を
希求し、**公共の精神**を尊び、**豊かな人間性**と**創造性**を備えた人間の育成を期する
とともに、**伝統を継承**し、新しい文化の創造を目指す教育を推進する。／ここに、
我々は、**日本国憲法**の精神にのっとり、我が国の未来を切り拓く教育の基本を確
立し、その振興を図るため、この法律を制定する。

⇨ 制定当時は憲法と教育基本法だけに前文が置かれた。

□**第1条**（**教育の目的**）

> 教育は、**人格の完成**を目指し、**平和**で**民主的**な国家及び社会の形成者として必要な資質を備えた**心身ともに健康**な国民の育成を期して行われなければならない。

⇨ 旧法同様、教育の目的を、まず「**人格の完成**」におく。「**人格の完成**」とは、各個人が備えるあらゆる能力を可能な限り、かつ調和的に発展させることを意味する。これは教育の**目的**としては普遍的な捉え方である。

□**第2条**（**教育の目標**）

⇨ 旧法の「**教育の方針**」に代えて、「**学問の自由**を尊重」しながら5項目の「**教育の目標**」を掲げる。❶「幅広い**知識**と**教養**」「真理を求める態度」「豊かな情操と**道徳心**」「健やかな身体」、❷「個人の価値を尊重」「創造性を培い」「**自主**及び**自律の精神**」「**勤労**を重んずる態度」、❸「正義と責任」「男女の平等」「自他の敬愛と協力」「**公共の精神**」「社会の形成に参画」「発展に寄与する態度」、❹「生命を尊び自然を大切」「**環境**の保全に寄与する態度」、❺「**伝統と文化**を尊重」「**我が国と郷土**を愛する」「他国を尊重」「国際社会の平和と発展に寄与する態度」などがキーワードとなる。

□**第3条**（**生涯学習**の理念）

⇨ 新設条項。旧法制定時には確立していなかった**生涯学習**に関する規定を、「**目的**」「**目標**」に次いで配置し、その重要性を示す。あらゆる**機会・場所**における学習についてのみならず、「その**成果を適切に生かす**ことのできる社会の実現」に言及していることに注意が必要である。

□**第4条第1項**（教育の**機会均等**）

> すべて国民は、ひとしく、その**能力**に応じた教育を受ける**機会**を与えられなければならず、人種、信条、性別、社会的身分、経済的地位又は門地によって、教育上**差別**されない。

⇨ 憲法第14条に定める**法の下の平等**の原則を「教育上」に適用し、教育の**機会均等**の理念を確言したもの。第2項は「国及び地方公共団体」の「**障害のある者**」に対する「教育上必要な支援」を図ること、第3項は「国及び地方公共団体」の「**経済的理由**」による「修学が困難」な者に対する「**奨学**の措置」を講じなければならないことについて、それぞれ規定している。

□第5条（義務教育）

> 国民は、その保護する子に、別に法律で定めるところにより、**普通教育を受けさせる義務**を負う。／ …… ／4　国又は地方公共団体の設置する学校における義務教育については、**授業料**を徴収しない。

⇨ 旧法では「**9年間**」と明記していた期間を、高校義務化など、時代の要請に柔軟に対応できるよう「別に法律で定める」とした。この法律とは**学校教育法**を指す。第2項は義務教育の目的、第3項は義務教育の機会の保障と水準の確保のための国と地方公共団体との役割分担・協力について規定し、第4項は国公立学校の義務教育の**授業料**の不徴収を規定している。

□第6条（学校教育）

> 法律に定める学校は、**公の性質**を有するものであって、**国、地方公共団体**及び法律に定める**法人**のみが、これを設置することができる。

⇨ この規定は学校教育法第2条でさらに詳細に規定されるが、特例があることにも注意が必要である。第2項は学校における教育上の配慮事項。

□第7条（大学）

⇨ 新設条項。独立項目が立てられているのは**大学**のみ。大学は「**学術の中心**」としての「教育及び研究」の場であり、「新たな**知見**を創造」してその「成果を広く社会に提供」することによって知識基盤社会の「**発展に寄与**」するなどという、他校種にない大きな役割を担っているという理由による。

□第8条（私立学校）

⇨ 新設条項。**私立学校**の存在が、旧法制定時に比べて、量的にも質的にも格段に大きくなっており、それが学校教育の質・量の発展に大きく寄与していることをふまえての条項。「**助成**その他適当な方法」によって、国・地方公共団体が**私立学校教育の振興**に努めなければならないとする。

□第9条（教員）

> 法律に定める学校の**教員**は、自己の**崇高な使命**を深く自覚し、絶えず**研究と修養**に励み、その職責の遂行に努めなければならない。

⇨ 旧法第6条第2項からの独立項目。この規定により、従来、**教育公務員**のみに課せられていた「**研究と修養**」の励行が、私立学校を含む全教員に課せられることとなった。第2項は教員の「**使命**と**職責**の重要性」ゆえの「**身分**」の「尊重」と「**待遇**の適正」化について規定。

ポイント 「法律に定める学校」は学校教育法第1条で規定（P.110参照）

□**第10条**（**家庭教育**）

⇨ 新設条項。第1項で保護者が「子の教育について**第一義的責任**を有する」ことを明確にし、第2項で、家庭教育の「自主性を尊重」しつつ、国・地方公共団体による家庭教育の**支援**について規定。

□**第11条**（**幼児期の教育**）

⇨ 新設条項。**幼児期**教育の重要性にかんがみて、国・地方公共団体がその**振興**に努めなければならないことを規定。

□**第12条**（**社会教育**）

⇨ 第1項で、**社会教育**を「個人の要望や社会の要請にこたえ、社会において行われる教育」とし、国・地方公共団体によるその**奨励**を規定し、第2項では**図書館**等の設置などによる国・地方公共団体の**振興**努力を規定。

□**第13条**（**学校、家庭及び地域住民等の相互の連携協力**）

⇨ 教育目的実現において、**学校**と**家庭**と**地域社会**を構成する者が自らの役割と責任を自覚し、相互の**連携**・**協力**などに努めることを規定。

□**第14条**（**政治教育**）

2 **法律に定める学校**は、特定の政党を支持し、又はこれに反対するための**政治教育**その他**政治的活動**をしてはならない。

⇨ 「**政治的教養**」を「**教育上尊重**」（第1項）したうえで、教育の**政治的中立**のために、「**法律に定める学校**」での「**政治教育**」の禁止を規定。

□**第15条**（**宗教教育**）

2 **国及び地方公共団体が設置する学校**は、特定の宗教のための**宗教教育**その他**宗教的活動**をしてはならない。

⇨ 第1項で宗教の「**教育上尊重**」を認めたうえで、憲法第20条の**政教分離**原則にもとづいて**国・公立学校**における「**宗教教育**」の禁止を規定。

5 第3章 教育行政　　　★超頻出★　重要度 ★★★

□**第16条**（**教育行政**）　（教育行政については P.164で詳しく触れる）

□**第17条**（**教育振興基本計画**）

教育行政の基本原則は重要！

6 第4章 法令の制定　　　重要度 ★★

□**第18条**（**必要な法令の整備**）

ポイント 私立学校は宗教教育が認められ、その場合の特例もある

学校の種類・設置者

日付 ／

頻出度 **B**

● 法律に定める学校の種類は確実に覚えておこう！
● 設置者は例外規定に要注意。例外規定はどの分野でもよく扱われる。

---

1 学校の種類

重要度 ★★★

法律に定める学校 💡 重要！

□ **学校教育法（学教法）第1条**

> この法律で、学校とは、**幼稚園**、**小学校**、**中学校**、**義務教育学校**、**高等学校**、**中等教育学校**、**特別支援学校**、**大学**及び**高等専門学校**とする。

⇨ 学校教育法の第1条で規定されるため**1条校**とも呼ばれる。幼保連携型認定こども園は教育基本法第6条第1項のいう学校だが、1条校ではない。

□ **保育所（保育園**は通称） ⇨ 児童福祉法で規定される福祉施設であって、〈学校〉ではない（管轄は厚生労働省）。

□ **学校数・在学者数**（文部科学省「令和5年度・学校基本調査」による）

	学校数				在学者数
	合計	国立	公立	私立	（単位：人）
幼稚園	8,837	49	2,744	6,044	841,824
幼保連携型認定こども園	6,982	0	948	6,034	843,280
小学校	18,980	67	18,669	244	6,099,685
中学校	9,944	68	9,095	781	3,177,508
義務教育学校	207	5	201	1	76,045
高 校	4,791	15	3,455	1,321	2,918,501
中等教育学校	57	4	35	18	33,817
特別支援学校	1,178	45	1,118	15	151,362
大 学	810	86	102	622	2,945,599
（短期大学）	303	0	15	288	86,689
高 専	58	51	3	4	56,576

＊高校は全日制・定時制のみ。

□ **名称** ⇨ 1条校と専修学校・各種学校以外は、学校教育法第1条に掲げる学校の名称や大学院の名称を用いてはならない（学校教育法第135条）。

1条校以外の学校

☐ **専修学校** ⇨ ❶修業年限が1年以上、❷年間授業時数が800時間（夜間学科等では450時間を下回らない範囲で減少可能）、❸授業を受ける者が原則として常時40人以上で、「職業若しくは実際生活に必要な能力を育成し、又は教養の向上を図ることを目的」として「組織的な教育を行う」もの（学校教育法第124条）。高等課程を置く高等専修学校、専門課程を置く専門学校、一般課程のみの専修学校に分けられる。

☐ **各種学校** ⇨ 1条校と専修学校を除く「学校教育に類する教育を行うもの」（学校教育法第134条）。准看護学校、料理学校、和・洋裁学校など。

☐ **学校教育法以外の法令によって規定される学校** ⇨ 関係省庁の所管に属する。防衛大学校、航空大学校、水産大学校、職業訓練大学校など。

2 学校の設置者・名称　　　　　　　重要度 ★★

☐ **教育基本法の規定** ⇨ 第6条第1項（P.108を参照）
☐ **学校教育法の規定** ⇨ 第2条

> 学校は、**国**（略記：国立大学法人・国立高等専門学校機構を含む）、**地方公共団体**（略記：公立大学法人を含む）及び私立学校法第3条に規定する学校法人（以下**学校法人**と称する）のみが、これを設置することができる。
> 2　この法律で、**国立学校**とは、国の設置する学校を、**公立学校**とは、地方公共団体の設置する学校を、**私立学校**とは、学校法人の設置する学校をいう。

☐ **例外規定** ✐ **重要!**
　　❶**私立幼稚園**は学校法人以外でも設置できる（学校教育法附則第6条）。
　　❷**株式会社・非営利法人（NPO）**は**構造改革特区内**において特定の目的を持つ学校を設置できる（構造改革特別区域法第12・13条）。

3 学校の設置義務　　　　　　　　　重要度 ★★★

☐ **小・中学校** ⇨ 設置義務は**市町村**にある（学校教育法第38・49条）。

☐ **特別支援学校** ⇨ 設置義務は**都道府県**にある（学校教育法第80条）。**小学部・中学部**の設置が義務（どちらかでも可）。**高等部・幼稚部**の設置も可能。

☐ **学校組合** ⇨ 財政的な理由などで単独で小学校、もしくは中学校を設置することができない市町村が他の市町村と学校組合を組織し、共同して学校を設置・管理することができる。

ポイント 防衛大学校などは1条校ではないので〈大学〉と名乗れない

頻出度
A

●教育基本法の教育の目的・目標は、学校教育法で学校種ごとの目的・目標として具体化される。特に目的はよく覚えておこう!
●特別支援学校の「目的」にある「準ずる教育」の意味については正確に理解する。

---

1 小学校

出題 福島・大阪   重要度 ★★★

目的 ✍ 重要!

□**学校教育法第29条**

> 小学校は、心身の発達に応じて、義務教育として行われる**普通教育**のうち**基礎的な**ものを施すことを目的とする。

目標

□**学校教育法第30条第1項**

> 小学校における教育は、前条に規定する目的を実現するために**必要な程度**において第21条各号に掲げる目標を達成するよう行われるものとする。

□**学校教育法第21条**

> 義務教育として行われる普通教育は、教育基本法(略)第5条第2項に規定する目的を実現するため、次に掲げる目標を達成するよう行われるものとする。
>
> 1 学校内外における**社会的活動**を促進し、自主、自律及び協同の精神、規範意識、公正な判断力並びに**公共の精神**に基づき主体的に社会の形成に参画し、その発展に寄与する態度を養うこと。
> 2 学校内外における**自然体験活動**を促進し、生命及び自然を尊重する精神並びに**環境**の保全に寄与する態度を養うこと。
> 3 我が国と郷土の現状と歴史について、正しい理解に導き、**伝統と文化を尊重**し、それらをはぐくんできた**我が国と郷土を愛する態度**を養うとともに、進んで外国の文化の理解を通じて、他国を**尊重**し、**国際社会**の平和と発展に寄与する態度を養うこと。
> 4 **家族**と家庭の役割、生活に必要な衣、食、住、情報、産業その他の事項について基礎的な理解と技能を養うこと。
> 5 **読書**に親しませ、生活に必要な**国語**を正しく理解し、使用する基礎的な能力を養うこと。
> 6 生活に必要な**数量的な関係**を正しく理解し、処理する基礎的な能力を養うこと。
> 7 生活にかかわる**自然現象**について、観察及び実験を通じて、**科学的**に理解し、処理する基礎的な能力を養うこと。

8 **健康**、**安全**で幸福な生活のために必要な**習慣**を養うとともに、**運動**を通じて体力を養い、心身の**調和的発達**を図ること。

9 生活を明るく豊かにする音楽、美術、文芸その他の**芸術**について基礎的な理解と技能を養うこと。

10 **職業**についての基礎的な知識と技能、**勤労**を重んずる態度及び個性に応じて将来の**進路**を選択する能力を養うこと。

⇨ これらの項目が学校教育法施行規則第50条第1項に規定する**各教科**として具体化され（10号を除く）、さらに、それぞれの**教科の目標**は**学習指導要領**に明示されている。

□学校教育法第31条

小学校においては、前条第1項の規定による目標の達成に資するよう、教育指導を行うに当たり、児童の**体験的な学習活動**、特にボランティア活動など**社会奉仕体験活動**、**自然体験活動**その他の体験活動の充実に努めるものとする。この場合において、社会教育関係団体その他の関係団体及び関係機関との連携に十分配慮しなければならない。

＊中学校・高等学校・中等教育学校に準用される。

⇨ 児童・生徒の体験的な学習活動の充実を図ることによって、他者のために奉仕する気持ちを育てることや、自然と触れあう機会を増やす。

2 中学校 （出題 大阪） 重要度 ★★

目的

□学校教育法第45条

中学校は、小学校における教育の基礎の上に、心身の発達に応じて、義務教育として行われる**普通教育**を施すことを目的とする。

目標

□学校教育法第46条

中学校における教育は、前条に規定する目的を実現するため、第21条各号に掲げる目標を達成するよう行われるものとする。

3 義務教育学校 （出題 大阪） 重要度 ★★★

目的

□学校教育法第49条の2

義務教育学校は、**心身の発達**に応じて、**義務教育**として行われる**普通教育**を基礎的なものから一貫して施すことを目的とする。

□**趣旨と位置付け** ⇨ 学校教育制度の多様化及び弾力化を推進するため。

ポイント 義務教育の目標の10項目のキーワードをおさえよう

□**設置者と設置義務** ⇨ **国公私**いずれも設置が可能。市区町村には、公立小・中学校の設置義務があるが、**義務教育学校**の設置をもって設置義務の履行。

□**修業年限9年**(小学校・中学校の学習指導要領を準用するため、**前期6年**と**後期3年**の課程に区分)／小中一貫型の小・中学校においては、小・中学校に同じ。

□**免許** ⇨ 小学校と中学校の免許状の**併有**を原則(当分の間は例外あり)／小中一貫型の小・中学校においては、各校種に応じた免許。

目標

□**学校教育法第49条の3**

> 義務教育学校における教育は、前条に規定する目的を実現するため、第21条各号に掲げる目標を達成するよう行われるものとする。

⇨ 義務教育として行われる普通教育における目標と同じ(P.112参照)。

4 高等学校　　（出題 福島・大阪）　重要度 ★★

目的

□**学校教育法第50条**

> 高等学校は、中学校における教育の基礎の上に、心身の発達及び進路に応じて、**高度な普通教育**及び**専門教育**を施すことを目的とする。

⇨ 高等学校は義務教育ではないので、憲法・教育基本法に規定される義務教育の要件である「**普通教育**」という限定がなく「**専門教育**」ができることになる(高等学校に設置できる学科は農業・水産・工業・商業・家庭・厚生・商船・外国語・美術・音楽などに関する学科)。

目標

□**学校教育法第51条**

> 高等学校における教育は、前条に規定する目的を実現するため、次に掲げる目標を達成するよう行われるものとする。
> 1　義務教育として行われる普通教育の成果を更に発展拡充させて、豊かな**人間性**、創造性及び健やかな身体を養い、**国家及び社会の形成者**として必要な資質を養うこと。
> 2　社会において果たさなければならない**使命**の自覚に基づき、個性に応じて将来の**進路**を決定させ、一般的な教養を高め、**専門的**な知識、技術及び技能を習得させること。
> 3　**個性の確立**に努めるとともに、社会について、広く深い理解と健全な批判力を養い、社会の発展に**寄与**する態度を養うこと。

5 　中等教育学校　〔出題〕大阪　重要度 ★

目的

□学校教育法第63条

中等教育学校は、小学校における教育の基礎の上に、心身の発達及び進路に応じて、義務教育として行われる**普通教育**並びに**高度な普通教育**及び専門教育を**一貫**して施すことを目的とする。

目標

□**学校教育法第64条**に規定されるが、第１号が「豊かな**人間性**、創造性及び健やかな身体を養い、国家及び社会の**形成者**として必要な資質を養うこと」となっているほか、第２号・３号は高等学校と同じである（前期・後期の各課程の目標は学校教育法第67条に規定される）。

6 　特別支援学校　〔出題〕福島・大阪　重要度 ★★

目的

□学校教育法第72条

特別支援学校は、視覚障害者、聴覚障害者、知的障害者、肢体不自由者又は病弱者（身体虚弱者を含む。以下同じ。）に対して、幼稚園、小学校、中学校又は高等学校に**準ずる教育**を施すとともに、障害による学習上又は生活上の困難を克服し**自立**を図るために必要な知識技能を授けることを目的とする。

⇨ 「**準ずる教育**」との文言があるが、これはランクを下げた教育を行うということではなく、幼稚部・小学部・中学部・高等部における教育目的は、あくまでも幼稚園・小学校・中学校・高等学校といった学校種と同じであり、児童・生徒等の障害の種類や程度に応じて特別な教育を施すことを意味する。それと同時に、ほかの校種にはない「**自立**を図るために必要な知識技能を授けること」も目的とするとしている。これは教科のうえでは**自立活動**と呼ぶ。

目標

□特別支援教育については教育目標が定められていないが、これも教育目的と同様にそれぞれの学校種の教育目標に「**準ずる**」と捉えることができる。

＊なお、学校教育法では、幼稚園・大学・大学院・高等専門学校・専修学校にも、学校種独自の教育目的が定められていることはいうまでもない（幼稚園＝第22条・大学＝第83条・大学院＝第99条・高専＝第115条・専修学校第124条）。幼稚園には教育目標も定められている（第23条）。

学校の管理運営の基本

日付 ／

●学校運営の基本のひとつである学年・学期・休業日は、それに関連する様々な主体者を覚えるようにしよう。
●設置者負担主義と県費負担教職員については、内容を確実に理解した上で、用語を覚える。

1 設置者管理・経費負担主義

重要度 ★★

□学校教育法第5条

学校の設置者は、その設置する学校を管理し、**法令に特別の定のある場合**を除いては、その学校の経費を負担する。

□**設置者管理主義** ⇨ 学校の管理はその学校の設置者が行うという原則。

学校の設置者は、原則として国・地方公共団体・学校法人である。この三者が管理機関となるが、大学や高専に関しては例外規定がある。また、大学を除く公立学校は地方教育行政法第21条によって、その学校を設置した地方公共団体の**教育委員会**が管理することになっている。

管理
- **人的管理**：教職員の身分取扱や児童生徒の成績・健康管理など
- **物的管理**：学校の施設・設備の保全管理や校具の整備など
- **運営管理**：教育活動そのものに関する管理（指導・助言が通例）

□**設置者経費負担主義** ⇨ 学校にかかる経費は学校の設置者が負担するという原則。

> 経費とは校舎を建築して学校として運営する上での費用の一切のこと

【法令に特別の定めのあるものの例】

教職員給与	市町村立小中学校などの教職員（**県費負担教職員**）の給与は都道府県が支給する（市町村立学校職員給与負担法）。それに対して、国は都道府県に対してその実支給額の3分の1を負担する（義務教育費国庫負担法）。
校舎の建築費用など	公立義務教育諸学校の校舎の建築費用などは、国が最高半額を負担する（義務教育諸学校施設費国庫負担法）。
教科用図書	義務教育諸学校使用にかかわる教科用図書は、国が義務教育諸学校の設置者に無償で給付する。

2 学年・学期・休業日など 重要度 ★★

学年

□**学年** ⇨ 4月1日に始まり、翌年3月31日に終わる（学校教育法施規第59条）。

□**例外** ⇨ 高等学校の通信制・単位制高等学校など。

学期

□**学期** ⇨ 学年を区分した一定期間のこと。

□**設定** ⇨ 大学を除く公立学校ではその学校を設置した都道府県・市町村の**教育委員会**が定め（学校教育法施行令第29条）、私立学校においては**学則**で定める（学校教育法施行規則第62条）。

休業日

□**休業日** ⇨ 授業を行わない日のこと（学校教育法施行規則第4条1項1号）。

□**通常の休業日**（学校教育法施行規則第61条＝公立学校）

　　❶**国民の祝日**

　　❷**日曜日および土曜日**

　　❸**教育委員会**が定める日

Check!
教育委員会が必要と認める場合は、振り替え授業日とすることができる。その場合は、別の日を休業日とするのが通例である

□**臨時の休業日**

　　❶**非常変災その他急迫の事情**のあるとき（学校教育法施行規則第63条）
　　　　校長は臨時に休業することができる（公立学校ではこの旨を当該学校を設置する地方公共団体の教育委員会に報告する義務がある）。

　　❷**感染症予防上**必要があるとき（学校保健安全法第20条）
　　　　学校の設置者は臨時に休業することができる。

授業日など

□**授業日** ⇨ 休業日以外の日。

　学習指導要領で授業日について規定している。
　　＝年間**35**週以上（小学校1学年は**34**週以上）

教職員の場合、授業日＝勤務日ではない。休業日でも勤務日となる場合がある

授業時数

□**授業時数** ⇨ 学校種・科目ごとに学校教育法施行規則の別表で定められる。

□**1単位時間** ⇨ 学校教育法施行規則別表の備考欄では、小学校**45**分、中学・高校を**50**分としているが、学習指導要領では「各学校において……適切に定めるものとする」としている。

授業終始時刻

□**授業終始時刻** ⇨ **校長**が定める（学校教育法施行規則第60条）。

学校の設置の基準

日付
／

頻出度
B

●教職員の配置は頻出だ。必置のものはしっかりと覚えておこう。
●施設・設備についても、法定の6つは要暗記!

1 教職員の配置の基準

重要度 ★★★

教職員の配置 🖉 重要!

□学校教育法第7条

学校には、**校長**及び相当数の**教員**を置かなければならない。

⇨ 学校種ごとに、❶必ず置かなければならない（**必置**）教員、❷原則は❶だが「当分の間」または「特別の事情（学校の規模が小さい）のある場合」には**置かないことができる**教員、❸**置くことができる**教員がある。

学校種別	必置	置かないことができる		置くことができる
		特別の事情	当分の間	
小・中学校（義務教育学校）	**校長・教諭** 司書教諭 （12学級以上＝以下同） 学校医（歯科医） 学校薬剤師	**教頭*** 事務職員	**養護教諭*** 司書教諭 （12学級未満）	副校長・主幹教諭*・指導教諭・栄養教諭・その他必要な職員
高等学校	**校長・教頭・教諭** 事務職員 司書教諭 学校医（歯科医） 学校薬剤師		司書教諭 （12学級未満）	副校長・主幹教諭・指導教諭・**養護教諭**・栄養教諭・その他必要な職員
中等教育学校	**校長・教頭** **教諭・事務職員** 司書教諭 学校医（歯科医） 学校薬剤師		**養護教諭*** 司書教諭 （12学級未満）	（養護教諭を除き高等学校と同じ）

幼稚園	園長・教諭 学校医(歯科医) 学校薬剤師	教頭*		副園長・**養護教諭**(ほかは小・中学校と同じ)
特別支援学校	**校長・教頭**(高等部) 事務職員(高等部) 寄宿舎指導員 (寄宿舎設置時) 司書教諭 学校医(歯科医) 学校薬剤師	教頭* (小中学部) 事務職員 (小中学部)	養護教諭* (小中学部) 司書教諭 (12学級未満)	副校長・主幹教諭・指導教諭・栄養教諭(小中学部)・養護教諭(高等部)・その他必要な職員

※ *の職については、教頭は副校長(副園長)を置く場合、養護教諭は養護をつかさどる主幹教諭を置く場合にも、それぞれ置かないことができる。

※ 上記のうち、学校医・学校歯科医・学校薬剤師については学校保健安全法第23条第1・2項、司書教諭については学校図書館法第5条第1項、附則2による。

※ 高等学校、中等教育学校後期課程における「養護をつかさどる主幹教諭、養護教諭その他の生徒の養護をつかさどる職員」、幼稚園における「養護をつかさどる主幹教諭、養護教諭又は養護助教諭及び事務職員」は「置くように努めなければならない」とされている(各設置基準)。

※ 主幹教諭 ⇨ 校長及び副校長を助け、校務の一部を整理し、児童生徒の教育を司る職位

教職員の定数

□設置基準 ⇨ (小・中)**1学級に1人**以上。(高)収容定員を40で除した数以上(これらは教諭などの「最低基準」)。

□**標準法** ⇨ 学校規模ごとに教諭などは、それぞれの学級数などに乗じる数と定め、都道府県ごとの**教職員総数**を決める。

□地方教育行政法 ⇨ 教職員定数は**都道府県条例**で定める。

2 児童・生徒に関する基準　　　重要度 ★★

<1学級の児童・生徒数の基準>

□**設置基準** ⇨ 1学級**40人以下**(**標準法：小学校は35人以下**)が原則。

□**少人数学級の編制** ⇨ 都道府県単位で**40人(小：35人)を下回る**学級編制が可能(2025年までに学年進行で全学年が35人学校になる)。

3 施設・設備に関する基準　　　重要度 ★★★

<学校の施設・設備>

□**学校教育法施行規則第1条**

> 学校は「教育上、適切な環境」に設けること。また、周囲での設置・営業が禁止されるものもある

校地・校舎・校具・運動場・図書館(図書室)・保健室

□**設置基準(校舎に備えるべき施設)** ⇨ **教室**(普通教室・**特別教室**等)・**職員室**・特別支援教室(必要に応じて)・体育館(特別の事情等があれば置かなくてもよい)・必要な種類と数の校具、教具

119

07 校務分掌・職員会議等

日付 ／

●職員会議の位置づけについて、各説を理解した上で、補助機関説で解答を構成できるようにする。
●学校運営協議会制度(コミュニティ・スクール)と学校評議員制度を混同しないこと。その上で、志望自治体にコミュニティ・スクールがどれくらいあるかを調べよう。

1 校務分掌　　　　重要度 ★★

校務と校務分掌 🖉 重要!

□**校務** ⇨ 学校の目的を達成するために学校運営上、行わなければならない業務全般のこと(教育活動自体とは区別される)。

□**校務分掌** ⇨ 校務を学校の組織機構に即して教職員で分担すること。

学校教育法施行規則第43条

> 小学校においては、**調和のとれた学校運営**が行われるためにふさわしい**校務分掌**の仕組みを整えるものとする。

＊中学校・高等学校・中等教育学校に準用される。

□**校務分掌の編成** ⇨ 権限は学校の**管理機関**にあるが、公立学校にあってはその権限を「校務をつかさどる」**校長に委任**している。

2 職員会議　　　　重要度 ★★★

職員会議の性格に関する考え方

□**補助機関説** ⇨ 校長には学校経営に関する全決定権があり、職員会議は意見交換や情報交換の場として**校長**の校務の**執行**を補助する機関。

法の規定 🖉 重要!

□学校教育法施行規則第48条

> 小学校には、**設置者**の定めるところにより、**校長の職務の円滑な執行に資するため**、**職員会議**を置くことができる。／2　職員会議は、**校長が主宰**する。

＊中学校・高等学校・中等教育学校・特別支援学校・幼稚園に準用される。

⇨ **補助機関説**の立場に立つ。

3 学校評価 　重要度 ★★

□学校教育法第42条

小学校は、**文部科学大臣**の定めるところにより当該小学校の**教育活動その他の学校運営の状況について評価**を行い、その結果に基づき**学校運営の改善**を図るため必要な措置を講ずることにより、その**教育水準の向上に努め**なければならない。

＊幼稚園、中学校、義務教育学校、高等学校、中等教育学校、特別支援学校等にもそれぞれ準用される。

4 学校評議員 　重要度 ★★

□学校教育法施行規則第49条

小学校には、**設置者**の定めるところにより、**学校評議員**を置くことができる。／2 学校評議員は、**校長**の求めに応じ、**学校運営**に関し意見を述べることができる。／3 学校評議員は、当該**小学校の職員以外の者**で教育に関する理解及び識見を有するもののうちから、**校長の推薦**により、当該小学校の**設置者が委嘱**する。

＊中学校・高等学校・中等教育学校・特別支援学校・幼稚園に準用される。

5 学校運営協議会制度（コミュニティ・スクール） 　重要度 ★★

学校運営協議会

□地方教育行政法第47条の5第1項

教育委員会は、教育委員会規則で定めるところにより、その**所管に属する学校ごとに、当該学校の運営及び当該運営への必要な支援に関して協議する機関**として、**学校運営協議会を置くように努め**なければならない。

	学校評議員	学校運営協議会
導入時期	2000年	2000年
目的	より良い学校、開かれた学校作りにする	地域と学校が共に学校運営について考え、協同的な教育を創る
法的根拠	学校教育法施行規則（第49条）	地方教育行政の組織及び運営に関する法律（47条の5）
対象者	校長が必要と求める人物	保護者、学校に対しての協力的な地域住民、教育委員会が必要と認める者
役割	校長の求めに応じ、個人として意見を述べる	校長及び教育委員会が行う学校運営や教職員人事について関与する
委嘱任命	校長の推薦により、設置者が委嘱	教育委員会が任命する

ポイント 令和5年5月現在、1,277市区町村と38都道府県で18,135校がコミュニティ・スクールに指定

08 教育課程

頻出度

A

- ●教育課程はその学校における教育計画で、きわめて重要なものということができる。
- ●特例については、私立学校における宗教教育、合科授業、複式学級について用語を覚え、内容を理解しよう。

1 教育課程とその編成

重要度 ★★

教育課程の概念

□**カリキュラム** ⇨ 教育課程は、レースコースを走ることを意味するラテン語の currere に由来する言葉である**カリキュラム**(curriculum)の訳。

□**呼称** ⇨ 当初は、教育内容が知識・技能そのものと考えられて「**教科課程**」と呼ばれたが、昭和26(1951)年作成の学習指導要領から「教育課程」と呼ばれ、その包括概念として**教科活動**と**教科外活動**(特別活動・総合的な学習の時間、など)を含むようになる。

□**指導計画** ⇨ 教育課程は、1単位時間、1週間、1月、1学期、1年、といった単位に区切って、具体的な指導を想定した**指導計画**で実施に移される。

□**定義** ⇨ 「小学校学習指導要領解説　総則編」(平成29年7月)

学校において編成する教育課程は、**学校教育の目的や目標を達成するために、教育の内容を児童の心身の発達に応じ、授業時数との関連において総合的に組織した各学校の教育計画**であり、**学校の教育目標の設定、指導内容の組織及び授業時数の配当が教育課程の編成の基本的な要素**になってくる。

教育課程の編成 　重要!

□**編成の基準に関する条文**(小学校で例示するが、中・高校なども同様)

学校教育法第33条

小学校の教育課程に関する事項は、……**文部科学大臣**が定める。

学校教育法施行規則第52条

小学校の教育課程については、この節に定めるもののほか、教育課程の基準として文部科学大臣が別に公示する小学校**学習指導要領**による……。

⇨ 教育課程編成の具体的基準は**学校教育法施行規則**と**学習指導要領**。教育課程編成の主体は**校長**(教育委員会規則などで「学校」とするところも)。

2　教育課程編成の特例　重要度 ★★★

私立学校における宗教教育

□**学校教育法施行規則第50条第2項**

> 私立の小学校の教育課程を編成する場合は、前項の規定にかかわらず、**宗教**を加えることができる。この場合においては、宗教をもつて前項の**特別の教科である道徳**に代えることができる。

⇨ 政教分離の原則により**国・公立学校での宗教教育は禁止**されているが、私立学校ではそれが可能であり、その場合には道徳科に代えることができる。

合科授業

□**学校教育法施行規則第53条**

> 小学校においては、必要がある場合には、一部の各教科について、これらを**合わせて授業を行う**ことができる。

⇨ 学習指導要領「総則」でも、「児童の実態等を考慮して、指導の効果を高めるため、**合科的・関連的な指導**を進めること」としている。

複式学級

□**小学校学習指導要領「総則」第2-3(1)オ**

> 学校において**2以上の学年の児童で編制する学級**について特に必要がある場合には、各教科及び道徳科の目標の達成に支障のない範囲内で、各教科及び道徳科の目標及び内容について**学年別の順序によらない**ことができる。

⇨ 小・中学校においては児童・生徒の数がきわめて少ないなどの場合は、2つ、あるいは3つの学年の児童・生徒でひとつの学級を編制することができる（各学校の設置基準）。この場合、**「学年別の順序によらない」教育課程**を実施することができる（中学校は「総則」第2-3(1)エ。範囲は「各教科」のみ）。

3　学習指導要領　重要度 ★★★

□**導入** ⇨ 昭和22(1947)年、戦後の**民主主義教育**推進のための**参考書・手引き書**として、アメリカの Course of Study にならって導入された。

□**法的位置づけ** ⇨ 当初は、表紙に**「試案」**と印刷されて拘束力はなかったが、昭和33(1958)年、学校教育法施行規則に規定され文部省（当時）**告示**の形をとるものとして**法的拘束力**をもつものとなった。

□**基準性** ⇨ **「はどめ規定」**から**「最低基準」**的な性格に変わっている。

ポイント 学習指導要領の法規的性格は最高裁判決でも確定している

●小・中・高校等（国公私立を問わない）における
検定済み教科書の使用義務、学校教育上での著
作権使用の特例は頻出だ。
●デジタル教科書が使用可能になっていることに留
意しておこう。

1 教科書　　　　　　　　　　　　　重要度 ★★

教科書とその使用義務

□**教科書の定義** ⇨ 教科書の発行に関する臨時措置法第2条

（略）「教科書」とは、小学校、中学校、義務教育学校、高等学校、中等教育学校及び
これらに準ずる学校において、教育課程の構成に応じて組織排列された**教科の主
たる教材**として、教授の用に供せられる児童又は生徒用図書であつて、**文部科学
大臣の検定を経たもの**又は**文部科学省が著作の名義を有する**ものをいう。

□使用義務 ⇨ 学校教育法第34条第1項

　⇨ **デジタル教科書**でも可（第2項）。

　⇨ 視覚障害や発達障害などの児童生徒の学習上の困難を低減させるため、
すべての教育課程で**デジタル教科書**の使用が可能。

教科書使用の特例　　🖋 重要!

□高等学校（中等教育学校後期課程）の場合

　教科用図書が「**ない場合**」（専門科目や学校設定教科・科目があるため）、**設
置者**の定めによって**ほかの適切な教科用図書**を使用することが可能。

□特別支援学校・学級の場合

　教科用図書の使用が「**適当でないとき**」、**設置者**の定めによって**ほかの適切
な教科用図書**を使用することが可能。

採択と給与

□**採択権** ⇨ 公立学校における教科書の採択権は**教育委員会**にある。公立義
務教育諸学校では、都道府県教育委員会の指導・助言・援助により、市町村
教育委員会が**広域単位**で採択。国・私立学校や公立高校では**校長**が採択し
て都道府県教育委員会に報告、または承認を得る。

□**給与** ⇨ 義務教育諸学校では国が購入し、無償で児童・生徒に給与される。

2 **補助教材** 重要度 ★★

□学校教育法第34条第4項

教科用図書及び第2項に規定する教材以外の教材で、有益適切なものは、これを使用することができる。

⇨ **補助教材**使用の際には「あらかじめ教育委員会に届け」、または「承認を受けさせる」ための規定を設けることとなっている（地方教育行政法第33条第2項）。ただし、それは高価なものなどに限定される。

3 **著作権法** 重要度 ★★★

□著作権 ⇨ **著作者**が自己の著作物の複製・発行・翻訳・興行・上映・放送などに関し、独占的に支配し利益を受ける排他的な権利のこと。**著作権法**によって著作者の**没後70年間**保護される。例外規定以外の著作物の使用には、著作権者の承認の下、著作権使用料を支払うことになる。

□教育上の著作物使用の特例

● 学校その他の教育機関における複製等（著作権法第35条第1項）

学校その他の**教育機関**（**営利**を目的として設置されているものを除く。）において教育を**担任する者**及び**授業を受ける者**は、その**授業の過程**における利用に供することを目的とする場合には、その必要と認められる限度において、公表された著作物を**複製**し、若しくは公衆送信……を行い、又は公表された著作物であつて公衆送信されるものを受信装置を用いて公に伝達することができる。ただし、当該著作物の種類及び用途並びに当該複製の部数及び当該複製、公衆送信又は伝達の態様に照らし**著作権者の利益を不当に害する**こととなる場合は、この限りでない。

⇨ **業者**に複製を発注する、ドリルを1冊買ってきて**クラス全員分**を複製して配付する、複製したものを**製本**して配付する、などは禁止（一部のみ可）。

⇨ **遠隔合同授業等が一般化**したことを踏まえ、令和3（2021）年に「**学校における教育活動と著作権**」が改定された。以下は例外措置として可能。

● 教員及び児童・生徒が、授業の教材として使うために他人の作品をコピーして配布したりEメールなどインターネットを介して送信する。

●「主会場」で行われている授業で教材として使われた他人の作品等を遠隔地の「副会場」に向け、同時中継でインターネットを介して送信する。

● 試験または検定のために、他人の作品を使って入学試験問題を作成し配布する場合、または当該試験問題をインターネットなどで送信する。

マメ 2020年4月、遠隔授業でも著作物利用可能に 125

就学に関する規定

日付 ／

頻出度 **B**

●憲法や教育基本法によって規定される就学義務の完全履行のために、様々な規定がある。まずは就学期間からおさえよう。
●学齢簿は入学の5ヵ月前までに作成するなど、手続き上の数字関係を確実に覚えよう。

1　就学義務とその期間・猶予など　　重要度 ★★★

就学義務　🖋️ 重要!

□**憲法第26条第2項**

> すべて国民は、法律の定めるところにより、その保護する子女に**普通教育**を受けさせる**義務**を負ふ。義務教育は、これを**無償**とする。

□**教育基本法第5条第1項**

> 国民は、その保護する子に、別に法律で定めるところにより、**普通教育**を受けさせる義務を負う。

⇨ これらは、子ではなく保護者(親権を行う者)に課せられた義務。

就学期間（学校教育法第17条）　🖋️ 重要!

□年齢主義 ⇨ 就学期間を**年齢**で規定(ほかに課程主義・成績主義)がある。

□**小学校・義務教育学校前期課程・特別支援学校小学部** ⇨ 満**6**歳に達した日の翌日以後における最初の学年の初めから、満**12**歳に達した日の属する学年の終わりまで。修了できない場合：満15歳に達した日の属する学年の終わり(それまでの間において当該課程を修了したときは、その修了した日の属する学年の終わり)まで。

□**中学校・義務教育学校後期課程・中等教育学校前期課程・特別支援学校中学部** ⇨ 小学校または義務教育学校前期課程・特別支援学校の小学部の課程を修了した日の翌日以後における最初の学年の初めから、満**15**歳に達した日の属する学年の終わりまで。

⇨ つまり就学義務期間は、「満**6**歳に達した日の翌日以後における最初の学年の初めから」「満**15**歳に達した日の属する学年の終わりまで」となる。この間にある児童・生徒を**学齢児童・学齢生徒**という。

⇨ 上記期間に中学校などを修了できない者はその後も在学することができ、その結果、全課程を修了したら**卒業証書**を発行しなければならない。

□**就学猶予・免除**（**学校教育法第18条**）⇨ **市町村教育委員会**は**就学困難者**に対して就学義務を**猶予**または**免除**することができる。その際には、その事由を**証明**するに足る書類を必要とする（学校教育法施行規則第34条）。

- ●**事由**：**病弱**・**発育不完全**・**やむを得ない事由**（児童生徒の失踪・児童自立支援施設や少年院に入所入院など）。**経済的事由**は含まれない。

2 ▶ 就学の援助・就学の督促 〔重要度 ★★★〕

□**就学の援助** ⇨ **教育の機会均等**の理念による経済的援助。

- ●**教育基本法第4条第3項**：**国・地方公共団体**に「能力があるにもかかわらず、経済的理由によって**修学が困難**な者に対して、**奨学の措置**を講じ」ることを義務づける（義務教育課程以外の者も対象）。
- ●**学校教育法第19条**：**市町村**に「経済的理由」によって「**就学困難**と認められる**学齢児童又は学齢生徒の保護者**に対して」「**必要な援助**」を行うことを義務づける。＝義務教育課程の者だけが対象。

□**就学の督促** ⇨ 就学義務の完全履行のため。

- ●**校長の責務**：**出席簿**を作成する（学校教育法施行規則第25条）→ 常に学齢児童・生徒の**出席状況**を明確にする（同施行令第19条）→ 正当な理由がなく授業日に**引き続き7日間欠席**するか**出席常でない**者がいれば、その旨を**市町村教育委員会**に通知する（同第20条）。
- ●**教育委員会の責務**：通知を受けたらその学齢児童・生徒の**保護者**に対して**出席の督促**を行う（同第21条）。不履行の場合、罰則が適用される。

3 ▶ 就学事務 〔重要度 ★★★〕

□**学齢簿の作成** ⇨ **市町村教育委員会**はその区域内に住所を有する学齢児童・生徒の**学齢簿**を編製。翌年の4月に小学校及び義務教育学校前期課程に入学する者は10月1日現在の情報で入学の**5ヵ月前**までに作成。

□**就学時健康診断** ⇨ **市町村教育委員会**は「翌学年の初めから」小学校などに「就学させるべき者」の**健康診断**を行う（学校保健安全法第11条）。

□**入学期日・就学校の指定** ⇨ **市町村教育委員会**は保護者に対し入学の2ヵ月前までに入学期日と就学校（2つ以上学校がある場合）の指定を行う。

□**区域外就学・就学校の変更** ⇨ 居住地以外の公立学校や国・私立学校への入学が**区域外就学**。いじめなどを理由に指定外の学校への入学も可。

ポイント 満15歳に達した日の属する学年の終わり以降は中学退学も可能

学校表簿・指導要録

日付
/

頻出度
B

●指導要録は学籍や指導の過程・結果の記録であり、外部への証明書類の原簿となる重要な書類であることを覚えておこう。
●頻出の指導要録については、学籍に関する記録と指導に関する記録とに分けて覚えよう。

1 学校表簿

出題 東京 重要度 ★★

学校表簿とその種類

□**学校表簿** ⇨ 学校の管理・運営を円滑に推進していくうえで、学校に備え付けておかなければならない**書類**や**記録類**のこと。

□**学校表簿の種類**

- **法定表簿**：学校教育法施行規則第28条第1項で**法的**に備え付けが規定されているもの（法令集、学則、日課表、職員名簿・履歴書、**指導要録**、出席簿、健康診断票、入学試験選抜・考査資料、資産原簿、など）。
- **備付表簿**：法定表簿を含めて各**教育委員会**が定める教育委員会規則（学校管理規則）などで備え付けが規定されているもの。
- **その他の表簿**：法的な根拠はないが、学校独自に配置しているもの（歴代校長の写真、など）。

保存期間 重要!

□**学校表簿の保存期間** ⇨ 指導要録とその写しのうち入学・卒業等の**学籍**に関する記録は**20**年間、指導要録のうちの指導に関する記録、及びその他の表簿は**5**年間（学校教育法施行規則第28条第2項）。

学校廃止後の指導要録等の保存

□**保存場所** ⇨ 現にある学校が廃止となった場合、保存期間中の指導要録や、その学校に在学し卒業した者の学習・健康の記録は法に定める機関がその保存を受け継がなければならない（学校教育法施行令第31条）。

> **例** 公立学校の場合：その学校を設置した市町村又は都道府県の教育委員会
> 私立学校の場合：その学校が置かれていた都道府県の知事

□**保存期間** ⇨ 保存期間のうち当該学校において保存していた期間を控除した期間（学校教育法施行規則第28条第3項）。

指導要録とは

□ **旧文部省初等中等局長通知** ⇨「児童・生徒の**学籍**並びに指導の過程及び結果の要約を記録し、**指導**及び外部に対する**証明**等に役立たせるための**原簿**としての性格」を有するもの（昭46.2.27）。

□ **法的位置づけ** ⇨ **学校教育法施行規則第24条第1項**

> **校長**は、その学校に在学する児童等の**指導要録**（学校教育法施行令第31条に規定する児童等の学習及び健康の状況を記録した書類の原本をいう。以下同じ。）を作成しなければならない。

= 指導要録の作成義務は**校長**にある。ただし、実際の作成作業は**学級（クラス）担任**が行い、校長はその内容を点検・確認することになる。

□ **児童・生徒の進学・転学の場合** ⇨ 校長は指導要録の写し（進学の場合には抄本または写し）を作成し、進学・転学先の学校に送付しなければならない（学校教育法施行規則第24条第2・3項）。

□ **通信簿**（通知表） ⇨ 指導要録にもとづいて作成されるものであるが、法的な位置づけを有しているわけではなく、指導要録と違って校長などに作成・**発行義務**はない。しかしわが国では、明治5（1872）年の学制発布以来、学校の家庭に対するサービスとして発行され続けている。

指導要録の内容

□ **学籍に関する記録** ⇨ 児童生徒の氏名・性別・生年月日、保護者の氏名・現住所、入学前の記録、入学編入学等、転入学、転学退学等、卒業、進学先・就職先、名称・所在地など。

□ **指導に関する記録** ⇨ 各教科（高校は科目）の学習の記録（評定等）、総合的な学習の時間の記録、特別活動の記録、行動の記録、総合所見及び指導上参考となる諸事項、出欠の記録など。

> **確認テスト** 次の①〜⑤のうち、学校表簿の説明として妥当なのはどれか。
> （解答P.130）
> □ ①学校表簿とは校長の職務の円滑な執行に資するための書類をいう。
> □ ②学校表簿には法で配置が定められているものがある。
> □ ③学校表簿の保存期間は指導要録を除いてその学校で任意に決める。
> □ ④校長室に掲げてある歴代校長の写真は学校表簿に含まれない。
> □ ⑤指導要録の保存期間は20年間である。

ポイント 指導要録のすべてを20年間保存するわけではない ▶ 129

懲戒と体罰・出席停止

日付 ／

頻出度
A

● 懲戒と体罰に関しては最頻出といってよい。要点はしっかりとおさえること。出席停止は懲戒ではないので要注意!
● 平成25年3月通知の内容は、場面指導を含む面接試験や論文試験において活用できる。

1 児童・生徒などの懲戒 　★超頻出★　重要度 ★★★

懲戒の法的位置づけ・種類 重要!

□**学校教育法第11条**

> **校長**及び**教員**は、教育上必要があると認めるときは、文部科学大臣の定めるところにより、**児童、生徒**及び**学生**に**懲戒**を加えることができる。ただし、**体罰**を加えることはできない。

- 懲戒を加えることができる者：**校長**及び**教員**（学校教育法では「教員」に非常勤講師を含む）。
- 懲戒の対象：**児童・生徒・学生**（幼稚園児は懲戒の対象外）。

□**懲戒の種類** ⇨ **事実上の懲戒**（日常の教育活動の一環としての叱責や起立など）・**処分としての懲戒**（学校教育法施行規則で定める）。

処分としての懲戒 重要!

□**学校教育法施行規則第26条第2項**（第3項が退学処分の要件）

> 懲戒のうち、**退学、停学**及び**訓告**の処分は、**校長**（大学にあつては、学長の委任を受けた学部長を含む。）が行う。

□**退学処分の要件** ⇨ ❶性行不良で改善の見込がないと認められる者、❷学力劣等で成業の見込がないと認められる者、❸正当な理由がなくて出席常でない者、❹学校の秩序を乱し、その他学生又は生徒としての本分に反した者

□**処分の適用**（同第3・4項　○＝適用可　×＝適用不可）

	退学	停学	訓告
公立小中学校※1	×	×	○
国私立小中学校	○	×	○
中等※2前期課程	○	×	○
高等学校※3	○	○	○

Check!
※教育委員会規則等でこのほかの処分を設けることができる。

（特別支援学校の相当学部を含む）
※1＝義務教育学校
※2＝中等教育学校（国公私立）
※3＝国公私立すべて

2 出席停止

重要度 ★★★

□学校教育法第35条第1項

> **市町村の教育委員会**は、次に掲げる行為の1又は2以上を**繰り返し**行う等性行不良であつて**他の児童**の教育に妨げがあると認める児童があるときは、その**保護者**に対して、児童の**出席停止**を命ずることができる。
> 1　他の児童に傷害、心身の苦痛又は財産上の損失を与える行為／2　職員に傷害又は心身の苦痛を与える行為／3　施設又は設備を損壊する行為／4　授業その他の教育活動の実施を妨げる行為　　　　　　（中学校などに準用）

➡ **保護者**に対する措置なので懲戒としての**停学**処分にはならない。

□出席停止者の推移（カッコ内は小学生）

年度	27年度	28年度	29年度	30年度	令和元年度	2年度	3年度	4年度
人数	15(1)	18(4)	8(1)	7(0)	3(1)	4(0)	4(1)	5(1)

3 体罰

★超頻出★　　重要度 ★★★

体罰は、学校教育法第**11**条において禁止されている。体罰は、**違法行為**であるのみならず、児童生徒の心身に深刻な悪影響を与え、教員等及び学校への信頼を失墜させる行為である。文部科学省は、体罰について、**「体罰の禁止及び児童生徒理解に基づく指導の徹底について（通知）**（平成25年3月）」を発し、**懲戒、体罰に関する解釈・運用については、今後、本通知によるものとした。**

□懲戒と体罰の区別

（1）教員等が児童生徒に対して行った懲戒行為が体罰に当たるかどうかの判断

➡ 当該児童生徒の**年齢、健康、心身の発達**状況、その行為が行われた場所的及び時間的環境、懲戒の態様等の諸条件を総合的に考え、**個々の事案**ごとに判断する。

➡ 懲戒行為をした教員等や、懲戒行為を受けた児童・生徒、保護者の**主観**のみにより判断するのではなく、諸条件を**客観的**に考慮して判断する。

（2）（1）により、その懲戒の内容が以下に当たると判断されれば体罰に該当

➡ 殴る、蹴るなど、児童生徒の**身体に対する侵害**を内容とするもの。

➡ 正座・直立等、特定の姿勢を長時間にわたって保持させるなど、児童生徒に**肉体的苦痛**を与えるようなもの。

> **ポイント** P.130の表は確実に覚えておこう。
> 国私立中等を退学しても公立中学に入学できる

131

□**正当防衛及び正当行為について**

（1）児童生徒の暴力行為等に対して

⇨ **毅然**とした姿勢で教職員**一体**となり、児童生徒が**安心**して学べる環境を確保する。

（2）児童生徒から教員等に対する暴力行為に対して

⇨ 教員等が**防衛**のためにやむを得ずした**有形力の行使**は体罰ではない。

⇨ **他の児童生徒に被害を及ぼすような暴力行為**に対して、これを**制止**したり、**目前の危険を回避**したりするために**やむを得ず**した**教員等による有形力の行使**は体罰に当たらず、**正当防衛**又は**正当行為**等として、**刑事**上又は**民事**上、**免責**される。

□**部活動指導について**

● 部活動でも当然体罰は禁止であり、**成績や結果に固執せず、教育活動として逸脱することなく適切に実施**されなければならない。

● 指導と称し、**部活動顧問の独善的**な目的で、**特定の生徒たちに対して、執拗かつ過度に肉体的・精神的負荷を与える指導**は教育的指導ではない。

□**学校教育法第11条に規定する児童生徒の懲戒・体罰等に関する参考事例**

（1）体罰（通常、体罰と判断されると考えられる行為）

⇨ **身体に対する侵害**を内容とするもの

● 体育の授業中、危険な行為をした児童の**背中を足で踏みつける**。

● 帰りの会で足をぶらぶらさせて座り、前の席の児童に足を当てた児童を、**突き飛ばして転倒させる**。

● 授業態度について指導したが反抗的な言動をした複数の生徒らの**頬を平手打ちする**。

● 立ち歩きの多い生徒を叱ったが聞かず、席につかないため、**頬をつねって席につかせる**。

● 生徒指導に応じず、下校しようとしている生徒の腕を引いたところ、生徒が腕を振り払ったため、当該生徒の**頭を平手で叩く**。

● 給食の時間、ふざけていた生徒に対し、口頭で注意したが聞かなかったため、**持っていたボールペンを投げつけ、生徒に当てる**。

● 部活動顧問の指示に従わず、ユニフォームの片づけが不十分であったため、当該生徒の**頬を殴打する**。

⇨ **被罰者に肉体的苦痛を与える**ようなもの

● 放課後に児童を教室に残留させ、児童が**トイレに行きたいと訴えたが、一**

切室外に出ることを許さない。

- 別室指導のため、**給食の時間を含めて生徒を長く別室に留め置き、一切室外に出ることを許さない。**
- 宿題を忘れた児童に対して、**教室の後方で正座で授業を受けるよう言い、児童が苦痛を訴えたが、そのままの姿勢を保持させた。**

（２）**認められる懲戒**（通常、**懲戒権の範囲内**と判断されると考えられる行為）（ただし**肉体的苦痛を伴わないもの**に限る）

※学校教育法施行規則に定める**退学・停学・訓告以外で認められる**と考えられるものの例

・放課後等に教室に残留させる。／・授業中、教室内に起立させる。／・学習課題や清掃活動を課す。／・学校当番を多く割り当てる。／・立ち歩きの多い児童生徒を叱って席につかせる。／・練習に遅刻した生徒を試合に出さずに見学させる。

（３）正当な行為（通常、**正当防衛**、**正当行為**と判断されると考えられる行為）

⇨ 児童生徒から教員等に対する暴力行為に対して、教員等が**防衛**のためにやむを得ずした**有形力**の行使

- 児童が教員の指導に反抗して**教員の足を蹴ったため**、児童の背後に回り、**体をきつく押さえる。**

⇨ 他の児童生徒に**被害**を及ぼすような**暴力行為**に対して、これを**制止**したり、目前の危険を**回避**するためにやむを得ずした**有形力**の行使。

- 休み時間に廊下で、**他の児童を押さえつけて殴るという行為に及んだ児童がいたため、この児童の両肩をつかんで引き離す。**
- 全校集会中に、**大声を出して集会を妨げる行為があった生徒を冷静にさせ**、別の場所で指導するため、**別の場所に移るよう指導したが、なおも大声を出し続けて抵抗したため、生徒の腕を手で引っ張って移動させる。**
- 他の生徒をからかっていた生徒を指導しようとしたところ、当該生徒が**教員に暴言を吐き、つばを吐いて逃げ出そうとしたため、生徒が落ち着くまでの数分間、肩を両手でつかんで壁へ押しつけ、制止する。**
- 試合中に**相手チームの選手とトラブルになり、殴りかかろうとする生徒を、押さえつけて制止する。**

□**処分** ⇨ 公立学校の教員が**学校教育法第11条**の規定に明確に違反した場合には、**地方公務員法第29条**によって**懲戒処分**を受けることがある（令和４年度、体罰によって懲戒処分等を受けた教員は397人）。

児童・生徒の保護

頻出度
A

●最重要事項は児童虐待の防止で、特に定義と教職員の責務は、内容を理解した上で覚えよう。
●児童虐待についての通告の義務と公務員に課せられている守秘義務との関係で、どちらが優先されるかは必ず覚える。

1 児童・生徒の就労

重要度 ★

児童・生徒の就労に関する法規

□**日本国憲法第27条第3項**

児童は、これを**酷使**してはならない。

□**学校教育法第20条**

学齢児童又は学齢生徒を使用する者は、その使用によつて、当該学齢児童又は学齢生徒が、**義務教育**を受けることを妨げてはならない。

⇨ これに違反した場合には10万円以下の罰金が科せられる。

□**労働基準法第56条第1項**

使用者は、児童が満15歳に達した日以後の最初の3月31日が終了するまで、これを**使用**してはならない。

⇨ この規定には例外が設けられており、「健康及び福祉に有害でなく」「軽易」な労働については「行政官庁の許可」のうえで「満13歳以上」の者を「**修学時間外**に使用することができ」、また「**映画**の製作又は**演劇**の事業」に関しては「満13歳に満たない児童」でも同様の扱いとなる。

⇨ 違反した場合には1年以下の懲役（2025年6月1日より拘禁刑）か50万円以下の罰金が科せられる（学校教育法違反は10万円以下の罰金）。

2 問題のある児童生徒の保護と矯正

重要度 ★★

□**児童福祉法** ⇨ 全ての児童は、**児童の権利条約の精神にのっとり、その権利を保障される**べきことを規定するとともに（第1条）、家庭環境に問題があるなどの「要保護児童」の発見者は福祉事務所・児童相談所に通告し、「罪を犯した満14歳以上の児童」の発見者は家庭裁判所に通告する義務を課している（第25条）。この場合の「児童」とは**満18歳**未満の者をいう。

□**少年法** ⇨ 「少年の健全な育成を期」するとともに、「非行のある少年」の「矯

正」「環境の調整」を行い、「少年の刑事事件」についての「特別の措置」について定める。この場合の「少年」は**20歳**未満の者（**18歳以上は特定少年となり、写真・氏名も公表される**）。

□**家庭裁判所**の審判に付すべき少年（少年法第3条）

- 罪を犯した少年（**犯罪少年**＝14歳以上20歳未満）
- 14歳未満で刑罰法令に触れる行為をした少年（**触法少年**）
- 保護者の正当な監督に服さないなど、将来、罪を犯し、また刑罰法令に触れる行為をする虞のある少年（**虞犯少年**）

⇨ これらは審判の結果、保護観察処分、児童自立支援施設・少年院送致、検察官送致などの処分が下され、検察官送致の場合は刑事裁判が開かれる。

3 児童虐待の防止 〔出題 東京・大阪・岡山〕 〔重要度 ★★★〕

□**児童虐待の防止等に関する法律**（**児童虐待防止法**）⇨ 児童虐待の禁止、予防・早期発見など児童虐待の防止についての国・地方公共団体の責務、虐待児の保護・自立支援の措置などを定める。平成12（2000）年11月施行。令和元（2019）年6月に改正児童虐待防止法が成立（令和2年4月施行）。令和2（2020）年6月、**「学校・教育委員会等向け虐待対応の手引き」**が改訂され、法改正に適した対策が行えるようになった。

□**児童虐待の定義**（第2条）

保護者（児童を現に監護する者）の監護する児童に対する次の行為。

❶身体に**外傷**が生じ、また、生じるおそれのある**暴行**を加えること。

❷**わいせつな**行為をすること、またはさせること。

❸著しい**減食**、長時間の**放置**。保護者以外の同居人による❶❷❹の行為の放置。保護者としての**監護**を著しく怠ること。

❹著しい**暴言**、**拒絶的**な対応、配偶者などに対する**DV**、児童に著しい**心理的外傷**を与える言動。

⇨ これらの行為は、保護者だけでなく「**何人**」も禁じられる（第3条）。

□**児童虐待防止に関する教職員の責務** 🖊**重要!**

❶児童虐待を**発見**しやすい立場にあることによる児童虐待の**早期発見**。

❷児童・保護者に対する児童虐待防止のための**教育**、または**啓蒙**。

❸児童虐待発見時における、**福祉事務所**または**児童相談所への通告**。

⇨ ❸は児童虐待の発見者全員に課せられた義務。その際、地方公務員法第34条などで課せられている**守秘義務**は**免除**される。

ポイント 児童虐待防止法の要点はしっかり覚えておこう！

教職員の配置

日付
／

●各学校に配置される教員について、必置のものは確実に覚えよう。
●学校医、学校歯科医、学校薬剤師については知識の盲点になることが少なくない。学校安全の観点からも確実に覚える。

1 配置の基本

重要度 ★

□学校教育法第7条

学校には、**校長**及び相当数の**教員**を置かなければならない。

⇨ いわゆる「**教員**」の呼称や範囲は法によって異なる。また、「**相当数**」については各学校種の設置基準や標準法などによって定められる。

● 教育基本法＝教員（法律に定める学校の教員すべてを対象とする）
● 学校教育法＝教員（非常勤講師を含む）
● 教育公務員特例法＝教育公務員（常勤講師まで）
● 教育職員免許法＝教育職員・教員（「講師」を含む）
● 標準法＝教職員（常勤講師・事務職員を含む）

2 各学校に配置される教員

重要度 ★★★

小・中学校（「小学校」の規定であるがすべて中学校・義務教育学校に準用される） 重要!

□**必置**（学校教育法第37条第1項）

……**校長**、**教頭**、**教諭**、**養護教諭**及び**事務職員**を置かなければならない。

□**置くことができるもの**（学校教育法第37条第2・18・19項）

2 ……**副校長、主幹教諭、指導教諭、栄養教諭**その他必要な職員……／ 18 **特別の事情**のあるときは、……教諭に代えて**助教諭**又は**講師**を、養護教諭に代えて養護助教諭……／ 19 ……児童の養護又は栄養の指導及び管理をつかさどる主幹教諭……　　（第19項は高校・中等教育学校にも準用）

⇨ 第18項については高校・中等教育学校にも同様の規定がある。

□**置かないことができるもの**（学校教育法第37条第3項）

3 ……副校長を置くときその他**特別の事情**のあるときは**教頭**を、養護をつかさどる主幹教諭を置くときは**養護教諭**を、特別の事情のあるときは**事務職員**……

高等学校

□必置（学校教育法第60条第1項）

> ……校長、教頭、教諭及び**事務職員**を置かなければならない。

⇨ 高等学校では「特別の事情」（＝学校の規模が小さい）が認められないため、**教頭**（副校長を置くときを除く）・**事務職員**は必置となる。

□置くことができるもの（学校教育法第60条第2項）

> 2　……副校長、主幹教諭、指導教諭、養護教諭、栄養教諭、養護助教諭、実習助手、技術職員その他必要な職員……

□置かないことができるもの（学校教育法第60条第3項）

> ……**副校長**を置くときは、**教頭**を置かないことができる。

中等教育学校

□必置（学校教育法第69条第1項）

> ……校長、教頭、教諭、養護教諭及び事務職員を置かなければならない。

□置くことができるもの（学校教育法第69条第2項）

> ……副校長、主幹教諭、指導教諭、栄養教諭、実習助手、技術職員その他必要な職員……

□置かないことができるもの（学校教育法第69条第3項）

> ……副校長を置くときは教頭を、養護をつかさどる主幹教諭を置くときは養護教諭を、それぞれ置かないことができる。

特別支援学校

□配置 ⇨ 小学部・中学部・高等部はそれぞれ小学校・中学校・高等学校に準ずる。

□その他の必置（学校教育法第79条第1項）

> 寄宿舎を設ける特別支援学校には、**寄宿舎指導員**を置かなければならない。

3　その他　　　　　　　　　　　　　　重要度 ★

□学校保健安全法第23条第1・2項

> 学校には、**学校医**を置くものとする。／2　大学以外の学校には、**学校歯科医**及び**学校薬剤師**を置くものとする。

> **確認テスト** 次の教員のうち、小・中学校に必ず配置しなければならないものはどれか。（解答P.138）
>
> □ ①校長　②副校長　③教頭　④教諭　⑤養護教諭　⑥事務職員

ポイント 小・中学校の養護教諭は、当分の間置かないことができる　　137

教育法規

15 教職員の職務

日付
／

頻出度 **B**

●それぞれの学校に配置すべき教職員の種類とその職務についても法に定められている。特に配置については頻出だ。
●主任制度が充て職であることを理解し、充て職の意味についても覚えよう。教員組織は意外にフラットだ。

1 教職員の職務

出題 東京 重要度 ★★★

学校教育法第37条 ✍重要!

□**校長** ⇨（同第4項）**校務**をつかさどり、**所属職員**を**監督**する。

□**副校長** ⇨（同第5項）校長を助け、命を受けて校務をつかさどる。／（同第6項）校長に事故があるときはその職務を**代理**し、校長が欠けたときはその職務を行う。

□**教頭** ⇨（同第7項）校長（及び副校長）を助け、**校務を整理**し、及び必要に応じ児童の**教育**をつかさどる。／（同第8項）校長（及び副校長）に事故があるときは校長の職務を**代理**し、校長（及び副校長）が欠けたときは校長の職務を行う。

□**主幹教諭** ⇨（同第9項）校長（校長及び副校長）及び教頭を助け、命を受けて校務の一部を整理し、並びに児童の教育をつかさどる。

□**指導教諭** ⇨（同第10項）児童の教育をつかさどり、並びに教諭その他の職員に対して、教育指導の改善及び充実のために必要な指導及び助言を行う。

□**教諭** ⇨（同第11項）児童の**教育**をつかさどる。

□**養護教諭** ⇨（同第12項）児童の**養護**をつかさどる。

□**栄養教諭** ⇨（同第13項）児童の**栄養の指導**及び**管理**をつかさどる。

□**事務職員** ⇨（同第14項）事務をつかさどる。

□**その他** ⇨ 助教諭・講師・養護助教諭についても規定されている。

□**副校長・教頭が2人以上ある場合** ⇨ あらかじめ校長が定めた順序で、校長の職務を代理し、または行う。

□**準用規定** ⇨ これらの規定はすべて中学校・高等学校・中等教育学校に準用される。その場合は「児童」を「生徒」と読みかえる。

> 教頭は教育をつかさどることができるが、校長・副校長・養護教諭はそれができないことなど覚えておきたい

□**主任制度** ⇨ 昭和51（1976）年3月、学校教育法規施行規則の改正に伴って、それぞれの職務に係る事項について教職員間の連絡調整及び関係教職員に対する指導、助言等に当たる教諭などの**充て職**として導入された。

小学校・中学校・高等学校に置くもの　（〔　〕内は担当教員）

□**教務主任** ⇨（学校教育法施行規則第44条）校長の監督を受け、教育計画の立案その他の**教務**に関する事項について**連絡調整**及び**指導**、**助言**に当たる〔指導教諭または教諭〕。

□**学年主任** ⇨（同第44条）校長の監督を受け、当該**学年の教育活動**に関する事項について**連絡調整**及び**指導**、**助言**に当たる〔指導教諭または教諭〕。

□**保健主事** ⇨（同第45条）校長の監督を受け、小学校における**保健**に関する事項の**管理**に当たる〔指導教諭、教諭または養護教諭〕。

中学校・高等学校に置くもの

□**生徒指導主事** ⇨（同第70条）校長の監督を受け、**生徒指導**に関する事項をつかさどり、当該事項について**連絡調整**及び**指導**、**助言**に当たる〔指導教諭または教諭〕。小学校にも学校管理規則などで配置を定める市町村が多い。

□**進路指導主事** ⇨（同第71条）校長の監督を受け、生徒の職業選択の指導その他の**進路**の指導に関する事項をつかさどり、当該事項について**連絡調整**及び**指導**、**助言**に当たる〔指導教諭または教諭〕。

高等学校に置くもの

□**学科主任** ⇨（同第81条）校長の監督を受け、当該学科の教育活動に関する事項について連絡調整及び指導、助言に当たる〔指導教諭または教諭〕。

□**農場長** ⇨（同第81条）農業に関する実習地及び実習施設の運営に関する事項をつかさどる〔指導教諭または教諭〕。

＊学科主任は2学科以上の学科を置く高等学校に、農場長は農場を置く高等学校のみに適用。

□**事務長** ⇨（同第82条）校長の監督を受け、事務職員その他の職員が行う事務を総括し、その他事務をつかさどる〔事務職員〕。中等教育学校は高等学校に準ずる。

主任などを「置かないことができる」場合の理由は、その主任の担当する校務を整理する主幹教諭を配置する場合か、特別の事情のあるときである。ただし、進路指導主事を置かないことができる理由は主幹教諭を配置する場合のみである。

ポイント 司書教諭は12学級以上の学校に必置の教諭の充て職だ　　　**139**

教職員の任用

日付
／

頻出度
B

●教職員の任用に関しては出題は多くないが、県費
　負担教職員制度については十分な理解が必要だ。
●条件附採用について、地方公務員法が一般法で、
　教育公務員特例法が特別法という関係から、特例
　法が優先されることを理解しよう。

1 教職員の欠格事由

重要度 ★

□学校教育法第9条

> 次の各号のいずれかに該当する者は、**校長又は教員**となることができない。／1
> **禁錮**以上の刑に処せられた者／2 ……免許状がその効力を失い、当該**失効**の日
> から**3年**を経過しない者／3 ……**免許状取上げ**の処分を受け、**3年**を経過しな
> い者／4 日本国憲法施行の日以後において、**日本国憲法**又はその下に成立した
> **政府**を**暴力で破壊**することを主張する政党その他の団体を結成し、又はこれに加
> 入した者

⇨ 欠格事由については、このほかに教育職員免許法、地方公務員法にも規
定があり、公立学校の教員はそのいずれにも該当しないことが必要。

⇨ 性暴力などで教員免許を失効した職員には、各都道府県教育委員会が、
専門家による審査会の意見を聞き、再び免許を与えるか否か判断する(教育
職員等による児童生徒性暴力等の防止等に関する法律)。

2 教職員の任用と任命権者

重要度 ★★

□**任用** ⇨ ある**官職**に職員を就けることの総称。任用には**採用**(職員でない者
を新たに職員に任命すること)・**昇任**(職員を現在よりも上位の職級に就け
ること)・**降任**(職員を現在よりも下位の職級に就けること)・**転任**(職員を
ある官職から別の官職に移動させること)があり、これらはすべて**任命権者**
の任用手続きを必要とする。

□**任命権者** ⇨ 地方教育行政法第34条

> 教育委員会の所管に属する学校その他の教育機関の校長、園長、教員、事務職員、
> 技術職員その他の職員は、この法律に特別の定がある場合を除き、**教育委員会**が
> 任命する。

□**特別の定** ⇨ **地方教育行政法第37条第1項**

「県費負担教職員」の任命権は、**都道府県委員会**に属する。

□**採用・昇任など** ⇨ **教育公務員特例法第11条**

公立学校の**校長の採用**並びに**教員の採用及び昇任**は、**選考**によるものとし、その選考は、……公立学校にあつてはその校長及び教員の**任命権者である教育委員会の教育長**……が行う。

したがって、県費負担教職員の**採用**などは**都道府県教育委員会**が行う。ただし、勝手に行うのではなく「市町村委員会の**内申**をまつて」「任免その他の進退を行」い、また、「学校の校長は、所属の県費負担教職員の任免その他の進退に関する意見を市町村委員会に**申し出る**ことができる」ことになっている（地方教育行政第38条第1項・第39条）。

Check!

県費負担教職員とは：市町村立学校給与負担法の規定によって都道府県から給与を支給されている市町村立の小中学校等の教職員のこと。

3 公務員の採用と教育公務員の特例 重要度 ★

□**条件附採用** ⇨ **地方公務員法第22条**

職員の採用は、全て**条件附**のものとし、当該職員がその職において**6月**を勤務し、その間その職務を良好な成績で遂行したときに正式採用になるものとする。

公務員の採用はすべて**条件附**であり、最初の6ヵ月間の勤務状況などが「良好な成績」であった場合に正式採用となる（1年までの延長が可能）。

□**教育公務員の特例** ⇨ **教育公務員特例法第12条**

公立の小学校、中学校、義務教育学校、高等学校、中等教育学校、特別支援学校、幼稚園……の**教諭、助教諭**……及び**講師**……に係る地方公務員法第22条に規定する採用については、同条中「6月」とあるのは「**1年**」として同条の規定を適用する。

□**臨時的任用** ⇨ **地方公務員法第22条の3第1項**

……任命権者は、……緊急のとき、臨時の職に関するとき、又は採用候補者名簿……がないときは、……6月を超えない期間で**臨時的任用**を行うことができる。この場合において、……当該臨時的任用を6月を超えない期間で更新することができるが、再度更新することはできない。

ポイント 条件附採用については初任者研修と関連づけておこう

17 教員免許状

日付
／

頻出度
B

●教員免許状に関してもよく出題されている。
●免許状の種類とその効力、特別非常勤講師、免許の更新制などについては頻出！

1 免許状主義

出題 **東京** 　重要度 ★★

□**教育職員免許法**（以下「教免法」）**第3条第1項**

教育職員は、この法律により授与する**各相当の免許状を有する者**でなければならない。

⇨ 法律に定める学校のうち、大学と高等専門学校を除いた学校の主幹教諭・指導教諭・教諭・助教諭・養護教諭・養護助教諭・栄養教諭・講師は、教育職員免許状（教員免許状）を有していなければならないという原則を**免許状主義**という。この教員免許状に関する「基準」は、教免法に細かく規定されている。これを教員免許の**法定（法律）主義**という。

□**免許状主義の例外規定**（❶〜❺：第3条　❻：第3条の2　❼：第16条の5）

❶主幹教諭・指導教諭：勤務する学校種の教諭の免許状を有すること。
（助教諭の免許状であってはならない）

❷養護及び栄養をつかさどる主幹教諭：それぞれ養護教諭、栄養教諭の免許状を有すること。

❸特別支援学校の教員：特別支援学校の教員の免許状のほか特別支援学校各部に相当する学校の教員の免許状を有すること。

❹義務教育学校の教員：小学校及び中学校の免許状を有すること。

❺中等教育学校の教員：中学校・高校双方の免許状を有すること。

❻**特別非常勤講師**：ある特定の事項の教授または実習を担任する非常勤講師は各学校の教員の相当免許状を有しない者でもよい。

❼小学校の教員：中学・高校教諭の免許状の保有者は相当教科の小学校の主幹教諭・指導教諭・教諭・講師になることができる。

2 免許状の授与機関

出題 **東京** 　重要度 ★★★

□**教免法第5条第6項**

免許状は、**都道府県の教育委員会**……が授与する。

3 免許状の種類と効力　出題 東京　重要度 ★★

□**種類** ➡ **教免法第4条**（「義務」は義務教育学校、「中等」は中等教育学校）

> 免許状は、**普通免許状**、**特別免許状**及び**臨時免許状**とする。

- ● **普通免許状**：義務・中等・認定こども園を除く学校種ごとの**教諭**・**養護教諭**・**栄養教諭**。それぞれ**専修免許状** ・ **1種免許状** ・ **2種免許状**（高校はない）。
- ● **特別免許状**：幼稚園・義務・中等・認定こども園を除く学校種ごとの**教諭**。
- ● **臨時免許状**：義務 ・ 中等 ・ 認定こども園を除く学校種ごとの**助教諭**・**養護助教諭**。

□**効力** ➡ **教免法第9条**

- ● **普通免許状**：**全ての都道府県**で（ただし、中学・高校の**宗教**の教科については国公立の学校を除く）。
- ● **特別免許状**：**授与権者の置かれる都道府県内**でのみ。
- ● **臨時免許状**：授与した日から**3年間**、**授与権者の置かれる都道府県内**でのみ。

4 免許状の失効・取り上げ　出題 東京　重要度 ★★

□**失効** ➡ 教員免許状を有する者が、❶**欠格事由**に相当することになったとき、❷**公立学校の教員が懲戒免職の処分**を受けたとき、❸**公立学校の教員が分限免職の処分**を受けたとき、その免許状は**効力を失う**（教免法第10条）。

□**取り上げ** ➡ ❶国・私立学校の教員が、公立学校の教員が懲戒免職されたと同様の事由によって**解雇**されたとき、❷免許状を有する者で、（ⅰ）国・私立学校の教員が勤務実績不良や適格性を欠くことを理由に**解雇**された場合、（ⅱ）公立学校の教員で条件附採用期間中などの者が分限免職の処分を受けたとき、（ⅲ）教員以外の者が故意の**法令違反**や重大な**非行**のあったとき、その免許状は**取り上げ処分**となる（同第11条）。

5 教員免許更新制の廃止　出題 東京　重要度 ★★★

□平成21（2009）年度以降実施されていた「**教員免許更新制」の廃止**を盛り込んだ改正法が**令和4（2022）年**に成立し、令和4年7月1日の法施行日以降、**有効な免許状（休眠状態を含む）は、手続きなく有効期限のない免許状**となる。施行日前に**有効期限を超過した教員免許状**は、更新制度導入後に授与された新免許状は失効、更新制度導入前に授与されていた旧免許状は現職教師は失効、非現職教師は休眠となる。

ポイント 免許更新制の廃止は種類による違いを含めておさえておこう　**143**

頻出度 **A**

●教員にはその職責の重要性から恒常的・主体的な研修が求められ、研修の特例も多い。ここは最重要項目だ!
●職務専念義務の免除について、授業に支障のない限りとはどういうことか、本属長とは誰かなど、条文を確実に解釈できるようにする。

1 教職員の研修の義務と機会 （出題 宮城・東京・富山・徳島・佐賀） 重要度 ★★★

研修の義務 🖋 重要!

□**教育公務員特例法第21条第1項**

> 教育公務員は、その職責を遂行するために、絶えず**研究**と**修養**に努めなければならない。

⇨ 一般職の公務員には「研修を受ける機会が与えられなければならない」（地方公務員法第39条第1項）としているが、教育公務員には主体的な研修の**努力義務**を課している。そして、「**任命権者**」に研修のための教育研修センターなどの「**施設**」の設置や「計画」の「**樹立**」を課し、その実施に努めることを求めている（教育公務員特例法第21条第2項）。

研修の機会 🖋 重要!

□**教育公務員特例法第22条**

> 教育公務員には、研修を受ける機会が与えられなければならない。／2 教員は、**授業に支障**のない限り、**本属長の承認**を受けて、**勤務場所を離れて**研修を行うことができる。／3 教育公務員は、任命権者の定めるところにより、**現職**のままで、**長期**にわたる研修を受けることができる。

⇨ 第2項：地方公務員法などが定める**職務専念義務**の免除規定であり、「**本属長**」（通常の学校では**校長**）の承認のもと、市立図書館などでの教材研究などを可能とする規定である。

第3項：ここに定める研修は、**職務命令として受ける研修**で、現職のままで、長期にわたるものである。具体的な研修地は、**大学院等への内地留学、教育センター、民間企業**になる。「現職のままで」とは、現職の教員が**教員の身分のまま給与を受けながら**研修を受けることができる。

2 初任者研修 重要度 ★★★

□教育公務員特例法第23条第1項

> 公立の小学校等の教諭等の**任命権者**は、当該教諭等(臨時的に採用された者その他の政令で指定する者を除く。)に対して、その採用……の日から**1年間**の教諭又は保育教諭の職務の遂行に必要な事項に関する**実践的な研修**……を実施しなければならない。

⇨ 年間300時間以上の**校内研修**と、年間25日以上の教育研修センターなどでの講義などの**校外研修**が実施される。

□指導教員 ⇨「初任者研修を受ける者」の「所属する学校の副校長、教頭、主幹教諭(養護又は栄養の指導及び管理をつかさどる主幹教諭を除く)、指導教諭、教諭又は講師」等がなり(同第2項)、教諭の「職務の遂行に必要な事項について**指導及び助言**を行う」(同第3項)。**校長**は担当できない。

□除外者 ⇨ ❶臨時的任用の者、❷常勤講師以上で国公私立学校において**1年以上勤務**したことのある者、❸特別免許状保有者、❹期限付き任用の者

□条件附採用との関連(○：該当する ×：該当しない)

教員の立場の例	条件附採用	初任者研修
新卒採用の者	○	○
私立学校→公立学校	○	×
一般職公務員→公立学校	×	○

3 中堅教諭等資質向上研修 出題 宮城・東京・富山・徳島・佐賀 重要度 ★★

□研修の趣旨 ⇨ <u>中堅教諭等資質向上研修</u>は、平成29(2017)年度より、「**教育公務員特例法等の一部を改正する法律**」(平成28年法律第87号)により、10年経験者研修が改められたものである。公立の小学校等の教諭に対して、**個々の能力**、**適性**等に応じて、公立の小学校等における教育に関し相当の経験を有し、その教育活動その他の**学校運営**の円滑かつ効果的な実施において中核的な役割を果たすことが期待される**中堅教諭等**としての職務を遂行する上で必要とされる資質の向上を図るために必要な事項に関する研修である。

ポイント 初任者研修の内容は、基本的に初任者共通となる

教職員の研修②

頻出度 **A**

●指導力不足教員に対しては、現在は厳しい対応で臨むことになっている。その実際の方策について知っておきたい。
●特例法25条2の「免職」とは分限免職を意味するので、この点は留意しておくこと。

1 指導改善研修

重要度 ★★★

□教育公務員特例法第25条第1項

公立の小学校等の教諭等の**任命権者**は、児童、生徒又は幼児……に対する**指導が不適切**であると**認定**した教諭等に対して、その能力、適性等に応じて、当該**指導の改善**を図るために必要な事項に関する**研修**……を実施しなければならない。

⇨ 平成19（2007）年6月に教育公務員特例法が改正され、平成20（2008）年度から**指導改善研修**制度が導入された。これは、**指導が不適切な教員**に対して、❶1年を原則として2年を超えない範囲（第2項）、❷当該者の能力、適性に応じた研修の計画書を作成する（第3項）、❸教育学、医学、心理学、教育の専門家、保護者等の判定委員会の意見にもとづく研修の開始・終了の認定を行う（第4・5項）、などの要件の下で研修を行うものである。

□教育公務員特例法第25条の2

任命権者は、……指導の**改善が不十分**でなお児童等に対する指導を適切に行うことができないと認める教諭等に対して、**免職**その他の必要な措置を講ずるものとする。

⇨ ここでいう「**免職**」とは地方公務員法第28条第1項第1号にもとづく「**分限免職**」を意味している。したがって、免職する際には、地方公務員法にもとづいた手続きを必要とする（P.151を参照のこと）。また、「その他の必要な措置」として、県費負担教職員については地方教育行政法第47条の2にもとづく措置（**転任**）などがある（次ページ **2** 参照）。

【令和4年度の研修者とその結果】（「令和4年度公立学校教職員の人事行政状況調査」）

（単位：名）

復帰	依願退職	分限免職	分限休職	転任	研修継続	その他
18	4	0	1	0	12	2

2　指導不適切教員等に対する指導改善研修以外の措置　重要度 ★★

□地方教育行政法第47条の2第1項

都道府県委員会は、……その任命に係る市町村の県費負担教職員（教諭、養護教諭、栄養教諭、助教諭及び養護助教諭……並びに講師……）で次の各号のいずれにも該当するもの……を**免職**し、引き続いて当該都道府県の**常時勤務を要する職**（指導主事並びに校長、園長及び教員の職を除く。）に**採用**することができる。
1　児童又は生徒に対する**指導が不適切**であること。
2　**研修**等必要な措置が講じられたとしてもなお児童又は生徒に対する**指導を適切**に行うことができないと認められること。

⇨ 平成13（2001）年7月に法が改正され、いわゆる指導が不適切な県費負担教職員を**免職**して、「**常時勤務を要する**」教職以外の他の職員として採用することができることとなった。従来、教員の身分は保障されており、**分限免職**は地方公務員法などにより法的には規定されていても事例としては皆無であったが、この規定によって免職等の処分を受け、教職以外の都道府県職員として配置転換される教員が生じることになる。その際には**当該教員の「適性、知識等について十分に考慮するものとする」**とされている（同第3項）。指導改善研修を受けた者に対してこの措置がとられることもある（教育公務員特例法第25条の2「……指導の改善が不十分でなお児童等に対する指導を適切に行うことができないと認める教諭等に対して、免職その他の必要な措置を講ずるものとする」）。

> 不適切教員数のうち学校種別（公立）の内訳は、小学校22人、中学校14人、高等学校6人、特別支援学校1人（令和4年度）

参考　条件附採用の採用状況について

P.141で触れたとおり、公務員の採用はすべて条件附であり教育公務員もその例外ではない。令和5年度の東京都の例をみると、条件附採用3472人のうち正式採用者数が3303人、正式採用とならなかった者は169人で不採用者数の割合は4.93%であった。内訳では「自己都合」が159名と多くなっている。

> マメ 条件附採用における不採用率は近年微増。「自己都合」によるものが多くなっている

教職員の服務①

頻出度
A

●児童・生徒などへの懲戒、教職員の研修とともに
3大頻出事項のひとつである。
●義務・制限ごとに整理しておこう。

1 服務の基本

重要度 ★★★

全体の奉仕者 🖐 重要!

□**日本国憲法第15条第2項**

> すべて公務員は、**全体の奉仕者**であつて、一部の奉仕者ではない。

⇨ この規定は、当然、**国公立学校**の**教員**(=**教育公務員**)にも適用される。

□**地方公務員法第30条**

> すべて職員は、**全体の奉仕者**として**公共の利益**のために勤務し、且つ、職務の遂行に当つては、全力を挙げてこれに専念しなければならない。

⇨ 地方公務員としての**公立学校**の**教職員**に適用される。旧教育基本法では「法律に定める学校の教員は、全体の奉仕者」と規定していた(第6条第2項)が、改正法ではこの文言は削除された。

2 教職員の職務上の義務

★超頻出★ 重要度 ★★★

服務の宣誓

□**地方公務員法第31条(国家公務員法では第97条)**

> 職員は、条例の定めるところにより、**服務の宣誓**をしなければならない。

⇨ 新たに任用される際に、国家公務員は**国民**に対して、地方公務員は**地域住民**に対して、**全体の奉仕者**として憲法や諸規定を遵守して服務を誠実かつ公正に執行することを宣誓し、宣誓書に署名捺印しなければならない。

法令等及び上司の職務上の命令に従う義務 🖐 重要!

□**地方公務員法第32条(国家公務員法では第98条)**

> 職員は、その職務を遂行するに当つて、**法令**、条例、地方公共団体の**規則**及び地方公共団体の機関の定める**規程**に従い、且つ、**上司**の**職務上**の**命令**に忠実に従わなければならない。

⇨ 県費負担教職員は地方教育行政法でも同様に規定される(第43条第2項)。

職務専念義務 **重要!**

□地方公務員法第35条（国家公務員法では第101条）

職員は、法律又は条例に特別の定がある場合を除く外、その勤務時間及び職務上の注意力のすべてをその**職責遂行**のために用い、当該地方公共団体がなすべき責を有する**職務にのみ**従事しなければならない。

⇨「法律又は条例に特別の定がある場合」には、**教育公務員特例法第22条**に規定する教育公務員が手続きを経て**勤務場所を離れて研修**を行う場合などのほか、**年次有給休暇**などがそれに当たる。

3 教職員の職務上の制限 重要度 ★★★

政治的行為の制限 **重要!**

□地方公務員法第36条第2項（国家公務員法では第102条）

2　職員は、特定の政党その他の政治的団体又は特定の内閣若しくは地方公共団体の執行機関を支持し、又はこれに反対する目的をもつて、あるいは公の選挙又は投票において特定の人又は事件を支持し、又はこれに反対する目的をもつて、……**政治的行為**をしてはならない。……

⇨ **一般職公務員の場合**：当該職員の**属する地方公共団体の区域外**において、（法に規定する）政治的行為をすることができる（第2項）。

教育公務員の場合：「公立学校の教育公務員の政治的行為の制限については、当分の間、地方公務員法第36条の規定にかかわらず、**国家公務員の例**による」（教育公務員特例法第18条第1項）＝**日本全国**で制限される。

営利企業等の従事制限 **重要!**

□地方公務員法第38条第1項（国家公務員法では第103・104条）

職員は、**任命権者の許可**を受けなければ、商業、工業又は金融業その他営利を目的とする**私企業**……を営むことを目的とする会社その他の団体の**役員**その他人事委員会規則……で定める地位を兼ね、若しくは自ら営利**企業**を営み、又は**報酬**を得ていかなる**事業**若しくは**事務**にも従事してはならない。

□教育公務員の特例（教育公務員特例法第17条第1項）

教育公務員は、**教育に関する他の職**を兼ね、又は**教育に関する他の事業**若しくは事務に従事することが本務の遂行に支障がないと任命権者……において認める場合には、給与を受け、又は受けないで、その**職を兼ね**、又はその**事業**若しくは**事務**に従事することができる。

> **ポイント** 上司の職務上の命令も法にもとづく。
> 通常の学校での教諭の上司は校長のみ

21 教職員の服務②・処分

日付 ／

●守秘義務は非常によく出題される。「退職後も同じ」と覚えておこう。
●処分は、処分の種類と要件が結びつけられるようにする。

1 教職員の身分上の義務 ★超頻出★ 重要度 ★★★

信用失墜行為の禁止

□地方公務員法第33条(国家公務員法では第99条)

職員は、その職の**信用**を傷つけ、又は職員の職全体の**不名誉**となるような行為をしてはならない。

⇨ 信用失墜行為に該当するか否かは、**任命権者**(人事委員会)が判断する。

守秘義務 ✐ 重要!

□地方公務員法第34条第1項(国家公務員法では第100条)

職員は、**職務上知り得た秘密**を漏らしてはならない。その職を退いた後も、また、同様とする。

⇨ 児童生徒の**成績**や**身体状況**、補導歴、保護者の**経済状況**など、「職務上知り得た秘密」は数多くあるが、それらは**退職後も含めて**、いっさいの漏洩が禁止される。違反した場合、罰則規定が適用されることもある(同第60条)。ただし例外として、任命権者の許可を得て裁判の**証人**となったり、**児童虐待防止法**の規定(第6条第3項)による**通告**などがある。

争議行為等の禁止

□地方公務員法第37条第1項(国家公務員法では第98条第2項)

職員は、地方公共団体の機関が代表する使用者としての住民に対して**同盟罷業**、怠業その他の**争議行為**をし、又は地方公共団体の機関の活動能率を低下させる**怠業的行為**をしてはならない。又、何人も、このような違法な行為を企て、又はその遂行を共謀し、そそのかし、若しくはあおつてはならない。

⇨ 公務員の全体の奉仕者という職務の特殊性から**同盟罷業**(ストライキ)や**怠業**(サボタージュ)などの**争議行為**が禁止されている。その代償措置として国には**人事院**が、地方公共団体には**人事委員会**が設けられる。

2 ▶ 教職員の処分　　　　　　　　　重要度 ★★★

処分の基準

□地方公務員法第27条（国家公務員法第74・75条にも同様の規定がある）

> すべて職員の**分限及び懲戒**については、**公正**でなければならない。／２　職員は、この法律で定める事由による場合でなければ、その意に反して、**降任**され、若しくは**免職**されず、この法律又は条例で定める事由による場合でなければ、その意に反して、**休職**されず、又、条例で定める事由による場合でなければ、その意に反して**降給**されることがない。／３　職員は、この法律で定める事由による場合でなければ、**懲戒処分**を受けることがない。

分限処分

□地方公務員法第28条

> 職員が、次の各号に揚げる場合のいずれかに該当するときは、その意に反して、これを**降任**し、又は**免職**することができる。

❶勤務実績不良／❷心身の故障／❸職の適格性欠如／❹廃職・過員の場合

> 2　職員が、次の各号に揚げる場合のいずれかに該当するときは、その意に反してこれを**休職**することができる。

❶心身の故障による長期休養／❷刑事事件に関し起訴された場合

⇨ **分限処分**は職員の**道義的責任**を問題にしない。本人の故意・過失であることを問わない。処分には、このほかに**降給**を設けることができる。

懲戒処分　🖊️重要!

□地方公務員法第29条

> 職員が次の各号の一に該当する場合においては、これに対し**懲戒処分**として**戒告**、**減給、停職**又は**免職**の処分をすることができる。

❶法令違反／❷職務義務違反・怠慢／❸非行行為

⇨ **懲戒処分**は職員の**道義的責任を問題**とし、その行為が本人の故意または過失によることを要する。**懲戒免職**はただちに職員としての身分を失わせ、退職金は支給されない。不利益処分の場合には**不服申立て**ができる。

⇨ 令和3（2021）年に**わいせつ教員対策法が成立**し、**教育職員の児童生徒への性暴力が法律で禁止**され、懲戒処分で**免許が失効**した教員に**免許を再交付**するかどうかを**都道府県が判断できる**ようになった。

⇨ 令和6（2024）年、**子どもと接する仕事をする際に性犯罪歴がないことを証明する「日本版DBS」**制度の創設に向け**こども性暴力防止法案**が成立。

ポイント わいせつ教員対策法により都道府県の権限が拡大された

教職員の勤務規則等

日付
／

●県費負担教職員制度についてはP.141でも触れているが、ここに記したその意義について確認しておこう。
●県費負担教職員という名称であっても、都道府県のみならず、国からもお金が出ていることを覚えておく。

1 教職員の給与・勤務時間など

重要度 ★★

□**労働基準法** ⇨ 教育公務員であっても**労働者**としてその給与や勤務時間等についての基本は**労働基準法**の規定によることになる。

□**地方公務員法第24条第4・5項**

> 4 職員の勤務時間その他職員の給与以外の**勤務条件**を定めるに当つては、国及び他の地方公共団体の職員との間に**権衡**を失しないように適当な考慮が払われなければならない。
> 5 職員の給与、勤務時間その他の勤務条件は、**条例**で定める。

⇨ 地方公務員としての**公立学校教員**に適用される。また、教育公務員特例法でも同様に規定している。

□給与等の特例

● **人材確保法**[※1]：義務教育諸学校の教育職員の**給与**には、一般の公務員の給与水準に比較して必要な**優遇措置**が講じられなければならない。

● **教職給与特別法**[※2]：教育職員（校長、副校長及び教頭を除く）には、給料月額の100分の4に相当する額を基準とし、条例で定めるところにより、**教職調整額**を支給しなければならない。／教育職員については、**時間外勤務手当**及び**休日勤務手当**は支給しない。

2 人事評価制度

重要度 ★

□**人事評価制度** ⇨ 2016年より従来の勤務評定制度に換えて新しい人事評価制度が導入された。

□**地方教育行政の組織及び運営に関する法律第44条**

> 県費負担教職員の人事評価は……**都道府県委員会の計画の下に、市町村委員会が行う**ものとする。

3 県費負担教職員制度　　　重要度 ★★★

□ **市町村立学校職員給与負担法第1条**

⇨ **市(特別区を含む)町村立**の小学校、中学校、義務教育学校、中等教育学校の前期課程及び特別支援学校の校長、教職員[3]の給料その他の**給与**は、**都道府県の負担**とする。

⇨ 第2条では、**市町村立の定時制高校**の定時制専任校長・副校長、そのほかの定時制の授業を担当する教諭・助教諭・常勤講師も同様に規定。

□ **県費負担教職員制度の意義**

● 同一都道府県内における市町村間での**教育格差**をなくすため

市町村間の財政格差から、独自教員採用では給与に差が生じ、それに起因する教員の質の格差、ひいては教育の質の格差が生じることを防ぐ。

● 同一都道府県内での教職員の市町村間の**移動**を容易にするため

A県A市勤務の教員をB市に転勤させる際には、A県教育委員会はA市の県費負担教職員を**免じて**B市の県費負担教職員に**任ずる**、という形をとる。これにより、市役所などの一般職員とは違って、新たにB市の採用試験を受けて採用になる、などという必要はなくなる。

□ **義務教育費国庫負担法第2条**

⇨ 国は、毎年度、各**都道府県**ごとに、公立の「義務教育諸学校」に要する経費のうち、「県費負担教職員の給与」について、その実支出額の**3分の1**を負担する。

⇨ 県費負担教職員制度の下で多額となる都道府県の教職員給与にかかわる支出を補助するために、国は「**その実支給額の3分の1**」を補助することを**義務教育費国庫負担制度**という。そのための国の予算は、令和6年度の当初予算で約1兆5627億円、文部科学省全体の予算のおよそ3割を占めている。「実支給額」とは給料や諸手当(期末勤勉手当・教職調整額・義務教育等教員特別手当、など)の総額ということであり、それにもとづく**総額裁量制**によって都道府県は給与を自主的に決定できる。

用語
※1 **人材確保法**…学校教育の水準の維持向上のための義務教育諸学校の教育職員の人材確保に関する特別措置法。
※2 **教職給与特別法**…公立の義務教育諸学校等の教育職員の給与等に関する特別措置法。
※3 **教職員**…副校長、教頭、主幹教諭、指導教諭、教諭、養護教諭、栄養教諭、助教諭、養護助教諭、寄宿舎指導員、常勤講師、学校栄養職員、事務職員。

ポイント 教職員にも勤務評定が行われることは覚えておこう

特別支援教育（目的と教育機関）

日付 ／

●特別支援教育体制はまだ歴史が浅いので、この体制の基本的なことがよく問われている。
●学校教育法74条は、特別支援学校は地域の特別支援教育のセンターとしての機能を担っていることを明文化している。

1　特別支援教育　　　　　　　　　　重要度 ★★

□**「今後の特別支援教育の在り方について（最終報告）」**〈平15・3〉

（特別支援教育の在り方に関する調査研究協力者会議）

特別支援教育とは、これまでの特殊教育の対象の障害だけでなく、その対象でなかった**LD、ADHD、高機能自閉症**も含めて障害のある児童生徒に対してその一人一人の**教育的ニーズ**を把握し、当該児童生徒の持てる力を高め、生活や学習上の困難を改善又は克服するために、適切な教育を通じて必要な**支援**を行うものと言うことができる。もとより、この特別支援教育は、障害のある児童生徒の**自立**や**社会参加**に向けた主体的な取組を支援するためのものと位置付けられる。

⇨　従来の障害の**種類**と**程度**に応じて**盲学校・聾学校・養護学校**や**特殊学級**において行われてきた**特殊教育**からの転換をはかり、その対象ではなかった **LD、ADHD、高機能自閉症**をも含む教育体制。平成19（2007）年4月1日より施行された。

2　特別支援教育の目的　　　　　　　重要度 ★★★

□**学校教育法第72条**

特別支援学校は、**視覚障害者、聴覚障害者、知的障害者、肢体不自由者**又は**病弱者**（身体虚弱者を含む。……）に対して、幼稚園、小学校、中学校又は高等学校に**準ずる教育を施す**とともに、障害による学習上又は生活上の困難を克服し**自立**を図るために必要な知識技能を授けることを目的とする。

⇨　**特別支援教育**の目的は、心身に何らかの障害がある児童・生徒に対して幼稚園等に「**準ずる**教育を施す」とともに「**自立**を図るために必要な知識技能を授けること」である。「**準ずる**」とは、教育目標や内容は小学校などと同様であるが、心身の障害の状況に応じて適宜**配慮**した教育の意。

□特別支援学校（都道府県による設置）

特殊教育体制 ➡ **特別支援教育体制**

盲学校		
聾学校		
養護学校	知的障害養護学校	**特別支援学校**
	肢体不自由養護学校	
	病弱養護学校	
特殊学級		**特別支援学級**

＊特別支援学校は、最初からすべての障害種に対応できない。そこで、「当該学校が**行うものを明らかにする**」ことを定めている（学教法第73条）。

＊特別支援学校は特別支援教育の**センター的役割**を担う。

学校教育法第74条

特別支援学校においては、……（小学校等）の要請に応じて、第81条第1項に規定する幼児、児童又は生徒の教育に関し**必要な助言又は援助を行う**よう努めるものとする。

＊第81条第1項では、小学校等において第2項に規定する者のための「障害による学習上又は生活上の**困難**を**克服**するための教育を行うものとする」ことを定めている。

□特別支援学校に置かれる各部（学校教育法第76条）

特別支援学校には、**小学部及び中学部**を置かなければならない。ただし、特別の必要のある場合においては、その**いずれかのみを置く**ことができる。

2　特別支援学校には、小学部及び中学部のほか、**幼稚部**又は**高等部**を置くことができ、また、特別の必要のある場合においては、……小学部及び中学部を置かないで**幼稚部**又は**高等部**のみを置くことができる。

□特別支援学級（学校教育法第81条第2項）

小学校、中学校、義務教育学校、高等学校及び中等教育学校には、次の各号のいずれかに該当する児童及び生徒のために、**特別支援学級**を置くことができる。

1　知的障害者／2　肢体不自由者／3　身体虚弱者／4　弱視者／5　難聴者／6　その他障害のある者で、特別支援学級において教育を行うことが適当なもの

マメ　「教育的ニーズ」は1978年のイギリスのマリー・ウォーノック報告で初めて使用された

学校保健・学校安全

頻出度
B

●学校が学校保健に関してなすべきことは、健康診断、環境衛生検査、保健指導の3点であることを確実に覚えよう。
●学校環境衛生基準を定めるのは、文部科学大臣であって、教育委員会ではないことに注意。

1 学校保健安全法

出題 岡山　重要度 ★★

□学校教育法第12条

> 学校においては、**別に法律で定める**ところにより、幼児、児童、生徒及び学生並びに職員の**健康の保持増進**を図るため、**健康診断**を行い、その他その**保健に必要な措置**を講じなければならない。

⇨ 「別に法律で定める」というその法律が**学校保健安全法**である。

□学校保健安全法第1条

> この法律は、学校における**児童生徒等**及び**職員**の健康の保持増進を図るため、学校における**保健管理**に関し必要な事項を定めるとともに、学校における教育活動が安全な環境において実施され、児童生徒等の安全の確保が図られるよう、学校における**安全管理**に関し必要な事項を定め、もつて学校教育の円滑な実施とその成果の確保に資することを目的とする。

⇨ **学校保健安全法**は、従来の学校保健法に、学校における安全管理に関する内容を充実させて、平成21（2009）年4月から改正施行された。

2 学校保健

出題 岡山　重要度 ★★

学校がなすべきこと
□学校保健安全法第5条

> 学校においては、**児童生徒等**及び**職員の心身の健康の保持増進**を図るため、児童生徒等及び職員の**健康診断**、**環境衛生検査**、児童生徒等に対する**指導**その他保健に関する事項について計画を策定し、これを実施しなければならない。

⇨ これにより、学校が学校保健に関してなすべきことは、**健康診断**、**環境衛生検査**、**保健指導**の3点ということになる。そして、第4条では、**学校の設置者**に施設・設備・管理運営体制の整備充実、その他の必要な措置を講ずる努力義務を課している。

環境衛生検査

☐**学校保健安全法第6条第1・2項**

文部科学大臣は、学校における換気、採光、照明、保温、清潔保持その他環境衛生に係る事項……について、**児童生徒等**及び**職員**の健康を保護する上で維持されることが望ましい基準（……「**学校環境衛生基準**」……）を定めるものとする。／2 **学校の設置者**は、**学校環境衛生基準**に照らしてその設置する学校の適切な**環境の維持**に努めなければならない。

⇨「**学校環境衛生基準**」は教室などの環境（換気・保温・採光・照明など）、飲料水、水泳プールの水質などについて細かく規定し、それらについては「**毎学年定期に**」検査を行うものとされている（施行規則第1条）。学校環境衛生基準では、毎学年1回のほか、各種の期間がある。

学校環境衛生基準では、たとえば大掃除は年3回行うものとしている

保健指導

☐**学校保健安全法第9条**

養護教諭その他の職員は、相互に連携して、健康相談又は児童生徒等の健康状態の日常的な観察により、児童生徒等の心身の状況を把握し、健康上の問題があると認めるときは、遅滞なく、……必要な**指導**を行うとともに、必要に応じ、その保護者……に対して必要な**助言**を行うものとする。

⇨ 第8条では「学校においては、……**健康相談**を行う」としている。

3 　学校安全　　出題 福岡　重要度 ★★

☐**学校保健安全法第26条**（学校安全に関する**学校の設置者の責務**）

学校の設置者は、児童生徒等の**安全の確保**を図るため、その設置する学校において、事故、加害行為、災害等……「**事故等**」……により児童生徒等に生ずる危険を**防止**し、及び事故等により児童生徒等に危険又は危害が現に生じた場合……において適切に**対処**することができるよう、当該学校の施設及び設備並びに管理運営体制の整備充実その他の必要な措置を講ずるよう努めるものとする。

☐**学校保健安全法第27条**（**学校安全計画**の策定等）

学校においては、児童生徒等の安全の確保を図るため、当該学校の施設及び設備の**安全点検**、児童生徒等に対する**通学**を含めた学校生活その他の日常生活における安全に関する**指導**、職員の**研修**その他学校における安全に関する事項について**計画**を策定し、これを**実施**しなければならない。

⇨ 安全点検は「**毎学期1回以上**」としている（施行規則第28条）。

ポイント 学校保健安全法は職員もその対象としている

□**学校保健安全法（第29条）「危険等発生時対処要領の策定」**

1　**学校**においては、児童生徒等の安全の確保を図るため、当該学校の実情に応じて、危険等発生時において当該学校の**職員がとるべき措置**の具体的内容及び手順を定めた対処要領（次項において「危険等発生時対処要領」という。）を作成するものとする。

2　**校長**は、危険等発生時対処要領の職員に対する**周知、訓練の実施**その他の危険等発生時において職員が適切に対処するために必要な措置を講ずるものとする。

3　学校においては、事故等により児童生徒等に危害が生じた場合において、当該児童生徒等及び当該事故等により**心理的外傷**その他の心身の健康に対する影響を受けた児童生徒等その他の関係者の心身の健康を回復させるため、これらの者に対して**必要な支援**を行うものとする。

第３次学校安全の推進に関する計画（令和４（2022）年）

□**施策の基本的な方向性**

● **学校安全計画・危機管理マニュアルを見直すサイクルを構築**し、学校安全の実効性を高める

● 地域の多様な主体と密接に連携・協働し、子供の視点を加えた安全対策を推進する

● **全ての学校における実践的・実効的な安全教育**を推進する

● 地域の災害リスクを踏まえた実践的な防災教育・訓練を実施する

● 事故情報や学校の取組状況など**データを活用し学校安全を「見える化」**する

● **学校安全に関する意識の向上**を図る（学校における安全文化の醸成）

□**目指す姿**

● 全ての児童生徒等が、自ら適切に判断し、主体的に行動できるよう、安全に関する資質・能力を身に付けること

● 学校管理下における児童生徒等の**死亡事故の発生件数**について**限りなくゼロにする**こと

● 学校管理下における児童生徒等の**負傷・疾病の発生率**について、**障害や重度の負傷を伴う事故を中心に減少**させること

□**5つの推進方策**

1　**学校安全に関する組織的取組の推進**

● 学校経営における**学校安全の明確な位置付け**

- **セーフティプロモーションスクール**の考え方を取り入れ、学校安全計画を見直すサイクルの確立
- 学校を取り巻く地域の自然的環境をはじめとする様々なリスクを想定した**危機管理マニュアルの作成・見直し**
- 学校における学校安全の中核を担う**教職員の位置付け**の**明確化**、学校安全に関する**研修・訓練の充実**
- **教員養成における学校安全**の学修の充実

2　家庭、地域、関係機関等との連携・協働による学校安全の推進

- **コミュニティ・スクール**等、**学校**と**地域**との**連携・協働**の仕組みを活用した学校安全の取組の推進
- **通学時の安全確保**に関する地域の推進体制の構築、**通学路交通安全プログラム**に基づく関係機関が連携した取組の強化・活性化
- **SNS** に起因する**児童生徒等**への**被害**、**性被害**の**根絶**に向けた防犯対策の促進

3　学校における安全に関する教育の充実

- 児童生徒等が**危険**を**予測**し、**回避**する**能力**を**育成**する**安全教育の充実**、**指導時間**の確保、**学校**における**教育手法**の改善
- 地域の**災害リスク**を踏まえた**実践的な防災教育**の充実、関係機関との連携の強化
- **幼児期**、**特別支援学校**における**安全教育**の好事例等の収集
- **ネット上の有害情報対策**、**性犯罪・性暴力対策**など、現代的課題に関する教育内容について、学校安全計画への位置付けを推進

4　学校における安全管理の取組の充実

- **学校**における**安全点検に関する手法**の改善、学校設置者による点検・対策の強化
- **学校施設の老朽化対策**、**非構造部材の耐震対策**、防災機能の整備の推進
- 重大事故の予防のための**ヒヤリハット事例の活用**
- 学校管理下において発生した事故等の検証と再発防止等

5　学校安全の推進方策に関する横断的な事項等

- 学校安全に係る**情報の見える化、共有、活用の推進**
- 災害共済給付に関するデータ等を活用した啓発資料の周知・効果的な活用
- 設置主体に関わらない、学校安全に関する研修等の情報・機会の提供
- **AI** や**デジタル技術**を活用した、**科学的**なアプローチによる**事故予防**に関する取組の推進
- 学校安全を意識化する機会の設定の推進
- 国の学校安全に関する施策のフォローアップの実施

健康診断・感染症と予防

頻出度 A

●健康診断を除いてあまり重要ではない項目もあるが、出席停止と臨時休校はそれぞれ2つの場合の違いを覚えておこう。
●児童・生徒等の健康診断については、時期を確実に覚える。

---

1 健康診断

重要度 ★★★

就学時健康診断

□学校保健安全法第11条

> **市**(特別区を含む。以下同じ。)**町村**の教育委員会は、……翌学年の初めから……学校に**就学**させるべき者で、当該市町村の区域内に住所を有するものの就学に当たつて、その**健康診断**を行わなければならない。

⇨ 「翌学年の初めから**4月前**(就学の手続きに支障がない場合には**3月前**)」までに行うこととなっている(同施行令第1条)。

□学校保健安全法第12条

> **市町村**の教育委員会は、前条の健康診断の結果に基づき、**治療**を勧告し、保健上必要な**助言**を行い、及び……義務の**猶予**若しくは**免除**又は**特別支援学校**への就学に関し指導を行う等適切な措置をとらなければならない。

児童・生徒等の健康診断 ✍️重要!

□学校保健安全法第13条第1項

> **学校**においては、**毎学年定期**に、児童生徒等……の**健康診断**を行わなければならない。

⇨ 「**6月30日**までに行う」こととなっている(同施行規則第5条第1項)。ただし、専修学校においては学年の始めから「**3月以内**」(同第30条)。

⇨ 診断後には**健康診断票**を作成し、実施後21日以内に本人や保護者(学生を除く)に**その結果を通知**しなければならない(同第8・9条)。

⇨ 感染症や食中毒が発生したときには**臨時**の健康診断を行うことができる(同第10条)。

□学校保健安全法第14条

> **学校**においては、前条の健康診断の結果に基づき、疾病の**予防処置**を行い、又は**治療**を指示し、並びに運動及び作業を**軽減**する等適切な措置をとらなければならない。

職員の健康診断

☐ **学校保健安全法第15条第1項**

> 学校の設置者は、**毎学年定期**に、学校の**職員**の健康診断を行わなければならない。

⇨「**学校の設置者が定める適切な時期に**」行うこととなっている（施行規則第12条）。また、診断の結果にもとづき「**治療**を指示し、及び勤務を**軽減**する等適切な措置」をとることになっているほか（同第16条）、**臨時**の健康診断を行うこともできる（同第15条第2項）。

保健所との連絡

☐ **学校保健安全法第18条** ⇨ 健康診断の実施に際して、**学校の設置者**は「**保健所と連絡する**」こととなっている。

---

2 感染症の予防 重要度 ★★

学校において予防すべき感染症

☐ **種類** ⇨ 学校保健安全法施行規則第18条で、「**第1種**」（痘そう・ペスト・特定鳥インフルエンザなど）、「**第2種**」（インフルエンザ・百日咳・麻しん・流行性耳下腺炎・風しんなど）、「**第3種**」（コレラ・細菌性赤痢・腸チフスなど）に区分して28種（そのほかに「その他の感染症」、指定感染症、新感染症なども含む）を指定している。

☐ **出席停止期間** ⇨ 同施行規則第19条で、「**第1種**」は**治癒するまで**、「**第2種**」は原則として**感染症ごとに定める期間、結核及び「第3種」は医師が感染のおそれがないと認める**まで、**出席停止**期間とする。

出席停止

☐ **学校保健安全法第19条**

> **校長**は、**感染症**にかかっており、かかっている疑いがあり、又はかかるおそれのある児童生徒等があるときは、政令で定めるところにより、出席を**停止**させることができる。

⇨ この場合、**学校の設置者**は「**保健所と連絡**」の義務が（同施行令第5条）、**校長**は「**学校の設置者に報告**」の義務がある（同施行令第7条）。

臨時休校

☐ **学校保健安全法第20条**

> **学校の設置者**は、感染症の予防上必要があるときは、臨時に、学校の全部又は一部の**休業**を行うことができる。

⇨ **学校の設置者**は「**保健所と連絡**」の義務がある（同施行令第5条）。

ポイント 3種類の健康診断の実施主体が異なることを覚えておこう

学校事故・学校給食

日付
／

●出題機会は少ない分野であるが、総合問題の選択肢のひとつなどには時折用いられている。
●「学校の管理下」の知識は大切だ。

1 学校事故

重要度 ★

学校事故

□**学校事故** ⇨ 学校の**教育活動中**およびその**延長線**にある状況の下で発生した事故。通常は**学校の管理下**での事故をいう。

□**区分** ⇨ ❶各教科・道徳中の事故、❷休憩時間の事故、❸特別活動（学校行事を含む）中の事故、❹課外指導（部活動）中の事故、❺**通学（園）中の事故**、❻**寄宿舎内での事故**。

□**学校種別の負傷事故発生の割合（上位3位）**

（日本スポーツ振興センター『学校の管理下の災害〔令和5年版〕』）

学校種	1 位		2 位		3 位	
小学校	**休憩時間**	46.7%	各教科等	32.8%	通学中	8.6%
中学校	**課外指導**	46.5%	各教科等	31.5%	休憩時間	10.9%
高等学校	課外指導	57.2%	各教科等	25.2%	通学中	6.7%

学校事故の救済

□**独立行政法人日本スポーツ振興センター法第15条第1項第7号**

学校の管理下における児童生徒等の災害（負傷、疾病、障害又は死亡をいう。……）につき、当該児童生徒等の保護者……又は……生徒若しくは学生が成年に達している場合にあっては当該……者に対し、**災害共済給付**（医療費、障害見舞金又は死亡見舞金の支給をいう。……）を行うこと。

⇨ **「学校の管理下」**：❶授業中、❷課外活動中、❸休憩時間中や校長の指示・承認の下に学校にある場合、❹通学中（通常の経路・方法）、❺寄宿舎内など。

□**国家賠償法による救済** ⇨ 地方公務員である公立学校の教員の教育活動の結果生じた事故や、公立学校の施設の管理不備による事故などは学校の設置者である**地方公共団体**が**賠償責任**※を負う。

2 学校給食

重要度 ★

学校給食の意義・目標

□意義 ⇨ 学校給食法第1条

……学校給食が児童及び生徒の心身の健全な**発達**に資するものであり、かつ、児童及び生徒の食に関する正しい**理解**と適切な**判断力**を養う上で重要な役割を果たすもの……

□目標 ⇨ 学校給食法第2条

学校給食を実施するに当たつては、義務教育諸学校における**教育の目的**を実現するために、次に掲げる目標が達成されるよう努めなければならない。

1　適切な栄養の摂取による**健康の保持増進**を図ること。／2　日常生活における食事について正しい**理解**を深め、健全な食生活を営むことができる**判断力**を培い、及び望ましい**食習慣**を養うこと。／3　学校生活を豊かにし、明るい**社交性**及び**協同**の精神を養うこと。／4　食生活が自然の恩恵の上に成り立つものであることについての理解を深め、**生命及び自然**を尊重する精神並びに**環境**の保全に寄与する態度を養うこと。／5　食生活が食にかかわる人々の様々な活動に支えられていることについての理解を深め、**勤労**を重んずる態度を養うこと。／6　我が国や各地域の優れた伝統的な**食文化**についての理解を深めること。／7　食料の**生産、流通**及び**消費**について、正しい理解に導くこと。

学校設置者の任務

□学校給食法第4条

義務教育諸学校の設置者は、当該義務教育諸学校において学校給食が**実施される**ように**努め**なければならない。

⇨ 学校給食の実施は**義務ではない**。

経費の負担

□学校給食法第11条

学校給食の実施に必要な施設及び設備に要する経費並びに学校給食の運営に要する経費のうち政令で定めるものは、義務教育諸**学校の設置者**の負担とする。／2　前項に規定する経費以外の学校給食に要する経費……は、学校給食を受ける児童又は生徒の……**保護者**の負担とする。

□政令で定めるもの ⇨ ❶学校給食に従事する県費負担教職員を除く職員の人件費、❷学校給食の実施に必要な施設・設備の修繕費

用語 ※賠償責任…国家賠償が認められた場合、通例公務員個人の賠償責任は問わない。

ポイント 通学中も学校の管理下だが、親の車での事故は除外 163

教育行政の原則・文部科学省

日付
／

●教育行政の基本原則は重要！　以前から「不当な支配」については問題となっていたので、その経緯も知っておこう。
●中央教育審議会については、その組織について内容を理解して覚え、文部科学大臣との関係についても把握する。

1　教育行政の原則

重要度 ★★★

□教育基本法第16条

教育は、**不当な支配**に服することなく、**この法律**及び**他の法律**の定めるところにより行われるべきものであり、教育行政は、**国と地方公共団体**との適切な**役割分担**及び**相互の協力**の下、**公正**かつ**適正**に行われなければならない。／2　**国**は、**全国的**な教育の**機会均等**と**教育水準**の維持向上を図るため、教育に関する施策を総合的に策定し、実施しなければならない。／3　**地方公共団体**は、その**地域**における教育の**振興**を図るため、その実情に応じた教育に関する施策を策定し、実施しなければならない。／4　国及び地方公共団体は、教育が**円滑**かつ**継続的**に実施されるよう、必要な**財政上**の措置を講じなければならない。

□地方教育行政の組織及び運営に関する法律（地方教育行政法）第1条の2

地方公共団体における教育行政は、教育基本法……の趣旨にのっとり、教育の**機会均等**、**教育水準**の維持向上及び**地域の実情**に応じた教育の**振興**が図られるよう、国との適切な**役割分担**及び**相互の協力**の下、**公正**かつ**適正**に行われなければならない。

⇨　教育基本法を受けての**地方公共団体**における教育行政の理念を規定。

2　文部科学省

重要度 ★★

任務

□文部科学省設置法第3条

文部科学省は、**教育**の振興及び**生涯学習**の推進を中核とした豊かな人間性を備えた創造的な**人材の育成**、**学術**の振興、**科学技術**の総合的な振興並びにスポーツ及び文化に関する施策の総合的な推進を図るとともに、**宗教**に関する**行政事務**を適切に行うことを任務とする。

⇨　旧**文部省**は、明治4（1871）年に創設されて以来、一貫して教育行政事務を総合的に遂行する責任を担う**中央教育行政機関**として存在してきた

が、戦後は教育に対する民主的な指導・助言、専門技術あるいは調査機関としての性格に変わった。なお、平成13(2001)年1月、科学技術庁と統合して**文部科学省**となったが、その「任務」は**教育の振興**などを中核とする創造的な**人材の育成**や**学術・スポーツや科学技術・文化の振興**などである。

所掌事務

□**文部科学省設置法第4条** ⇨ ❶人材の育成のための教育改革に関すること、❷生涯学習に係る機会の整備の推進に関すること、❸地方教育行政に関する制度の企画及び立案並びに地方教育行政の組織及び一般的運営に関する指導、助言及び勧告に関すること、❹地方教育費に関する企画に関することなど、その所掌事務は95項目にも及ぶ。

諮問機関

□**中央教育審議会** ⇨ **中央教育審議会**は、文部科学省内に置かれる**文部科学大臣**の諮問機関のひとつで、大臣の**諮問**に応じて、教育、学術、文化に関する基本的な重要施策について調査審議し、大臣に**答申**することになっている。委員は文部科学大臣が任命する30人以内の任期2年の非常勤の学識経験者で組織し、必要に応じて臨時委員、専門委員を置くことができる。

教育委員会との関係

□**地方教育行政法第50条** ⇨ 文部科学省と教育委員会との関係は、教育の地方分権の原則により**指導・助言**に止まるのが原則であるが、教育委員会に「法令の規定に違反するものがある場合」や「児童、生徒等の生命又は身体」の保護のため、「緊急の必要があるとき」には、教育委員会に対し、「当該違反を**是正**」し「執行を**改める**」よう「**指示**することができる」(ただし、ほかの措置によっては、その是正を図ることが困難である場合にのみ)。

3 こども家庭庁 重要度 ★★

設置

□2023(令和5)年4月、我が国の**子ども政策を中心的に担う機関として**こ**ども家庭庁**が**内閣府の外局として創設**された。各府省にまたがっていた子ども関連部局を集約し、子ども政策の縦割り行政の解消を図る。

幼保一元化の動向

□**厚生労働省所管の保育所と内閣府所管の認定こども園は、こども家庭庁に所管が移された**が、幼稚園の所管については文部科学省のままで、幼児教育と保育の**幼保一元化**は**見送り**となった。

ポイント 文科省の教育委員会への指示は、平19の法改正で可能に

28 教育委員会

日付
／

頻出度
A

●地方教育行政法が平成26年6月に改正された。
●出題頻度が高いといえる項目なので、組織・委員については確実に把握！

1 教育委員会の組織と職務

重要度 ★★★

設置

□**地方教育行政法第2条**

都道府県、**市**（特別区を含む。以下同じ。）**町村**及び……地方公共団体の組合に**教育委員会**を置く。

⇨ **教育委員会**は教育委員による**合議制の行政執行機関**である。昭和23（1948）年、教育委員会法によって初めて組織された。昭和31（1956）年、教育委員会法は廃止され、新たな**地方教育行政の組織及び運営に関する法律（地方教育行政法）**の制定でその組織なども改編された。

組織 ✍重要！

□**地方教育行政法第3条**

教育委員会は、**教育長及び4人の委員**をもつて組織する。ただし、条例で定めるところにより、**都道府県**若しくは**市**……の教育委員会にあつては**教育長及び5人以上**の委員、**町村**……の教育委員会にあつては**教育長及び2人以上**の委員をもつて組織することができる。

職務権限

□**地方自治法第180条の8**

教育委員会は、……学校その他の**教育機関**を**管理**し、**学校の組織編制**、**教育課程**、教科書その他の**教材**の取扱及び教育職員の**身分取扱**に関する事務を行い、並びに**社会教育**その他教育、**学術及び文化**に関する事務を**管理**し及びこれを**執行**する。

□**地方教育行政法第21条**

教育委員会は、当該地方公共団体が処理する**教育に関する事務**で、次に掲げるものを**管理**し、及び**執行**する。

⇨ 教育機関の設置・管理・廃止など、その職務権限は19項目に及ぶ。

2 委員・教育長　　　　　　　　　　　　　重要度 ★★★

委員 🖋重要!

□**地方教育行政法第4条第2項**

> 委員は、当該地方公共団体の長の被選挙権を有する者で、人格が高潔で、教育、学術及び文化……に関し識見を有するもののうちから、**地方公共団体の長**が、議会の**同意**を得て、**任命**する。

⇨ 委員になれない者は**❶破産者**で復権を得ない者、**❷禁錮以上の刑**に処せられた者であり、委員の過半数が**同一政党**に属してはならないこと、委員に年齢・性別・職業等に著しい**偏り**がなく、**保護者**が含まれなければならないなどの規定がある（同第3・4・5項）。また、任期は再選可能な**4年**、身分は**非常勤**、ほかの公職とは**兼職禁止**である（第5・6・12条）。

教育長

□地方教育行政法の平成26（2014）年6月改正により、**教育委員長と教育長の2つの役職が教育長に統合された**。

□**地方教育行政法第4・5条** ⇨ 任期**3年**、再任可能で、当該地方公共団体の長の被選挙権を有する者で、人格が高潔で教育行政に関し識見を有するもののうちから、**首長が議会の同意を得て任命**する。

□**地方教育行政法第11・13・14条** ⇨ **常勤**で、教育委員会の**会務を総理**し、教育委員会を**代表**する。教育委員会の会議を**招集**するのも教育長の権限である。

3 事務局・指導主事・その他の職員　　　　重要度 ★★

□**地方教育行政法第17・18条** ⇨ 教育委員会の職務権限に属する**事務処理**のために**事務局**を置き、そこに**指導主事**・**事務職員**・**技術職員**、その他必要な職員を置く。**指導主事**は、学校における教育課程・学習指導その他学校教育に関する専門的事項の**指導**に関する事務に従事し、大学以外の**公立学校の教員**をもって充てることができる。

4 首長と教育委員会　　　　　　　　　　重要度 ★★

□**首長の権限強化** ⇨ 平成26（2014）年6月の地方教育行政法の改正で、教育長及び教育委員の任命、首長と教育委員会によって構成される**総合教育会議**の招集、当該地方公共団体の教育・学術及び文化の振興に関する総合的な施策の**大綱の策定**、などの権限を有することが定められた。

ポイント 首長が行う教育行政もあることを忘れずに！

社会教育

頻出度
B

- ●生涯学習も含めて、社会教育の必要性・重要性はますます高くなっている。頻出ではないが要点は確実に覚えておきたい。
- ●学校は社会教育施設ではないが、学校の施設を社会教育のために利用させることはできる点に注意。

1 社会教育の定義等 重要度 ★★

□教育基本法第12条第1項

> **個人の要望**や**社会の要請**にこたえ、**社会において行われる教育**は、国及び地方公共団体によって奨励されなければならない。

⇨ 教育基本法では社会教育を「個人の要望や社会の要請にこたえ、社会において行われる教育」と定義づけ、国及び地方公共団体によって**奨励**されるべきであるとし、また、そのための施設として**図書館**、**博物館**、**公民館**の設置や**学校の施設**の利用を謳っている(同条第2項)。

□社会教育法第2条

> この法律において「社会教育」とは、学校教育法(略)又は就学前の子どもに関する教育、保育等の総合的な提供の推進に関する法律(略)に基づき、学校の教育課程として行われる教育活動を除き、主として**青少年及び成人**に対して行われる**組織的**な**教育活動**(**体育及びレクリエーションの活動**を含む。)をいう。

⇨ 社会教育法では社会教育を**学校の教育課程以外の組織的な教育活動**とし、その対象を主として**青少年・成人**においている。また、第3条では、国および地方公共団体に施設設備などの充実を通じて、すべての国民が「自ら実際生活に即する文化的教養を高め得るような環境」を作り上げることを求めるのと同時に、生涯学習の振興に寄与することなどを課している。

2 社会教育行政組織 重要度 ★★

教育委員会の事務

□**社会教育法第5条** ⇨ **市町村教育委員会**が社会教育に関して「当該地方の必要に応じ」て行うべき事務を、❶社会教育に必要な援助、❷社会教育委員の委嘱、❸**公民館**の設置・管理、など19項目にわたって規定している。

□**社会教育法第6条** ⇨ 第5条以外の、**都道府県教育委員**が行うべき広域的な

事務を5項目規定している。

社会教育委員

□社会教育法第15条

都道府県及び市町村に**社会教育委員**を置くことができる。／2　**社会教育委員**は、**教育委員会**が委嘱する。

⇨　**社会教育委員**は会議を持つことはできるが、社会教育委員会というような合議体の機関を構成するものではない。「社会教育に関し教育委員会に**助言**」するという職務を持ち、教育委員会の会議に出席して社会教育に関する**意見**を述べることができる（同第17条）。

専門職員

□社会教育法第9条の2

都道府県及び市町村の教育委員会の事務局に、**社会教育主事**を置く。／2　都道府県及び市町村の教育委員会の事務局に、**社会教育主事補**を置くことができる。

⇨　**社会教育主事**は、「社会教育を行う者に専門的技術的な**助言**と**指導**を与える。ただし、**命令**及び**監督**をしてはならない」と、その職務について定められている（同条の3）。「**社会教育を行う者**」とは、一般には公民館などで行われる実際の教育活動を行う者、あるいは民間の社会教育関係団体などで指導的役割を担う者とされている。学校教育関係者への助言も可能。

⇨　**社会教育主事**は教育公務員特例法でいう「**専門的教育職員**」に当たり、社会教育の専門家として、一定の**資格**を必要とする（同条の4）。

3　社会教育の施設　　　　　　　　　　　　重要度 ★★★

学校施設の利用　（その他の施設については「教育原理」参照）

□学校教育法第137条

学校教育上支障のない限り、**学校**には、社会教育に関する**施設を附置**し、又は学校の**施設**を社会教育その他公共のために、**利用**させることができる。

⇨　社会教育法にも、**国・公立学校**の利用について同様の規定がある（同第44条）。利用に際しては「当該学校の**管理機関**の許可を受けなければならない」ことに加えて、学校の管理機関は「**学校の長**の意見を聞かなければならない」ことになっている（同法第45条）。ただし、学校の管理機関は、一般的、定例的な利用については許可の権限を**校長**に**委任**しているのが通例である。

ポイント　学校施設の利用において、政治・宗教的、営利目的は禁止

生涯学習

頻出度
C

- ●採用試験での出題頻度は高くはないが、教育基本法の第3条に置かれるほど重要な理念となっていることに注意しよう。
- ●人生100年時代を迎えるにあたって、ますます生涯学習の拡充が求められている点を把握する。

1 生涯学習の理念・法的位置づけ　重要度 ★★

理念

□教育基本法第3条

> 国民一人一人が、自己の人格を磨き、豊かな人生を送ることができるよう、その生涯にわたって、あらゆる**機会**に、あらゆる**場所**において学習することができ、その**成果**を適切に生かすことのできる社会の実現が図られなければならない。

⇨「あらゆる**機会**に、あらゆる**場所**において学習すること」を通じて、「自己の人格を磨き、豊かな人生を送ることができる」ことを生涯学習の理念とし、さらに「その**成果を適切に生かす**ことのできる社会の実現」を希求している。つまり、生涯学習を学習者個人の自己満足に終わらせることなく、その結果得た知識や技能を社会に還元することの必要性を述べている。

法的位置づけ

□生涯学習振興法※第1条

> この法律は、国民が生涯にわたって学習する機会があまねく求められている状況にかんがみ、生涯学習の**振興**に資するための**都道府県の事業**に関しその推進体制の整備その他の必要な事項を定め、及び特定の地区において生涯学習に係る機会の総合的な提供を促進するための措置について定めるとともに、**都道府県生涯学習審議会**の事務について定める等の措置を講ずることにより、生涯学習の振興のための施策の推進体制及び地域における生涯学習に係る**機会**の整備を図り、もって生涯学習の振興に寄与することを目的とする。

⇨ 生涯学習については、**都道府県**が「生涯学習の振興に資する」「事業」等を行い、そのために**都道府県生涯学習審議会**を設置することを明確にしている。また、国及び地方公共団体に「職業能力の開発及び向上、社会福祉等に関し生涯学習に資するための」別の施策も求めている（同第2条）。

2 生涯学習振興法　　　　重要度 ★

都道府県の事業

□生涯学習振興法第3条

> 都道府県の**教育委員会**は、生涯学習の振興に資するため、おおむね次の各号に掲げる事業について、これらを相互に連携させつつ推進するために必要な体制の整備を図りつつ、これらを一体的かつ効果的に実施するよう努めるものとする。

⇨「事業」は、❶学校教育・社会教育に係る学習、文化活動の機会に関する情報の収集・整理・提供、❷住民の学習に対する需要等についての調査研究、❸地域の実情に即した学習の方法の開発、など。

地域生涯学習振興基本構想

□**生涯学習振興法第5条第1項** ⇨ 都道府県は、特定地区とその周辺の住民の生涯学習の振興に資するため、社会教育に係る学習や文化活動等に資する諸活動の多様な機会の総合的な提供を民間事業者の能力を活用しつつ行うことに関する基本的な構想である**地域生涯学習振興基本構想**を作成することができる。その際には関係市町村に協議する（同第3項）。

都道府県生涯学習審議会

□生涯学習振興法第10条第1・2項

> 都道府県に、**都道府県生涯学習審議会**……を置くことができる。／2　都道府県審議会は、都道府県の**教育委員会**又は**知事**の**諮問**に応じ、当該都道府県の処理する事務に関し、生涯学習に資するための施策の総合的な推進に関する**重要事項**を**調査審議**する。

⇨ 都道府県生涯学習審議会は、教育委員会や知事の諮問に応じるだけではなく、生涯学習に資するための施策の総合的な推進に関する事項等について、教育委員会や知事に建議することもできる（同第3項）。

3 生涯学習審議会　　　　重要度 ★

□**生涯学習審議会** ⇨ 制定時の生涯学習振興法第10条の「文部省に、生涯学習審議会……を置く」との規定で、文部大臣の諮問機関として設置された。平成4（1992）年4月の生涯学習の振興方策についての初答申以来、生涯学習に関する重要な答申を行ってきたが、現在は文部省改編に伴い、**中央教育審議会生涯学習分科会**となっている。

用語 ※生涯学習振興法…生涯学習の振興のための施策の推進体制等の整備に関する法律。

ポイント 教育原理や直近の答申と関連づけて理解しよう　　171

教育法規 31

いじめ防止対策推進法

日付 ／

頻出度 **B**

- ●この法律では「通常苦痛を感じないが当該行為を受けた児童生徒等は苦痛を感じる」場合もいじめと捉えている。
- ●地方公共団体は「地方いじめ防止基本方針」を定めるので、志望自治体のそれについて把握する。

1 目的 ★超頻出★ 重要度 ★★★

□2013年6月、国会で「**いじめ防止対策推進法**」が可決、成立した。同法は第1条で次のように謳っている。

> この法律は、いじめが、**いじめを受けた児童等の教育を受ける権利を著しく侵害**し、その心身の健全な成長及び人格の形成に**重大な影響を与える**のみならず、その**生命又は身体に重大な危険を生じさせるおそれがある**ものであることに鑑み、**児童等の尊厳を保持する**ため、いじめの防止等……のための対策に関し、基本理念を定め、**国及び地方公共団体等の責務**を明らかにし、並びにいじめの防止等のための対策に関する**基本的な方針の策定**について定めるとともに、いじめの防止等のための対策の基本となる事項を定めることにより、**いじめの防止等のための対策を総合的かつ効果的に推進する**ことを目的とする。

2 内容 ★超頻出★ 重要度 ★★

国・地方公共団体・学校の設置者・学校及び教職員・保護者の責務

□**国** ⇨ いじめの防止等のための**対策の総合的策定と実施**(第5条)。

□**地方公共団体** ⇨ 国と協力しての当該地域の状況に応じた**施策の策定と実施**(第6条)。

□**学校の設置者** ⇨ 設置する学校における**いじめの防止等のために必要な措置を講ずる**(第7条)。

□**学校及び学校の教職員** ⇨ 児童等がいじめを受けていると思われるときの**適切かつ迅速な対処**(第8条)。

□**保護者** ⇨ **子の教育について第一義的責任**を有し、適切にいじめから保護する(第9条第1・2項)。

いじめ防止基本方針等

□**文部科学大臣** ⇨ 「**いじめ防止基本方針**」を定める(第11条第1項)。

□**地方公共団体** ⇨ 「**地方いじめ防止基本方針**」を定めるよう努める(第12条)。

□**学校** ⇨「**学校いじめ防止基本方針**」を定める（第13条）。

□**いじめ問題対策連絡協議会** ⇨ 地方公共団体は、学校、教育委員会、児童相談所、法務局または地方法務局、都道府県警察その他の関係者により構成される、いじめ問題対策連絡協議会を置くことができる（第14条第1項）。

基本的施策

□**相談体制**の整備（第16条第3項）。

□国及び地方公共団体による関係機関等との連携等（第17条）。

□いじめの防止等のための**人材の確保と資質の向上**（第18条）。

□**インターネットを通じて行われるいじめに対する対策の推進**（第19条）。

□国及び地方公共団体による、いじめの防止等のための調査研究の推進等（第20条）。

□国及び地方公共団体による啓発活動（第21条）。

いじめの防止等に関する措置

□**学校は、教職員、専門的知識を有するものその他により構成されるいじめの防止等の対策のための組織を置く**（第22条）。

□学校は、**いじめが犯罪行為として取り扱われるべきものであると認めるときは所轄警察署と連携**してこれに対処する（第23条第6項）。

□校長及び教員は、**教育上必要があると認めるときは、いじめを行っている児童等に対して懲戒**を加える（第25条）。

□市町村教育委員会は、いじめを行った児童等の**出席停止を命ずる等、必要な措置**を講ずる（第26条）。

□地方公共団体は学校相互間の連携協力体制を整備する（第27条）。

重大事態への対処

□学校の設置者または学校は、重大事態に処し、再発の防止に資するため、組織を設け、**事実関係を明確にするための調査を行う**（第28条第1項）。

□**重大事態が発生した旨の報告**（第29～32条）。

国立大学付属学校	学長を通じて文部科学大臣に報告
公立学校	教育委員会を通じて地方公共団体の長に報告
私立学校	都道府県知事に報告
学校設置会社	代表取締役又は代表執行役を通じて認定地方公共団体の長に報告

□文部科学大臣は都道府県又は市町村に対し、都道府県の教育委員会は市町村に対し、必要な指導、助言又は援助を行うことができる（第33条）。

173

高等学校等での政治的教養の教育

日付
／

頻出度
A

●公職選挙法等の改正によって18歳以上の者が選挙権を得、高等学校等にも国民投票の投票権や選挙権を有する生徒が在籍することになった。
●東京都では、小学校教諭の採用試験でも出題されていることから、志望校種を問わず、一度は目を通す。

1　政治的教養の教育

重要度 ★★★

□「**高等学校等における政治的教養の教育と高等学校等の生徒による政治的活動等について（通知）**」

⇨ 民主主義を成立させるためには、政治に参加する者が必要とされる政治的素養を身につけなければならない。それゆえに教育基本法は政治教育について定めている。

□**教育基本法第14条　政治教育**

> 良識ある公民として必要な**政治的教養**は、教育上尊重されなければならない。
> 2　法律に定める学校は、特定の政党を支持し、又はこれに反対するための政治教育その他政治的活動をしてはならない。

2　通知の趣旨

重要度 ★★★

□前項の教育基本法第14条が示しているのは、良識ある市民として**政治的教養**を身につけることの重要性と学校における**政治的中立性**の確保である。本通知でもそれらが示され、そのバランスをとるためにどう按配するかを課題としている。その点を確認しながら、通知本文を読んでいく。

> 高等学校等においては、教育基本法第14条第1項を踏まえ、これまでも**平和で民主的な国家・社会の形成者**を育成することを目的として**政治的教養を育む教育**（以下「政治的教養の教育」という。）を行ってきたところですが、改正法により選挙権年齢の引下げが行われたことなどを契機に、**習得した知識**を**活用**し、**主体的な選択・判断**を行い、**他者と協働**しながら様々な**課題**を解決していくという国家・社会の形成者としての**資質や能力**を育むことが、より一層求められます。このため、**議会制民主主義**など**民主主義の意義**、**政策形成**の仕組みや**選挙**の仕組みなどの政治や選挙の理解に加えて現実の**具体的な政治的事象**も取り扱い、生徒が**国民投票**の**投票権**や**選挙権**を有する者（以下「有権者」という。）として自らの判断で権利を行使することができるよう、**具体的かつ実践的な指導**を行うことが重要です。その

際、**法律**にのっとった適切な選挙運動が行われるよう**公職選挙法**等に関する正しい知識についての指導も重要です。

他方で、学校は、教育基本法第14条第2項に基づき、**政治的中立性**を確保することが求められるとともに、教員については、学校教育に対する国民の信頼を確保するため**公正中立**な立場が求められており、教員の**言動**が生徒に与える影響が極めて大きいことなどから法令に基づく制限などがあることに留意することが必要です。

また、現実の**具体的な政治的事象**を扱いながら**政治的教養の教育**を行うことと、高等学校等の生徒が、実際に、特定の政党等に対する**援助、助長**や**圧迫**等になるような具体的な活動を行うことは、区別して考える必要があります。

3 　政治的教養の教育に関する指導上の留意事項 重要度 ★★

□政治的教養の教育の知識面は主として**公民科**が担うのだが、本通知では**学校教育全体を通じて**育むことを求めている。そのため、**校長**を中心に学校として指導のねらいを明確にし、計画的に実施するよう示している。教員は指導に際してどのような点に留意しなければならないかおさえる。

1. 政治的教養の教育は、**学習指導要領**に基づいて、**校長を中心に学校として指導のねらいを明確にし、系統的、計画的な指導計画を立てて実施**すること。また、教科においては**公民科**での指導が中心となるが、**総合的な学習の時間や特別活動におけるホームルーム活動、生徒会活動、学校行事**なども活用して適切な指導を行うこと。
   指導に当たっては、**教員は個人的な主義主張を述べることは避け、公正かつ中立な立場で生徒を指導**すること。

2. 政治的教養の教育においては、**議会制民主主義**など**民主主義**の意義とともに、**選挙**や**投票**が政策に及ぼす影響などの**政策形成の仕組み**や選挙の具体的な**投票方法**など、政治や選挙についての理解を重視すること。あわせて、**学校教育全体を通じて**育むことが求められる、**論理的思考力**、現実社会の諸課題について**多面的・多角的に考察**し、公正に**判断**する力、現実社会の諸課題を見いだし、協働的に追究し解決する力、**公共的な事柄に自ら参画**しようとする**意欲や態度**を身に付けさせること。

3. 指導に当たっては、学校が**政治的中立性**を確保しつつ、**現実の具体的な政治的事象**も取り扱い、生徒が**有権者**として**自らの判断で権利を行使**することができるよう、より一層**具体的**かつ**実践的**な指導を行うこと。
   また、**現実の具体的な政治的事象**については、種々の見解があり、一つの見解が絶対的に正しく、他のものは誤りであると断定することは困難である。加えて、一般に政治は意見や信念、利害の対立状況から発生するものである。そのため、生徒が自分の意見を持ちながら、異なる意見や対立する意見を理解し、議論を

交わすことを通して、自分の意見を**批判的に検討**し、吟味していくことが重要である。したがって、学校における政治的事象の指導においては、一つの結論を出すよりも結論に至るまでの**冷静で理性的な議論の過程が重要**であることを理解させること。

さらに、多様な見方や考え方のできる事柄、未確定な事柄、現実の利害等の対立のある事柄等を取り上げる場合には、**生徒の考えや議論が深まるよう様々な見解を提示**することなどが重要であること。

その際、特定の事柄を強調しすぎたり、一面的な見解を十分な配慮なく取り上げたりするなど、**特定の見方や考え方に偏った取扱いにより、生徒が主体的に考え、判断することを妨げることのないよう留意**すること。また、補助教材の適切な取扱いに関し、同様の観点から発出された平成27年3月4日付け26文科初第1257号「学校における補助教材の適正な取扱いについて」にも留意すること。

4. 生徒が**有権者**としての**権利**を円滑に行使することができるよう、**選挙管理委員会**との連携などにより、具体的な**投票方法**など実際の選挙の際に必要となる知識を得たり、**模擬選挙**や**模擬議会**など現実の政治を素材とした**実践的**な教育活動を通して理解を深めたりすることができるよう指導すること。

なお、多様な見解があることを生徒に理解させることなどにより、**指導が全体として特定の政治上の主義若しくは施策又は特定の政党や政治的団体等を支持し、又は反対することとならないよう留意する**こと。

5. 教員は、公職選挙法第137条及び日本国憲法の改正手続に関する法律第103条第2項においてその**地位**を利用した選挙運動及び**国民投票運動**が禁止されており、また、その**言動**が生徒の**人格形成**に与える影響が極めて大きいことに留意し、学校の内外を問わずその**地位**を利用して特定の政治的立場に立って生徒に接することのないよう、また不用意に**地位**を利用した結果とならないようにすること。

4 高等学校等の生徒の政治的活動等に対する制約 重要度 ★★

□本通知によれば、未来の日本を担う若い世代の意見を政治に反映させていくことが望ましく、高等学校等の生徒が**国家・社会の形成に主体的に参画**していくことがより一層期待される一方、**その活動を無制限に認めてはいない。**学校は**政治的中立性**を求められ、高等学校等は教育の目的・目標等を達成するべく生徒を教育する**公的な施設**であり、高等学校等の校長は**在学する生徒を規律する包括的な権能**を有するとされていることから、**高等学校等の生徒による政治的活動等は**<u>必要かつ合理的な範囲内</u>**で制約を受ける**ものと、本通知では解釈している。

生徒の政治的活動等に対する高等学校等の留意事項　まとめ

□教科・科目等の授業、生徒会活動、部活動等の授業以外の学校の教育活動などを利用した選挙運動や政治的活動を生徒が行う場合、**政治的中立性**を確保するため、**高等学校等はこれを禁止する必要がある。**

□放課後や休日等での学校の構内における選挙運動や政治的活動は、学校の管理や**政治的中立性**の確保等の観点から、**高等学校等はこれを制限又は禁止する必要がある。**

□放課後や休日等に学校の構外で行われる生徒の選挙運動や政治的活動について。

①違法なもの、暴力的なもの、またそうなるおそれが高いと認められる場合、**高等学校等はこれを制限又は禁止する必要がある。**また、生徒が政治的活動等に熱中する余り、学業や生活などに支障があると認められる場合、他の生徒の学業や生活などに支障があると認められる場合、又は生徒間における政治的対立が生じるなどして学校教育の円滑な実施に支障があると認められる場合には、**高等学校等は、当該生徒や他の生徒の学業等への支障の状況に応じ、必要かつ合理的な範囲内で制限又は禁止することを含め、適切に指導を行う**ことが求められること。

②高等学校等は、生徒の政治的活動を尊重しながら、生徒が公職選挙法等の法令に違反することがないよう、気を付けるべき事項などを周知する。

③放課後や休日等に学校の構外で行われる選挙運動や政治的活動は、**家庭の理解の下で生徒が判断して行う。**その際、生徒の政治的教養が適切に育まれるよう、**学校・家庭・地域が十分連携すること**が望ましい。

5　その他　　重要度 ★★

□**インターネットを利用した政治的活動等** ⇨ インターネットを利用した選挙運動や政治的活動について、利便性、有用性は認めるが、**公職選挙法上認められていない選挙運動**を生徒が行ってしまうといった問題が生じ得ることから、インターネットの特性についても十分留意して指導する。

□**家庭や地域の関係団体等との連携・協力** ⇨ 現実の政治を素材とした実践的な教育活動をより一層充実させながら高校生等の政治的活動等の指導は、**学校の方針を保護者・PTA 等に説明・共有し、家庭や地域の関係団体等との連携・協力を図る。**

一問一答 チェック!

次の（　　）にあてはまる語を答えなさい。

Q1 すべて国民は、法律の定めるところにより、その保護する子女に（　①　）を受けさせる（　②　）を負ふ。 参照▶ P.105

A1 ①普通教育
②義務
憲法26条2項の規定

Q2 教育基本法に定める教育の目標には（　①　）の尊重、（　②　）と郷土を愛する態度の涵養がある。 参照▶ P.107

A2 ①伝統と文化
②我が国
2条5号の規定

Q3 法律に定める学校は（　①　）の性質を有するとし、設置者は国・地方公共団体・（　②　）となる。 参照▶ P.108

A3 ①公
②学校法人
例外規定もある

Q4 法律に定める学校の教員は絶えず（　①　）に励むことが求められ、その職責の重要性から（　②　）の適正化が図られる。 参照▶ P.108

A4 ①研究と修養
②待遇
②は具体的には給与の優遇

Q5 （　①　）学校における特定の政党の支持や、反対するための（　②　）や活動は禁止されている。 参照▶ P.109

A5 ①法律に定める
②政治教育
宗教教育は国公立学校で禁止

Q6 1条校とは幼・小・中・義務・高・中等・（　①　）・高専・（　②　）をいう。 参照▶ P.110

A6 ①大学
②特別支援学校
順不同
保育園は含まず

Q7 学校設置義務は、小・中学校、義務教育学校は（　①　）に、特別支援学校は（　②　）にある。 参照▶ P.111

A7 ①市町村
②都道府県

Q8 小学校教育の目的は、義務教育のうちの（　①　）なものを施すことにある。 参照▶ P.112

A8 ①基礎的
義務教育は普通教育でなければならない

Q9 高等学校においては、高度な（　①　）および（　②　）を施すことを目的とする。 参照▶ P.114

A9 ①普通教育
②専門教育

Q10 （ ① ）はその設置する学校を（ ② ）し、（ ③ ）を負担する。 参照▶ P.116

Q11 臨時休業は、非常変災・急迫の際には（ ① ）が、感染症予防の際には（ ② ）が行う。 参照▶ P.117

Q12 小中学校に必ず置かなければならない教職員は（ ① ）と（ ② ）である。 参照▶ P.118

Q13 校務分掌の編成権限は学校の（ ① ）にあるが、通常は（ ② ）に委任している。 参照▶ P.120

Q14 職員会議は（ ① ）の職務の円滑な（ ② ）に資するために置かれる。 参照▶ P.120

Q15 学校における教育課程編成の基準は、具体的には（ ① ）と（ ② ）である。 参照▶ P.122

Q16 私立の小中学校では教育課程に（ ① ）を加えることができ、（ ② ）と代替できる。 参照▶ P.123

Q17 小中学校などでは検定済み教科書の（ ① ）があるが、（ ② ）や（ ③ ）教育では例外がある。 参照▶ P.124

Q18 教育機関では教育を（ ① ）する者・（ ② ）者は、著作物を一定の限度内で無料で（ ③ ）・使用することができる。 参照▶ P.125

Q19 日本の義務教育の就学期間は（ ① ）主義を採っており、最終は（ ② ）歳の学年度末まで。 参照▶ P.126

Q20 小中学校などの（ ① ）は出席常でない児童生徒などについて（ ② ）教育委員会に通知する。 参照▶ P.127

A10 ①学校の設置者
②管理
③経費
③は例外が多い

A11 ①校長
②学校の設置者

A12 ①校長
②教諭
配置基準の3種類は要暗記

A13 ①管理機関
②校長

A14 ①校長
②執行

A15 ①学校教育法施行規則
②学習指導要領

A16 ①宗教
②道徳科
教育課程編成の特例は要暗記

A17 ①使用義務
②高等学校
③特別支援

A18 ①担任
②受ける
③複製

A19 ①年齢
②満15

A20 ①校長
②市町村

Q21 指導要録は（ ① ）の一種であるが、その学籍に関する記録の保存期間は（ ② ）である。 参照▶ P.128

A21 ①学校表簿
②20年間
①は法定表簿でも可

Q22 処分としての懲戒には（ ① ）、（ ② ）、訓告があるが、それは学校にあっては（ ③ ）が行う。 参照▶ P.130

A22 ①退学
②停学
③校長
懲戒は頻出

Q23 出席停止の措置は（ ① ）の教育委員会が児童生徒の（ ② ）に対して行うので停学処分ではない。 参照▶ P.131

A23 ①市町村
②保護者

Q24 懲戒の内容が（ ① ）を内容とするもの、児童生徒に（ ② ）を与えるようなものは体罰である。 参照▶ P.131

A24 ①身体に対する侵害
②肉体的苦痛

Q25 少年法では（ ① ）とは罪を犯した14歳以上の、（ ② ）とは同様の14歳未満の少年をいう。 参照▶ P.135

A25 ①犯罪少年
②触法少年
ほかに虞犯少年

Q26 被虐待児童発見時には直ちに（ ① ）などへの通告義務があるが教員には（ ② ）が免除される。 参照▶ P.135

A26 ①福祉事務所・児童相談所
②守秘義務

Q27 小中学校等で（ ① ）を置かないことができるのは副校長を置くときと（ ② ）の場合である。 参照▶ P.136

A27 ①教頭
②特別の事情のあるとき
②は小規模のとき

Q28 高等学校では、小中学校で必置ではなかった（ ① ）は必置となる。 参照▶ P.137

A28 ①事務職員
A27の②が認められないため

Q29 （ ① ）は（ ② ）をつかさどり所属職員を監督するが（ ③ ）をつかさどることはできない。 参照▶ P.138

A29 ①校長
②校務
③教育

Q30 小学校には配置しないが、中学校でその職務を担当する（ ① ）を配置するとき以外必ず配置する主任職は（ ② ）である。 参照▶ P.138・139

A30 ①主幹教諭
②進路指導主事

Q31 公務員の採用はすべて（ ① ）であり、その期間は教育公務員では（ ② ）である。 参照▶ P.141

A31 ①条件附
②1年間
一般職は半年間

Q32 教員免許状の授与権者は（ ① ）の（ ② ）となる。
参照▶ P.142

A32 ①都道府県
②教育委員会

Q33 教員免許状の種類は （ ① ）、特別免許状、（ ② ）であり、（ ③ ）が授与する。 参照▶ P.143

A33 ①普通免許状
②臨時免許状
③都道府県教育委員会

Q34 教員は（ ① ）に支障がなく（ ② ）の承認があれば（ ③ ）を離れての研修ができる。参照▶ P.144

A34 ①授業
②本属長
③勤務場所

Q35 初任教員は免除者を除き （ ① ）の指導の下で１年間の（ ② ）な初任者研修を行う。
参照▶ P.145

A35 ①指導教員
②実践的

Q36 指導が不適切な教員は （ ① ）研修を受け、なお改まらない場合は（ ② ）となることもある。
参照▶ P.146

A36 ①指導改善
②（分限）免職
教職以外への転任もある

Q37 公務員には勤務時間や職務上の注意力をすべて（ ① ）のために用いるという（ ② ）義務が課せられている。 参照▶ P.149

A37 ①職責遂行
②職務専念
教員には例外がある。Q34参照

Q38 地方公務員の政治的行為は（ ① ）する自治体内で制限されるが教員は（ ② ）で制限される。
参照▶ P.149

A38 ①属
②日本全国

Q39 公務員は （ ① ）知り得た秘密を漏らしてはならず、（ ② ）もまた同様である。 参照▶ P.150

A39 ①職務上
②退職後

Q40 職員の懲戒処分には重い順に （ ① ）・（ ② ）減給・戒告がある。 参照▶ P.151

A40 ①免職
②停職

Q41 市町村立小中学校の教員は、市町村の公務員でありながら給与は （ ① ）から支給されている。
参照▶ P.153

A41 ①都道府県
これを県費負担教職員制度という

Q42 特別支援学校は小学校などに（ ① ）教育、および（ ② ）を図るための教育を施す。参照▶ P.154

A42 ①準ずる
②自立

Q43 学校においては学校の施設設備の（ ① ）を行う義務があり、それは定期的に（ ② ）行う。参照▶ P.157

A43 ①安全点検
②毎学期１回以上

Q44 就学時健康診断は（ ① ）が実施し、学校での児童生徒のそれは（ ② ）が実施する。参照▶ P.160

A44 ①市町村教育委員会
②学校

Q45 （ ① ）は感染症罹患児童等に対して（ ② ）を命ずることができる。参照▶ P.161

A45 ①校長
②出席停止
臨時休業は学校の設置者が行う

Q46 学校事故の発生割合で最も多いのは、小学校では（ ① ）、中学校では（ ② ）となる。参照▶ P.162

A46 ①休憩時間
②課外指導中

Q47 教育行政は（ ① ）に服することなく、（ ② ）とその他の法律に従って行われるべきものである。参照▶ P.164

A47 ①不当な支配
②教育基本法

Q48 文科省は教育委員会に対して指導・（ ① ）するのが原則であるが（ ② ）できる場合がある。参照▶ P.165

A48 ①助言
②指示
地方教育行政法第50条参照

Q49 教育委員会は教育長及び（ ① ）で組織するのが原則であるが、都道府県・市では（ ② ）とすることができる。参照▶ P.166

A49 ①４人の委員
②教育長及び５人以上

Q50 教育委員は地方自治体の（ ① ）が（ ② ）の同意を得て任命する。参照▶ P.167

A50 ①長
②議会

Q51 社会教育に関する専門職員として（ ① ）があり、関係者に助言・（ ② ）を行う。参照▶ P.169

A51 ①社会教育主事
②指導
命令・監督はできない

Q52 生涯学習に関する最初に制定された基本的な法律として（ ① ）がある。参照▶ P.171

A52 ①生涯学習振興法
略称である

Q53 （ ① ）は「いじめ防止基本方針」を、（ ② ）は「学校いじめ防止基本方針」を定める。参照▶ P.172・173

A53 ①文部科学大臣
②学校

教育心理

教育心理論①

頻出度
B

●史的展開の概要を含め、心理学全般をおさえる。
●心理学説では、精神分析がよく問われるので注意
しよう。

1　心理学の史的展開　　　　　　重要度 ★★

□**心理学** ⇨ **心理学**(**Psychology**) という言葉は、ギリシア語の「心」(psyche)と「理論・学問」(logos)を組み合わせた「心の学問」という意味。

□**心の学問** ⇨ ギリシア哲学が起こるとともに、心に関する理論も学問的に組織されてきた → 当時の哲学は、宇宙や人間の本質を見極めようとするものであり、人間についての研究の中に心理学的なものが含まれた。

□**アリストテレス** ⇨ 『**デ・アニマ(霊魂論)**』(最初の独立した心理学書)

□**デカルト** ⇨ **近世哲学の祖**。身体に対する**精神の独立的な存在**を論じた。『方法序説』『情念論』などで、物心二元論・経験主義・身体的機能に対する機械論的な考え方、神経や脳の機能などについて述べ、その後の心理学に大きな影響を及ぼした(**近世心理学の父**)。

□**17世紀イギリス** ⇨ デカルトあたりまでは、心理学はなお哲学的思索にもとづく形而上学説であったが、その後、イギリスにおける経験主義哲学の発展から、**経験を基盤とした心理学**が主張されるようになる。

ホッブズ	認識の源を感覚に求め、**経験心理学の祖**とされる
ロック	「心は生まれたときは**白紙(タブラ・ラサ)**であり、すべての観念は感覚器官を通して与えられる」(『**人間悟性論**』)

□**18～19世紀** ⇨ 生物学や生理学が発達し、その中に多くの心理学的な問題を含む。感覚生理学・神経生理学の発展は、従来の哲学的心理学が科学的心理学に転換する要因となった。

● **ヴント**(独)＝ 心理学を独立した**実験科学として確立**するために多大な貢献。『**生理学的心理学綱要**』で科学としての体系を示し、その後ライプチヒ大学内に**心理学の実験室**を設置(1879)。20世紀の初めまでの全世界の心理学研究の中心(**心理学の祖**)。

□ **ゲシュタルト心理学** ⇨ 1912年、**ウェルトハイマー**が『運動視に関する実験的研究』を著し、**ケーラー**や**コフカ**らとともに、ヴントの実験的構成主義的な心理学が支配的なドイツで**ゲシュタルト心理学**を提唱。

⇨ 心理学現象を、**ゲシュタルト**（要素に分割することができないまとまり、要素の総和以上のまとまり）として捉え、主として知覚の領域において**ゲシュタルト法則**を提唱。**レヴィン**が大成。

□ **行動主義** ⇨ アメリカでは **W. ジェームズ**の**機能主義的心理学**が伝統的であったが、**ワトソン**によって**行動主義**に発展。ワトソンは意識を心理学の対象とすることに反対し、**客観的刺激とそれに対応する有機体の外的反応（＝行動）**を対象とし、心理学は人間の行動を取り扱う自然科学の一部門であり、意識や心的生活は対象にならないとした。

⇨ 行動主義の影響は大きく浸透したが、その後の自然科学の発展に伴い**新行動主義**にとってかわられた。**トールマン**の**目的論的行動主義**、**ハル**の**動因低減説**、**スキナー**の**オペラント条件づけ理論**などが代表的理論である。

□ **精神分析** ⇨ **フロイト**は**精神分析学**を創始し、それを用いて神経症治療にあたった ＝ **精神分析療法**：抑圧されていたものを意識的に受け入れるような患者の変化を意図した治療法。

⇨ **フロイトの功績**：❶精神現象を**意識・前意識・無意識**の3層に区分、❷**リビドー**という性的欲動である精神的エネルギーを仮定しその在り方による心理的・性的発達の段階を示す、❸人格の構造について、**イド・自我・超自我・理想自我**の概念を立て、それと**意識の3層との関連**を示す、など。

アドラー	**個人心理学**。人間には、劣等感を補償しようとして「権力への意志」が働くとした。
ユング	**集合的無意識**を見いだして、神経症理論や心理療法を民族学・宗教心理学にまで拡大。性格を**内向性**と**外向性**の2種類に分類し、思考・感情・直観・感覚のどれを主機能とするかにより8種の下位類型に分類。
エリクソン	**人格形成**に関する社会や文化の影響を積極的に導入。青年期の発達課題である**自我同一性（identity）**の概念は非常に重要。

ユングは分析心理学の創始者として知られる。フロイトとの共通点を見いだし、一時期交流したがやがて離れ、フロイトのリビドー説に強く異論を唱えた

ポイント 心理学におけるヴントの功績は大きい

教育心理

02 教育心理論②

日付 /

頻出度 **B**

●教育心理学の歴史は、出題頻度は高くないが心理学の基礎となる部分である。
●教育心理学の研究方法はきちんと把握しておこう。

1 教育心理学の歴史

重要度 ★

□ **ホール**(米) ⇨ ヴントの弟子。アメリカで初の心理学実験室創設。児童・青年の研究で組織的に**質問紙法**を用いた大規模な調査を行い、教育心理学や児童心理学の領域を開拓した。

□ **教育心理学** ⇨ 心理学の知識の教育への応用。心理学が社会的に認められるようになった**ヴント以後**に教育心理学も始まる。

□ **ゴールトン**(英) ⇨ 人間の能力の**遺伝的特質**に注目。個人差研究の新しい分野の基礎を築く→ これらの研究に必要な**統計的方法**を発展させる。

□ **エビングハウス**(独) ⇨ 連合の形成過程を考察。**記憶の研究**に尽力。

□ **J. キャッテル**(米) ⇨ ヴントに学び、ゴールトンの影響を受け、個人差の測定に取り組み、**心理調査法の確立**に寄与。

□ **ソーンダイク**(米) ⇨ J. キャッテルの弟子。教育的事象測定に力を注ぐ。**教育測定運動の父**ともいわれる。

□ **ビネー**(仏) ⇨ 医学者シモンと協力して**ビネー・シモン式知能検査**を開発。

□ **その後** ⇨ **モイマン**(独)『**実験教育学入門講義**』(1907)・**ソーンダイク**(米)『**教育心理学**』(1913-1914)の刊行を契機として教育心理学がひとつの学問領域として認識されるようになる。

2 教育心理学の研究領域

重要度 ★

学習・認知に関する領域／発達に関する領域／人格・適応に関する領域／評価・測定に関する領域／学級集団に関する領域

3 教育心理学の研究方法

重要度 ★★★

観察法

研究する事物や行動を**客観的に観察**し、事実を集積して研究資料とする方法。

□**自然観察法** ⇨ 現象に何の操作も加えず、**そのまま観察する方法**。観察者が観察のために接近したりすると、現象に何らかの操作が加えられるのと同じ結果になるので注意が必要。

□**実験観察法** ⇨ 現象に操作を加え、条件を統制して行う観察。一般には２つの等質の集団を作り、一方を**実験群**、他方を**統制群**として、実験群に調査すべき条件を与え、統制群と比較対照しながら検討する方法（**統制群法**）を用いる。因果関係の分析や仮説検証的な研究、同一条件下での追試が可能。

調査法

行動や意識などあらかじめ作成した項目について回答してもらい、それを標本（サンプル）として統計的方法により母集団の推定を行う方法。直接観察や質問ができない多数の児童・生徒などの被験者に対して用いることができる。

□**質問紙法** ⇨ 研究目的に応じて作成された**質問紙を配布**し、それに**回答を記入させ回収**する方法。配布方法には**留置法**や**郵送法**などが採用される。比較的簡単に実施でき、短時間に大量のデータを収集できる反面、回答者の質問内容に対する理解不足などのため、的確な回答とならない場合もある。

□**面接法** ⇨ 調査者が調査用紙の質問項目を読みながら次々に**回答を求め、用紙に記入する方法**（回答を録音して、あとで分析する場合もある）。事例研究、世論調査、カウンセリングのための調査など広い範囲で用いられる。質問紙法に比べ、回答内容の信頼度は高い。面接者と被面接者との間に信頼関係が必要であり、面接者には一定の資質が要求される。面接法を簡略にした**電話による調査**もかなり行われているが、回答の信頼性に問題が残る。

事例研究（ケーススタディ）

教育や臨床の現場での、特定の個人の行動を理解する目的で、**個人の発達の過程・因果関係**を明らかにするための方法。被験者の生育歴、家族関係や友人関係などの個人周辺の環境調査が行われ、継続的な観察や検査などで資料が収集される。複数のセラピストやカウンセラーなどが共同で個別的臨床例（ケース）を受けもち、その治療や指導を多面的に行う。

アクション・リサーチ

レヴィンがグループダイナミクスの研究にもとづき考案した方法。新しい**仮説**を構想し**実践**に移したあと、仮説通りに成果が得られたかどうか検討する。その結果をもとに、**新しい仮説**が構想され実践に移される。**現実の実践（アクション）**と**研究（リサーチ）とが絶えず循環的**に進められていく。

ポイント 質問紙法と面接法は学校でもよく用いられる

学習の理論①（連合説）

日付 ／

●頻出分野であり、連合説と認知説の違いは必須の知識である。
●パブロフの犬の実験、ソーンダイクの問題箱、スキナー箱の3つは内容を確実に暗記しておこう。

1 学習

重要度 ★★★

□**学習** ⇨ 同一、あるいは類似の**経験**が**繰り返された結果**生じる、比較的**永続性のある行動の変容**のこと ＝ **経験にもとづく永続的な行動の変容**。

知識や技能を習得することのみが学習なのではない。また、薬物・飲酒・病気・疲労などの一時的な行動の変化や、身体的成長や成熟による行動の変容は含まない

2 連合説

重要度 ★★★

□**連合説** ⇨ 外界の**刺激**（S：stimulus）と人や動物の**反応**（R：response）の間の**連合・結合**によって学習が成立するという考え方。「**S-R理論**」。

□**パブロフの古典的条件づけ** ⇨ パブロフは、唾液量を測定できるようにした犬に、餌を与える際にメトロノームの音を聞かせた。最初は、メトロノームの音だけでは唾液は検出されなかったが、＜餌＋音＞を続けているうちに、刺激を与えるだけで唾液が検出されるようになった。

❶ 餌（**無条件刺激**）─────────────────→ 唾液（**無条件反応**）
❷ 餌（**無条件刺激**）─────────────────→ 唾液（**無条件反応**）
　　　　　　　　　　　音（**中性刺激**）＝ 反復
❸ 音（**条件刺激**）──────────────────→ 唾液（**条件反応**）

⇨ このような過程を、**古典的条件づけ（レスポンデント条件づけ）**と呼ぶ。条件刺激と無条件刺激が時間的に接近しているほど条件反応が起こりやすくなる（**接近の法則**）。条件刺激を与えた直後に無条件刺激を与えることを**強化**といい、条件刺激のみを与えて無条件刺激を与えないことを繰り返すうちに条件反応が起こらなくなることを**消去**という。

□**ソーンダイクの試行錯誤説** ⇨ ❶**問題箱**（箱の中のひもを引くか、またはペダルを踏むと、それにつながっている扉が開くようになっている）の中に猫を入れ、箱の外側に魚などの猫の好物を置く→ ❷猫は魚を得るために脱出を試みようと、箱の中で暴れる→ ❸偶然、箱の中のひもに手がかかるかペダルを踏むかして、扉が開き、猫は外へ出て魚を食べることに成功する→ ❹このような試行を繰り返すうちに、徐々に猫の無駄な誤反応が減り脱出までの所要時間が短くなっていく。このような学習を**試行錯誤学習**と呼ぶ。

⇨ **効果の法則** ＝ 試行錯誤の結果、得られる効果が「**快**」であれば成功反応は強められ、「**不快**」であれば成功反応は弱められる。

□**スキナーのオペラント*条件づけ** ⇨ ❶**スキナー箱**（箱の中にはレバーがついていて、それを押すと下の皿に餌が出てくるしかけになっている）の中に空腹のネズミを入れる→ ❷箱の中でネズミは餌を求めて探し回り、そのうち偶然にレバーに足をかけ、餌を得ることができる→ ❸この経験を繰り返すうちに、ネズミはレバーを押して餌を獲得するという行動を学習する。このような学習を**オペラント条件づけ**（**道具的条件づけ**）と呼ぶ。

⇨ パブロフの古典的条件づけのように受動的に形成されるのではなく、動物が能動的・自発的に環境に働きかけることによって条件反応（自発反応）が生じる。学習させようとする行動が生じた際に、報酬を与えることを**正の強化**、罰を取り除くことを**負の強化**と呼び、行動の生起頻度を高めるためにはいずれも有効であると考えられている。また、強化をやめた結果、学習行動が減衰していく過程を**消去**と呼ぶ。これらを組み合わせる**シェイピング**という手続きによって、複雑な行動も学習可能となる。

*この理論は、行動療法や**プログラム学習**などの応用領域が開拓され、現在では、技能訓練・嗜癖や不適応行動の改善・障害児の療育プログラム・リハビリテーション・e-ラーニングなどで応用されている。

□**その他の説** ⇨ ワトソンの条件反応説・S-O-R理論・ガスリーの接近説

パブロフの犬の実験、ソーンダイクの問題箱、スキナー箱など、図でその形状や機能の意味などをしっかりおさえておこう！

用語 ※オペラント…オペラント（operant）とはオペレート（operate＝操作する）からのスキナーによる造語。行動や反応が「自発的に」起こるという意味。

ポイント 学習の定義は確実に覚えておくこと！

頻出度
B

●前項と同じく連合説と認知説の違いは必須の知識である。
●ケーラーの洞察説とバンデューラのモデリング理論は確実に覚えておこう。

1 認知説

重要度 ★★★

□**認知説** ⇨ 学習による行動の変容は、行動の場である**環境を新しいしかたで理解しなおす**ことと考え、連合説が示すような経験の反復や試行錯誤を学習成立の主要因とはみなさない考え方。「**記号（S：sign）－意味（S：significate）理論**」「**S-S理論**」ともいう。

□**ケーラーの洞察説** ⇨ ケーラーは、チンパンジーを用いて檻（おり）の中のチンパンジーが檻の外にあるバナナをどのように取るかを観察した。チンパンジーは最初、檻から手足を伸ばしたり、檻を揺らしたり、いろいろなことを試みる。そのうち檻の中にある棒を見つけ、うまくバナナを引き寄せて食べた。

⇨ ケーラーは、チンパンジーが**試行錯誤によってではなく**、引き寄せる道具としての棒を**認知**したとき、今までの**認知構造に変化**が生じたため、バナナを引き寄せるという学習をしたと主張。このように、**手段－目的関係を把握**することを「**洞察**」と呼ぶ。

ケーラーの実験のチンパンジーは、檻の中の短い棒で檻の外の長い棒を引き寄せ、それを用いてバナナを手に入れた

□**トールマンのサイン・ゲシュタルト説** ⇨ 次のページの図のような迷路を作り、❶目標箱に餌を入れないで出発箱から放してネズミを自由に歩かせる（→ネズミは各通路を自由に歩き回る）❷目標箱に餌を入れてネズミを出

発箱から放す（→ネズミは通路1を通って目標箱に行く）。

⇨ このことは、ネズミは目標箱に餌が置かれていないときでも、歩き回っている間に迷路の構造を潜在的に学習しており、餌という刺激が与えられることによって、餌をサインとした**認知地図**を作り直し、その**認知地図**を読みながら目標箱にたどりついたことを示している。彼はこの結果から、学習は単なる**刺激と反応の結合ではなく**、**刺激をサインとした認知の変容**であるとした。

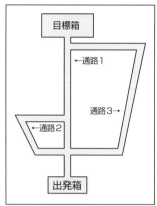

□**レヴィンの場の理論** ⇨ レヴィンは、学習は**認知構造が変化**することによって起こるとし、行動が個人と環境の相互に依存して生起するものと考え、**場の理論**を唱えた。そして、行動の基本原則を、

> B=f(P・E)　B：行動（behavior）　　f：関数（function）
> 　　　　　　P：個人（personality）　E：環境（environment）

という式であらわし、**行動は人格と環境の関数**であるとし、学習を全体論的に捉えようとした。

□**バンデューラのモデリング理論** ⇨ 何かしらの対象物を**見本（モデル）**に、そのものの動作や行動を見て、**同じような動作や行動**をすることによって学習が成立するとする理論。

⇨ ❶**注意過程**（モデルの言動を注意深く観察し、特徴を把握）→ ❷**保持過程**（モデルの言動を銘記・保持）→ ❸**運動再生過程**（保持されたモデルの言動を再生）→ ❹**動機づけ過程**（実際の行動を起こすための動機づけ）の過程を経ることで学習が成立する。

⇨ 人間、特に子どもはモデリングにより学習するとされる。思春期から大人にかけては、**憧れ**からその対象に少しでも近づきたいという心理が生じることがある。芸能人のファンが、ファッションやしぐさなどを真似するのもモデリングのひとつ。

ポイント 芸能人のファッションを真似するのも学習のひとつだ

頻出度 **B**

●教育心理学における用語・意味をしっかりおさえる。
●記憶が記銘→保持→再生という3つの過程を経ることを理解しよう。

1 記憶

重要度 ★

□**記憶** ⇨ 経験したことを一定期間保持し、後にそれを再現する一連の過程、または働き。

2 記憶の種類

重要度 ★★

記憶の種類

□**感覚記憶** ⇨ 保持時間は数百ミリ秒～数秒と短いが、記憶の量は多量。

□**短期記憶** ⇨ 保持時間は数秒～数分、記憶の量は７±２チャンク*。

*情報の検索・符号化・操作などの心的作業を行う作業記憶（ワーキングメモリー）として扱われることも多い。

□**長期記憶** ⇨ 保持時間は数分以上、記憶の量は無制限。

長期記憶の分類

長期記憶

| **宣言的記憶**（陳述記憶）言語に置き換えが可能な記憶 | **エピソード記憶** 特定の日時や場所に関連する記憶 |
| **手続き記憶**（非陳述記憶）非言語的な記憶 | **意味記憶** 一般的知識に相当する記憶 |

受験の際の学習などに大きなかかわりをもつのが意味記憶だ

3 記憶の過程

重要度 ★★

□**記憶の過程** ⇨ ある情報を記憶するためには、**記銘**・**保持**・**再生**という3つの過程を経ることになる。

□**記銘** ⇨ 入力された情報が感覚記憶を経て短期記憶で貯蔵される過程。

□**保持** ⇨ 記銘された情報を、リハーサルを通じて忘却を防ぎ、長期記憶で保ち続ける過程。

□**再生** ⇨ 短期記憶や長期記憶で保持された情報を再現する過程。

□**リハーサル** ⇨ 記銘した情報を復唱したりする作業のこと。この作業によって短期記憶の保持がなされ、長期記憶への輸送が可能となる。

*情報の保持、再生の可能性は、記銘時になされる処理の状態による。

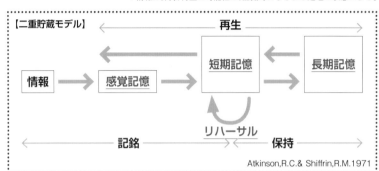

【二重貯蔵モデル】

再生

情報 → 感覚記憶 → 短期記憶 ← 長期記憶

リハーサル

記銘　　　　　　保持

Atkinson,R.C.& Shiffrin,R.M.1971

4 記憶の研究　　　　重要度 ★★

□**エビングハウス** ⇨ ドイツの心理学者。記憶に関する体系的な研究を初めて行った。**記憶の客観的測定**に尽力し、初めて記憶の研究に実験的方法を用いた。実験方法として再学習法や無意味綴りを活用。

□**再学習法** ⇨ 記銘材料をある水準に達するまで暗記（学習）し、一定時間経過した後、再び同じ記銘材料を、最初の暗記で到達した水準に達するまで暗記する方法。一般的に、**再学習は最初の学習よりも、少ない時間、回数で水準にまで到達**する。その時間や試行数が節約された程度を節約率とし、その節約率を記憶の効果とする。

□**無意味綴り** ⇨ 実験の際の記銘時に、できる限り記銘材料のもつ意味が影響しないよう使用する方法。無意味綴りとは、アルファベット3文字を、TID、MEQ、GUKなどのように意味をもたせないように組み合わせて作った綴りである。無意味綴りだと、連想する意味も少なく、実験結果により客観性が保たれる。

用語 ※**7±2チャンク**…ミラーは短期記憶で保持可能な記憶の総量は7±2チャンク（マジカルナンバー7）とした。チャンクは情報を記憶する際の情報の塊。

ポイント 記憶は、記銘・保持・再生の過程をたどることを忘れずに！

忘却

頻出度
B

●記憶とセットで理解する分野で、記憶よりも出題頻度は高い。
●忘却曲線、忘却の理論の各説を確実におさえておこう。

1 忘却

重要度 ★★

□**忘却** ⇨ 記銘した材料が処理される過程で失われ、**再生できなくなる**こと。

□**忘却曲線** ⇨ 横軸に時間経過、縦軸に記憶の保持の程度をとり、忘却の程度をグラフ化したもの（**保持曲線**ともいう）。**エビングハウス**が、再学習法によって求めた下表の忘却曲線が有名である。

【エビングハウスによる保持の時間的変化】

再生までの時間	20分	63分	525分	1日	2日	6日	31日
平均節約率（Q%）	58.2	44.2	35.8	33.7	27.8	25.4	21.1

（$Q\% = \dfrac{L - WL}{L} \times 100$　　L：原学習時間　　WL：再学習時間）

1時間後には約5割の節約率、1日後には約3割の節約率となっている。
節約率が大きければ大きいほど、よく覚えているということになる

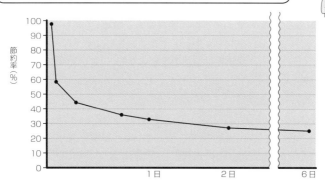

□**レミニッセンス** ⇨ 記憶は、一般には忘却曲線のような経過をたどる。しかし、記銘直後よりもその後のほうが成績が良くなる場合もある。この現象を**レミニッセンス**といい、集中学習や運動の練習時によくみられる。

2 忘却の理論　　　重要度 ★★

□**忘却の理論** ⇨ 忘却が生じる原因に関する諸説。

□**減衰説(衰退説)** ⇨ 記憶情報は、活用しないと時間の経過とともに自然に衰退し、崩壊していくという考え方。短期記憶における忘却を説明する理論として有力。

□**干渉説** ⇨ 記銘から再生までの間に、ほかの学習や活動などの精神活動に干渉されることによって忘却が生じるという考え方。

❶順向干渉：先行の学習(記憶)が後続の学習(記憶)を妨げるもの。

❷逆向干渉：後の学習(記憶)が先行の学習(記憶)に影響を及ぼすもの。

● フラッシュバルブ記憶 ⇨ 劇的で感情を強く動かされるような重大な出来事について、初めて知らされたときの状況を鮮明かつ詳細に想起する記憶 ⇨ 提唱者のブラウンらは、人が原始時代に環境に適応していく過程で重要な事柄を記憶に留めるメカニズムを発達させたものが残っているのかもしれないと推測。

⇦ ナイサーは、フラッシュバルブ記憶の特徴は物語叙述構造の特性であって、特殊なものではないと反論＝メディアによる繰り返しの報道や何度も意識することによって、繰り返し意識されるために記憶される。

□**検索失敗説** ⇨ 確かに記憶しているのだが、その情報に到達できない(＝検索できない)ために起きるという考え方。

● **TOT(tip-of-the-tongue)現象**(「喉まで出かかる」現象)：思い出せそうでなかなか思い出せない、または、どうしても思い出せない現象。これは、検索が上手くできていないために起こる。

● **符号化特定性原理(＝ エピソード説)**：記銘したときに一緒に符号化した手がかりが想起するときの手がかりとなる。エピソード記憶によって、手がかりも一緒に符号化している。

□**抑圧説** ⇨ **フロイト**の理論による。精神的影響が強い経験を無意識の領域に抑圧してしまい、思い出せなくなるというもの。神経症患者にみられる。

エビングハウスの忘却曲線の図形をしっかりと覚えておき、節約率が小さくなるのはなぜかという忘却の理論をおさえること！

学習曲線・学習の転移

頻出度
B

●学習曲線は、具体的な実例に当てはめると理解しやすい。
●プラトー現象は、比較的問われやすい分野であるので要注意である。

1　学習成立以前

重要度 ★★

□**レディネス** ⇨ ある特定の事柄を学習するには、学習者が身体的・心理的にその学習にふさわしい一定の発達を遂げていることが必要であり、そのような**学習成立のための準備性**のことをいい、**成熟**と**経験**によって形成される。

⇨ 本を読むということにおける文字の習得、単語の意味の習得などが**レディネス**となる。実際に学習に取り組むには**動機（モチベーション）**も重要な要素となる。

2　学習曲線とその種類

重要度 ★★

□**学習曲線** ⇨ 学習によって得られた特性（成果）が、学習の継続とともにどのように変化するかを知るために、縦軸に学習到達度、横軸に学習や練習の時間・回数を設定し、その経過をグラフにしたもの。

□**正の加速度曲線** ⇨ 学習（練習）開始とともにその成果はゆるやかに上昇していくが、ある時点から急激に上昇する型。

□**負の加速度曲線** ⇨ 学習（練習）開始とともにその成果は急激に上昇するが、ある時点からゆるやかな上昇となる型。

【加速度曲線】

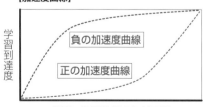

学習到達度

負の加速度曲線

正の加速度曲線

学習・練習時間または回数

試験勉強などで学習のわりに成績が伸びなくて悩む場合、正の加速度曲線にあると考える

ウソウソ

□ **S字型曲線** ⇨ 学習（練習）の開始とともにその成果は上昇するものの、途中で停滞したあと、再び上昇に転ずる型。

□ **プラトー現象** ⇨ **高原現象**とも。一定の成果があったあとに、いくら学習（練習）を重ねても成果の上昇がみられない停滞状況のこと。

【学習の成果の停滞状況】

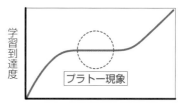

学習・練習時間または回数

プラトー現象期に成果の上昇がないからといって、学習や練習をやめてしまうと、その後の上昇はなくなってしまう

3 学習の転移 　　重要度 ★★

□ **学習の転移** ⇨ **先行学習**が、**後の学習**の成否に**影響**を及ぼすこと。

□ **正の転移** ⇨ 先行の学習の効果が後続の学習の効果にプラスに働く場合。

□ **負の転移** ⇨ 先行の学習が後続の学習の効果を妨害する場合。

□ **0の転移** ⇨ 先行の学習が後続の学習になんらの影響も及ぼさない場合。

□ **学習の転移**の原因

　❶ **同一要素説**（**ソーンダイク**）：同じような要素が学習間に存在すると転移が生じるという説。

　❷ **一般化説**（**ジャッド**）：経験が一般化されて一般原理として認識されたとき、状況だけがスライドして転移が起こるという説。

学習の転移の理論

□ **形式陶冶（とうや）** ⇨ 学習内容の習得よりもそれを手段として精神的諸能力（記憶力、創造力、問題解決能力、判断力、推理力、観察力、意志力、感情）の形式的な側面の育成を重視すること。一般性の高い内容の学習は後続学習に正の転移が生じると考え、学習の転移そのものを形式陶冶とする場合もある。

□ **実質陶冶** ⇨ 学習の転移による効果を最小限に考え、教育内容としての知識や技術を習得することを目的とする。

□ **学習の構え（学習セット）** ⇨ アメリカの心理学者**ハーロー**がサルの弁別学習課題の解決過程の実験により提唱したもの。一定の種類の学習を経験する中で、その種類の学習が容易になっていく。これは**学習の構え**が形成されるからだと考える。

ポイント 陶冶については具体例も含めてしっかりと理解しておこう

動機づけ

日付
／

●動機づけは頻出の分野なので、重要語を軸にしっかりした学習が必要である。
●内発的動機づけ・外発的動機づけ、生理的動機づけ・社会的動機づけは、それぞれセットで理解するのを忘れずに。

1 動機づけ 重要度 ★★★

□**定義** ⇨ **動機づけ**（モチベーション = motivation）とは、**行動の原因**となって**行動を始動**させ、**目標に向かわせる力**のこと。「**欲求 → 動機 → 目標に到達**」の維持過程の総称。児童生徒の心の中に学習しようとする意志や意欲がなければ、学習は成立しない。この**意志や意欲に関わるもの**が動機づけ。

2 動機づけの理論 重要度 ★★★

□**動因（動機）** ⇨ 個体の内部に存在し、個体を行動の発現へと駆り立てる力、行動の直接的な推進力となるもの。

□**誘因** ⇨ 欲求の対象となるもの、行動が駆り立てられる目標のこと。

□**動因低減説** ⇨ 動因に着目した説のひとつ。アメリカの新行動主義者**ハル**が提唱。人や動物が行動するのは**不快な緊張状態である動因から逃れる**ためであるとする。

⇦⇨ **動因導入説**：動因低減説の批判。人はあえて自分からこの動因を求めて行動することもあり、そのような行動こそが人間らしいとする考え方。

3 動機づけの分類 重要度 ★★★

内発的動機づけと外発的動機づけ

□**内発的動機づけ** ⇨ 活動自体が目標で、行動の達成が目的となって動機づけられていること（ex. **知的好奇心**）。

□**外発的動機づけ** ⇨ 活動自体は手段で、それにまつわるほかの目的を達成するために遂行される行動を促すもの。

| 賞と罰 | 一般に賞のほうが罰よりも動機づけには良い効果をもたらす |
| 競争と協同 | 教科知識の習得では協同のほうが優れるという説がある |

生理的動機づけと社会的動機づけ

□ **生理的動機づけ** ⇨ 生命を維持し種を存続させるために必要不可欠とされる生得的な動機。呼吸、性、睡眠、食欲、排泄、適温維持など。

□ **社会的動機づけ** ⇨ 社会生活を経験していく中で獲得されるもの。社会、文化、個人によって異なる。

　⇨ **達成動機**：その文化や社会において優れた目標とされる事柄に対して、卓越した水準でそれを成功させようとか、困難を乗り越えて仕事を成し遂げようとする動機。

　⇨ **親和動機**：社会生活を営む上で、他者に関心をもち、自ら積極的に友好的な関係で人に接しようとする動機。

4　動機づけに関する重要用語　　重要度 ★★★

□ **自己効力感** ⇨ **バンデューラ**が提唱した理論。自らが行った活動の結果、**状況を変化**させることができたという気持ちが、発達や学習の過程における**活動を促進**させる。これは、その後の活動の結果予測や、適切な目標設定などに大きな影響を及ぼす。バンデューラは**自己統制的自己効力感**（自己の行動を制御する基本的な自己効力感）・**社会的自己効力感**（対人関係における自己効力感）・**学業的自己効力感**（学校での学習などにおける自己効力感）の３タイプを挙げている。

□ **コンピテンス** ⇨ **潜在的能力**をもとに、環境に能動的に働きかけて**自らの有能さを追求**しようとする力のこと。内在的動機づけのひとつ。

□ **アンダーマイニング効果（現象）** ⇨ 内発的動機づけによる**知的好奇心**によって維持されていた行動に**報酬や罰**を導入したことによって、報酬を得ること、罰を避けることに力点が置かれて行動するようになるといった**内発的動機づけが低減**するような現象のこと。**デシ**と**レッパー**の実験により判明した現象。〈undermining〉とは「削り取る」の意味。

□ **機能的自律** ⇨ 当初は**外発的動機**づけによって維持されていた行動において、行為者が抱く**興味や関心**のほうに重きが置かれるようになること。

> 報酬を得るために始めた塾講師の仕事が、次第に教えることに喜びを感じるようになり、最初とは異なった気持ちで続けるようになる、といった例が挙げられる

ポイント 生理的動機づけは生理的欲求と、社会的動機づけは社会的欲求と対応

頻出度
B

●まず、発達の要因の諸説を、その提唱者とあわせて理解しよう。
●そのうえで、発達に関する重要語句をおさえていくとよい。

1 発達

重要度 ★★

□**発達** ⇨ 受胎から死亡までの**人間の一生**における**心身の構造・機能の量的増大**と**質的変化**の過程。

2 発達の要因

重要度 ★★

成熟(遺伝)か学習(環境・経験)か

□**環境優位説** ⇨ **ワトソン**は行動主義の立場から、人は環境や学習によって作られると主張。ワトソンは、人間の発達は環境と経験によって決まると唱えたイギリスの経験論者ロックの影響を受け、白紙説を唱える。

□**成熟優位説** ⇨ アメリカの発達心理学者**ゲゼル**が唱えた。発達には経験よりも成熟(遺伝)が重要であると主張。

> **参考** ゲゼルの一卵性双生児を対象にした階段登りや積み木による実験
>
> 一方のグループは先に訓練を始め、他方は7週間後に始めたが、先行グループは7週間早く約3倍量の訓練を受けていたのにもかかわらず、後発グループに急速に追いつかれ、追い越された。

加算説

□**輻輳説**(ふくそう) ⇨ 遺伝と環境がともに発達に作用するという立場。ドイツの心理学者**シュテルン**が提唱。遺伝と環境の両要因が相互に加算的に作用し、**輻輳**(収斂(しゅうれん))して発達していくとする考え方。

□**対極説** ⇨ **ルクセンブルガー**が提唱。ある機能がXの位置にあるとき、環境要因と遺伝要因は加算して100%の割合になるように作用するという考え方。

【遺伝と環境の両要因の関係】

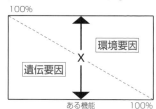

□**相互作用説（環境閾値説）** ⇨ **ジェンセン**が提唱。発達を単なる遺伝と環境の加算ではなく、互いが相乗的に作用し合って決定するものとして捉える。

⇨ 右図の、特性Ⅰは身長のようなもので、素質が大きな要因をなす場合である。特性Ⅱは知能のようなもので、不適な環境下ではその発達が阻害される場合である。特性Ⅲは学業成績のようなもので、環境条件が素質に影響を及ぼす場合である。特性Ⅳは絶対音感のようなもので、きわめて良環境のもとで初めて可能性が開花するというものである。

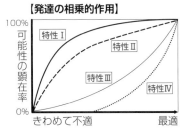

【発達の相乗的作用】

100% 可能性の顕在率 0%

特性Ⅰ 特性Ⅱ 特性Ⅲ 特性Ⅳ

きわめて不適　　　　最適

3　発達に関する重要語句　　　　重要度 ★★

□**ホスピタリズム（施設病）** ⇨ **スピッツ**による、子どもが養護施設等で育てられ母親的な愛情を感じられずに育った場合に生じる、発達上好ましくないとされる諸特徴（発達遅滞、習癖、対人関係不適切）のこと。初期経験の重要性と**臨界期**（ある学習の成立と保持に不可欠な発達上の時期）を強調。

●**マターナル・デプリベーション（母子相互作用欠如）**：**ボウルビー**は、ホスピタリズムの原因は乳幼児と養育者との間の温かい心身の触れ合いの欠如であるとした。

□**インプリンティング（刻印づけ・刷り込み）** ⇨ **ローレンツ**が見いだした、カモやアヒルなどのひな鳥に、孵化後13～16時間内に動き回る対象を見せると、あたかもそれが親鳥であるかのように追いかけ、ほかのものは一切見向きもしなくなる現象。物事の獲得のために最適でありその学習が成立する一定時期を**臨界期**といい、その間に成立した反応は消失しにくい。

□**発達の最近接領域** ⇨ **ヴィゴツキー**の指摘によるもので、発達の水準には、子どもが与えられた問題や技能を自主的に解決しうる領域と、さらにその領域に近接して、自主解決は不可能でも、適当な助言や教示が与えられると解決しうる領域があるという。後者を**発達の最近接領域**といい、発達と教育の相互作用によって、子どもの最近接領域を発見して発達を促すことが重要視されている。

> 子どもの最近接領域を見つけ出し、適切な支援・助言を行うことが今日的な教育の在り方とされている

ポイント 発達の要因に関する理論とその提唱者とを結びつけて覚えよう

発達の諸相

頻出度
B

●採用試験では、発達曲線の型とグラフと解説の組み合わせ問題が出題されることが多いので、その形式に対応できるようにする。
●言語の発達については順序それぞれを完全に暗記しなくてもよいが、順序は把握できるようにしておこう。

1 スキャモンの発達曲線 　重要度 ★★

□**発達曲線(成長曲線)** ⇨ **スキャモン**が、人の発達において各種の臓器は発達過程を異にするとして、**臓器別発達曲線**として、発達を**リンパ型・神経型・一般型・生殖型**の4タイプに分けた。

　⇨ **リンパ型**：リンパ腺や扁桃腺などの分泌組織の発達曲線。11～13歳頃がピーク、その後低下する。

　⇨ **神経型**：脳・脊髄・感覚器官などの発達曲線。乳幼児期に急激に成長し、6歳くらいで成人の約90%まで達する。

　⇨ **一般型**：骨・筋肉・内臓などの発達曲線。乳幼児期と思春期に成長がめざましい。

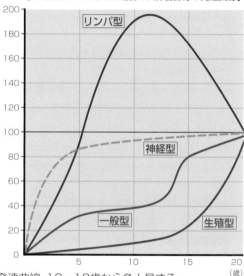

【20歳を100%とした場合の人体各部分の発達曲線】

　⇨ **生殖型**：生殖器系の発達曲線。12～13歳から急上昇する。

2 言語の発達 　重要度 ★★

□**喃語期(0～1歳)** ⇨ 前言語的段階で、偶然発せられる母音や破裂音から母国語の音声に近づく。「あーあー」「ばあ、ばあ」など。

□**初語期(1～1歳半頃)** ⇨ 1語文の段階。「ワンワン」「パパ」「ママ」。

□ **命名期（1歳半〜2歳頃）** ⇨ 事物に名前のあることがわかり、しきりに「これ何？」と質問し、2語文となる。名詞以外に形容詞、動詞なども加わり、2歳で約300語にもなる。「ワンワンきた」「花きれい」など。

□ **羅列期（2〜2歳半頃）** ⇨ 多語文となり、会話が可能となる。「ブーブーの本、読んで」「マンマ食べる」など。

□ **模倣期（2歳半〜3歳頃）** ⇨ 大人のことばの模倣が盛んになり、3歳で約900語となる。「なぜ？」「どうして？」とよく質問する。「マンマ食べたら、ねんねする」など従属文も使えるようになる。

□ **成熟期（3〜4歳頃）** ⇨ 4歳で約1600語にも達する。特に、保育所や幼稚園へ行くようになるとさらに語彙数も増え、話しことばの成熟期に入る。

□ **多弁・適応期（4〜6歳）** ⇨ 反対語や類語など言語の抽象化が可能となり、話しことばから書きことばにも拡大し、言葉を通して社会性を身につけていく。幼児語は8歳頃まで続く。

3 情緒の発達 　　　　　　　　　　　重要度 ★★

□ **ブリッジスの情緒の分化** ⇨ **ブリッジス**は、満5歳までの乳幼児の観察にもとづいて、情緒の発達的な分化を示した。新生児期の**興奮状態**から**「不快」と「快」が分化**し、**「不快」から怒り・嫌悪・恐怖などが分化**し、**「快」から得意、大人や子どもに対する愛情、喜びが分化**し、だいたい5歳頃までに基本的な情緒が発現するとされる（ただし近年の研究では、もっと早くから基本的情緒が現れることがわかっている）。

□ **ハーローのアタッチメント形成** ⇨ **アタッチメント（愛着）**とは、**ボウルビー**が命名したもので、親と子の情愛的な結びつきのことをいう。

参考 **赤毛猿を用いたアタッチメント形成に関するハーローの実験**

赤毛猿の赤ちゃんを親と離して檻に入れ、その中に針金で作った代理の母親（ミルクを出す）と、柔らかい布で作った別の母親（ミルクを出さない）をセットした。すると、赤ちゃん猿はほとんどの時間、柔らかい布製の代理母にしがみついて温かさやスキンシップを楽しんだ。針金製の代理母には空腹時のみ近づいた。

→母親は単に赤ちゃんの空腹を満たすという存在としてだけではなく、むしろ温かい接触やスキンシップが赤ちゃんの情緒を健全に育て、自我を育むことを示している。

ポイント 発達曲線は10歳を基準に、上からリン→神→般→生と覚える

11 発達段階と発達課題

日付 /

頻出度 **B**

●新生児期、乳児期、幼児期、児童期、青年期、壮年期それぞれの時期の特徴をキーワードを手がかりにおさえていく。
●採用試験での出題では、組み合わせの正誤で問われることがある。

1 新生児期

重要度 ★★

□**期間** ⇨ 誕生から3〜4週間(約1ヵ月)。母体を離れた新生児は、呼吸、循環、消化、体温調節などを外界に適応させていく。

□**特徴** ⇨ **全体運動**(マス・アクション)と**新生児反射**(原始反射)。

　⇨ 反射を通して新生児は環境に対して反応したり、不快な刺激を避けたり、母乳やミルクを飲むことができる。多くの反射は生後半年ほどで消失するが、これらの反射は**規則的で明確**であるため、新生児の中枢神経の機能が正常かどうかの目安にもなっている。

❶**モロー反射**：突然強い刺激を与えたり、落下させたりしようとすると、両腕を急に外側へひろげ、次に抱くように内側に曲げ、同時に下肢を持ち上げるような反応。4ヵ月頃消失。

❷**自動歩行反射**：直立させゆっくりと前方へ傾けたり、足を軽く床面に触れさせたりすると、まるで歩いているかのように左右交互に足踏みをする。足踏み反射、原始歩行反射とも呼ばれ、約1〜2週間で消失。

❸**把握反射**：指や手のひらを押すと指を握りしめる。

❹**バビンスキー反射**：足の裏の外側をかかとから指に向かってこすると、足の第1指が反り返る。約1歳頃消失。

❺**起立反射**：わきの下を支え、足の裏に垂直に力が加わるように床にかませようとすると、身体をまっすぐ伸ばす。

【新生児期の反射】

モロー反射

自動歩行反射

把握反射

2 乳児期

重要度 ★★

□**期間** ⇨ 生後1ヵ月〜歩行できる頃（1歳6ヵ月頃）まで。

□**特徴** ⇨ 反射が消え、**離乳**、**歩行**ができ、**ことば**も片言が出る。睡眠と覚醒も安定し、養育者への**愛着行動**やそれ以外の人への**人見知り**が見られる時期。養育者との関係から「基本的信頼感」を獲得し、それが以後の心身の成長・発達の基礎となる。

ボウルビーによる愛着の発達段階

第1段階（誕生〜12週まで）: 人物の弁別は不能。人の動きを目で追ったり、人を見て笑ったり泣きやんだりして**愛着の初期行動**をする。

第2段階（12週〜6ヵ月まで）: 主に養育者に対して、喜びをあらわしたり、笑いかけたりするなど、**愛着行動が多くみられる**ようになる。

第3段階（6ヵ月〜2・3歳頃まで）: 母親や父親の後追いをし、人見知りも強くなる。養育者など自分にとって**安心できる人と、そうではない存在を区別**できるようになっていく。

第4段階（3歳以後）: 主として養育者に関する**認知**が安定したかたちで機能するようになる。その対象を「安全基地」として確信できるようになる。**自我**がめばえ自分の考えがはっきりして、**自他の区別**ができ、母親の感情や行動の目的についての見通しがついてくる。

3 幼児期

重要度 ★★★

□**期間** ⇨ 1歳半頃〜6歳頃。

□**特徴** ⇨ **基本的生活**が身につき始め、依存心は強いながらも「自分でやってみよう」という気持ちも生じてくる。このような自我のめばえにより「**第1次反抗期**」を迎え、自己の存在をアピールすると同時に他者の存在も気になり始めるので、関係のつけ方を学んだり、それを通してルールを理解するなどして社会生活の一歩を踏み出す。

□**運動の発達** ⇨ **神経系統の分化**により**運動機能の発達**がみられ、ボタンをはめたり、紐を結んだりといったような局部的な運動が随意になり、**知覚と運動機能の協働**が進む。

> 幼児期の基礎的生活習慣の習得は大切。近年、それが不十分な子どもが増えている

□**思考の発達** ⇨ 他者の視点が理解できず、**自分の視点**からのみ物事を理解する傾向が強い時期。論理的思考は、**自己中心性**といわれる直観に支配されやすい面をもつ。また、**知覚と情緒が未分化**なため、事物の中に人間と同様の表情を感じたり、ことばの発達により象徴的思考が生じ「**ごっこ遊び**」を好んで行う。このような幼児の世界観は「**アニミズム**」「**人工論**」「**実念論**」という言葉に代表される、いわば、ファンタジックなものである。

□**社会性の発達** ⇨ 乳児期の母子一体感や基本的信頼関係を基本として自我がめばえ、自分は親とは別の存在と気づき**自立**に向かい始める。何でも自分でやってみたく、親のいうことに**反発・反抗**をするようになる（**第1次反抗期**）。遊びは**ひとり遊び**、**平行遊び**の段階を経て、3歳を過ぎる頃から**仲間との遊び**が中心となり**社会性**も広がる。**基本的生活習慣**が確立する時期。

4 児童期 重要度 ★★★

□**期間** ⇨ 6・7歳〜12歳。学童期とも呼ばれる。

□**特徴** ⇨ 身体の発達は比較的ゆるやかで安定期。知能面は学習により知識の基礎・基本が身につき、**仲間意識**が強まることで**社会性も発達**。

□**前期（小学校低学年）** ⇨ 幼児期の**未分化性や自己中心性は残っている**が、小学校という公的な集団生活へ入ることによって**規則**を守る、ということを覚える。入学当初は**児童相互のつながりは薄く**、男女の区別なく家や座席の近さで**仲間づくり**をするが、各児童と教師との結びつきのほうが強い。

□**中期（小学校中学年）** ⇨ 体格・体力が向上し、巧みな**身体運動が可能**となる。知識・経験も増大し、**自分なりの意見や判断力**をもつ。**気の合った仲間の集団**を作って、仲間だけの**暗号**を作ったり**ルール**を決めたりして社会性を強めていく。これは秘密性や閉鎖性が強いことから「**ギャング・エイジ**」と呼ばれ、この時期の大きな特色であり、友人との結びつきを覚える大切な機会でもある。

近年塾通いなどで時間もなく、安全な場所も少なくなり、この特色は薄れつつある。そのため、社会性の未熟をきたし、小さなことによって友人関係が崩れ、いじめや不登校を招く背景となっているといわれている

□**後期（小学校高学年）** ⇨ 男女は一層別々の行動をとることが多くなり、ときには反発、対立する。**親密な友人**ができるようになるが、後半は**思春期**への移行時期となっていくので、**性指向にもとづく性への関心**が徐々に生じ始める。

思考の発達により、具体的経験などから**論理的・抽象的な思考**ができるようになる。学校では下級生の指導や責任感が増大していく。近年、**発達加速現象**によって、初潮の低年齢化など**第2次性徴**の出現も早くなりつつある。

5 青年期 重要度 ★★

- **期間** ⇨ 12歳～22・23歳頃（社会人生活に入る頃まで）。
- **特徴** ⇨ 生理的、心理的、社会的に**子どもから大人**へ脱皮する**過渡期**であり、特に前期は、新生児期と同じく心身の発達がめざましく、情緒的に不安定な**思春期**でもある。**レヴィン**は、青年期を子どもと大人の世界の境界線上あるいはその周辺にいるという意味で**境界人（マージナル・マン）**と呼び、**ホリングワース**は、「**心理的離乳**」の時期であるとした。
- **前期（思春期）** ⇨ 身体的に急速な発達を示し、**第2次性徴**が発現。女子は男子より早く成長し、初潮も**発達加速現象**によって早まっている。身体的には成人並みになるが、心理・社会的には子どもの段階にあり、**情緒的に大変不安定**となる。**自我の発達**が著しく、自己主張も強くなり、大人社会の権威に対し激しく反抗したり（**第2次反抗期**）、反社会的行動に出る者も出てくる。まさに「**疾風怒涛の時代**」と**ホール**が述べたゆえんである。
- **中期** ⇨ 身体的発達が穏やかになり、**社会的自覚**もやや高まり、落ち着きをみせ始める。**心理的離乳**も果たし、**自立へと模索**しながら歩き始める時期。
- **後期** ⇨ **エリクソン**によれば、**アイデンティティ（自我同一性）の確立**がこの時期の大きな課題である。社会的には就職し、結婚などが視野に入る時期でもある。自我同一性の確立とは、「**自分が何者であるか**」ということを**社会的確信**の中で回答できることである。それにより、社会人としての生活を営むことができるようになる。

6 壮年期（成人期）・老年期 重要度 ★

- **壮年期（成人期）** ⇨ 社会的な活動によって**自立**し、**生計**を営み、多くは**家族を形成**する時期。**60歳**頃までを指す。
- **老年期** ⇨ **60歳以降**の時期を指す。退職という社会的に大きな変化や、主に**身体の衰え**、**配偶者との別れ**などの**喪失**を特徴とする一方、人間的に最も**円熟**する時期。

ポイント ギャング・エイジは試験でよく扱われる

発達理論

頻出度
A

●この項目自体が最頻出事項なので、それぞれの説を確実に覚えておこう。
●特にピアジェの理論は最頻出なので、4段階とその特徴を確実に暗記してしまうこと。

1 ピアジェの発達理論

重要度 ★★★

思考発達の4段階説

□スイスの発達心理学者**ピアジェ**は発達を環境への適応過程として捉え、認知発達、特に思考の発達について、**4段階説**を提唱した。

【思考の発達過程(Piajet,J.1960)**】**

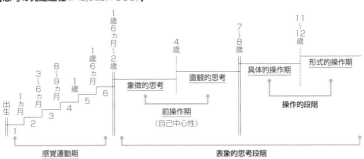

□**感覚運動期**(0〜2歳) ⇨ 吸う、つかむなどの行動によって**新しい環境に適応**する時期。ものを把握するために**探索活動**が盛んな時期でもある。ことばを獲得し、**概念知能**が働くようになる。

□**前操作期**(2〜7歳頃) ⇨ 視点や思考は、「ほかの人も自分と同じように見たり考えたりしている」とみなす「**自己中心的**」段階にいる。

　前半 = 象徴的思考：あるものをことばや記号の象徴(シンボル)によってあらわす思考。

　後半 = 直観的思考：物の外観を見たままで理解する思考。

　⇨ 何にでも生命があると考える「**アニミズム**」、何でも人間が作ったと考える「**人工論**」、何でも実在すると考える「**実念論**」という世界観のある時期。

□**具体的操作期**（7〜12歳頃）⇨「自己中心的思考」から脱し（**脱中心化**）、**具体的な事物や場面では論理的思考が可能**となる時期である。また、数や量は形を変えても、数の保存・体積の保存・重さの保存の概念のように、とったりつけ加えたりしなければ不変だという「**保存概念**」や、**可逆的思考**が獲得される。

□**形式的操作期**（12歳頃〜）⇨ **抽象的な対象に対する論理的思考が可能**となり、**仮説を立てて考える科学的思考**に必要な知的能力が完成する時期。

同化と調節

□**発達** ⇨「**同化**」と「**調節**」が「**均衡化**」に向かっていくこと。

□**シェマ** ⇨ 外界からの情報を処理する認知的枠組み。

□**同化** ⇨ すでに持っている**シェマ**と一致しない情報が入力されたとき、**情報自体をシェマに合うように修正**する働き。

□**調節** ⇨ **シェマを情報に合わせて修正**する働き。

□**均衡化** ⇨「**同化**」と「**調節**」が調和を保っていくこと。

言語の発達

□**幼児の言語発達** ⇨ **自己中心的言語**から**社会的言語**への移行の過程。

□**自己中心的言語** ⇨ 情報や意思の伝達を目的としない言語。ことばの反復（おうむ返し的な言語活動）、ひとり言（独語：自分に向かって声を発する）、集団的ひとり言（集団的独語：集団の中で他者からの応答を期待しないで発せられる）など。

□**社会的言語** ⇨ 情報や意思の伝達を目的とする言語で、他者に向けて発せられる発話 ⇦⇨ **ヴィゴツキー**：**外言**（他者との伝達手段としての言語）が自己中心的言語を経て**内言**（思考の手段としての言語）に発展すると捉える。

教育心理

頻出度 **Ⓐ**

発達理論

2 フロイトの発達理論　　重要度 ★★★

□**発達の源泉** ⇨ **リビドー**（**性的エネルギー**）にあるとし、リビドーの集中部位が発達によって変わり性格形成にも関与するとして、発達段階を提示。

□**口唇期**（0〜1歳頃）⇨ 吸う、しゃぶるなど、口唇に快感を得る段階。

□**肛門期**（1〜3歳頃）⇨ 排泄のしかたを覚え、括約筋をコントロールする肛門部に快感を得る段階。

□**男根期**（3〜5・6歳頃）⇨ 男女児ともに性器への関心をもつ段階。

□**潜伏期**（5・6〜12歳頃）⇨ リビドーが無意識内に潜伏する段階。

ポイント ピアジェの4段階とその特徴は確実に覚えること

□**性器期**（12歳頃〜）⇨ **第2次性徴**が発現し、性的関心・行動が高まる時期。

3 ▶ エリクソンの発達理論　　　　　　　　　重要度 ★★★

□**生涯発達学説（ライフ・サイクル論）** ⇨ フロイトの精神分析論を基本として、人間の一生を**8段階**に区分し、それぞれの段階に「**心理社会的危機**」と呼ばれる課題があり、その解決のしかたが発達に影響を及ぼすとした。

【フロイトとエリクソンの発達段階説】

フロイト理論		エリクソン理論	
年齢	段階	年齢	段階
0〜1歳	**口唇期**	0〜1歳半	乳児期：**基本的信頼** 対 不信
〜3歳	**肛門期**	〜3歳	早期児童期：**自律性** 対 恥・疑惑
〜5・6歳	**男根期**＊	〜6歳	遊戯期：**主導性** 対 罪悪感
〜12歳	**潜伏期**	〜11歳	学齢期：**勤勉性** 対 劣等感
〜14・15歳	**性器期**	青年期：**自我同一性**（アイデンティティ）の確立 対 自我同一性拡散	
＊男根期＝**エディプス期**ともいう		初期成人期：**親密と連帯** 対 孤立	
		成人期：**生殖性** 対 停滞	
		成熟期：**自我統合感** 対 絶望	

□**自我同一性** ⇨ **自己同一性**とも。自分は何者であり、何をなすべきかという個人の心の中に保持される概念。

□**モラトリアム** ⇨ 自我同一性確立までの自分探しの期間。

4 ▶ ハヴィガーストの発達課題　　　　　　　重要度 ★★

□**発達課題** ⇨ **ハヴィガースト**は「人間が健全で幸福な発達を遂げる為に各発達段階で達成しておくことが望ましい課題を**発達課題**という。**次の発達課題に問題なくスムーズに移行**するために、各発達段階で習得しておくべき課題がある」と主張し、生物学的・文化的・心理学的基準にもとづいて、それぞれの発達段階における課題を列挙した。彼は各発達段階における課題が達成されてこそ発達が正常に進むが、その段階の発達課題がクリアにされないと、その後の発達が妨げられ、不適応を起こすと説いた。

ハヴィガーストの発達課題 （成人期・中年期・老年期は省略）

発達段階	発達課題
乳幼児期	歩行の学習 固形食をとる学習 排泄の学習 話すことの学習 性差と性的つつしみの学習 社会的・身体的事物についての単純な概念の形成 両親・兄弟姉妹との情緒的結びつきの学習 善悪の区別、良心を発達させる。
児童期	日常のゲームに必要な身体的技能の学習 遊び仲間とうまくつきあう学習 男子・女子としての適切な性役割の学習 日常生活に必要な概念を発達させる。 良心・道徳性・価値観を発達させる人格的独立の達成 社会集団や制度に対する態度を発達させる。
青年期	友人と新しい、成熟した人間関係をもつ。 自分の身体的変化を受け入れ、男性または女性としての社会的役割の達成 両親・他の大人からの情緒的独立の達成 職業の選択とその準備をし、経済的独立の目安を立てる。 結婚と家庭生活への準備 市民として必要な知識的技能と概念を発達させる。 行動を導く価値観や倫理体系の形成 社会人としての責任ある行動をとる。

5 コールバーグの道徳性の発達段階 重要度 ★★

□道徳性の発達段階 ⇨ **コールバーグ**は、ピアジェの発達理論にもとづいて、他律的な道徳性から自律的な道徳性へと発達する、**道徳判断**についての**3水準6段階**からなる発達段階を提唱した。

【コールバーグの道徳性の発達段階】

水準	段階	背景となる認識能力
前慣習的水準	第1:**罰回避と従順志向**	物理的結果による行為の善悪判断
	第2:**道具的互恵・快楽主義**	物質的・実用主義的な解釈
慣習的水準	第3:**他者への同調・よい子志向**	善い行為は他者に肯定されること
	第4:**法と秩序の維持**	社会的・全体的視点による判断
後慣習的水準	第5:**社会契約・法律の尊重志向**	功利主義的色彩、法の非絶対化
	第6:**普遍的・原理的原則への志向**	自らの論理的原則にもとづく判断

ポイント エリクソン理論の心理社会的危機の内容は重要

人格と性格の理論

日付
／

●人格の分類に関しては類型論と特性論の違いを確実に理解しておくことが大切である。
●クレッチマーの理論は、出題されたら確実に得点しておきたい分野なので、きちんと理解しておこう。

1 人格・性格・気質の定義

重要度 ★★

□**人格**(personality) ⇨ **個人のもつ統一的・持続的な特性の総体**。

□**性格**(character) ⇨ **個人における感情及び意志の比較的恒常的な反応総体**。人格と概念的に明確な区別がなされているわけではない。特に**個人差を強調**する場合に使用されることが多い。

□**気質** ⇨ **情緒的な反応**の傾向を指す。人格や性格の下部構造として捉える。

2 類型論

重要度 ★★

□**類型論** ⇨ 人間の多様な人格を少数の**典型的な性格像**(**型**)に当てはめて理解しようとする立場。

□**クレッチマーの理論** ⇨ 多年にわたる臨床経験から、統合失調症(精神分裂病)・躁うつ病・真性てんかんが、**体格**との間に**密接な関係**があることに気づいた。さらに健康な人の体質と人格の関連についても研究をひろげた。

体格	精神病	健康人の気質と特徴
やせ型	統合失調症	**分裂気質**:非社交的・臆病・敏感・従順
肥満型	躁うつ病	**躁うつ気質**:社交的・明朗活発・善良・親切
闘士型	てんかん	**粘着気質**:几帳面・粘り強い・怒りやすい

現在では精神病の概念自体が大きく変化しているため、この類型は臨床的に用いられている指標にはなっていない

□**シェルドン**の体質類型論 ⇨ 体質にもとづく人格分類。

体質	特徴
内胚葉型(内臓緊張型)	肥満型:社交的・安楽志向・飲食を楽しむ
中胚葉型(身体緊張型)	がっしり型:活動的・自己主張・精力的な活動
外胚葉型(神経緊張型)	やせ型:抑圧的・過敏・安眠できず疲労感をもつ

□ **ユングの向性論** ⇨ リビドーを一般的な心的エネルギーと捉え、そのリビドーが個人の外に向かいやすいか、内に向かいやすいかによって分類。

外向型	興味や関心が主として他人や外的事物に向けられるタイプ
内向型	興味や関心が自分自身に向けられるタイプ

□ **精神機能** ⇨ **ユング**は、**思考** ⇔ **感情**、**感覚** ⇔ **直観**の4つの精神機能を挙げた。そして先の外向型と内向型の向性の次元とこの4つの精神機能の組み合わせにより**8つの人格類型**を考えた。

3 特性論　　　　　　　　　　　　　重要度 ★★

□ **特性論** ⇨ **人格特性**という構成要素を用い、それぞれの要素が個人によっていかに組み合わされているかを分析し、ひとりの人格全体を把握しようとする。特性を抽出・分析する際には**因子分析**という統計的手法を使用。

□ **G.W. オルポートの理論** ⇨ **オルポート**が初めて**人格特性**という言葉を用いた。辞書から人間の特性を示すと考えられる用語を17,000語以上抜き出して整理し、これらを心理生物学的要因にもとづく**個人特性**と、同一文化内のほとんどの人間にみられる**共通特性**とに大別し、これらをもとに**心誌（サイコグラフ）**を作成した。そこに記入される折線グラフは、個人の人格の特徴を一目瞭然に分かるように**視覚化**したもの。

□ **R.B. キャッテルの理論** ⇨ **因子分析法**を用い、特性を抽出。人の行動特徴を記述した用語を多数収集し、それらを整理して**共通特性**と**個別特性**のほかに**表面特性**と**根源特性**を析出した。

□ **アイゼンクの理論** ⇨ **アイゼンク**は、精神医学的診断・質問紙検査・身体的差異などについて多角的に測定し、人格を、**個別的反応のレベル → 習慣的反応のレベル → 特性のレベル → 類型のレベル**という4段階の構造をもつものとして捉えた。この理論は **MPI（モーズレイ性格検査）**の基盤となっている。

□ **ギルフォードの理論** ⇨ **ギルフォード**は向性検査の項目を統計的手法を用いて分析し、**13の特性（社会的向性・思考的向性・抑うつ性・回帰性・客観性・一般的活動性・支配性・男子性・劣等感・神経質・のんき・協調性・攻撃性）**を見いだした。これらを基礎として日本人用に再構成されたものが、代表的な人格検査である **Y-G テスト（矢田部・ギルフォード性格検査）**である。

ポイント 出題は少ない項目だが、特性論の理論と提唱者は覚えよう

性格検査

日付
／

頻出度
B

●質問紙法、作業検査法、投影法、描画法という
　性格検査の4種類について、種類・考案者・内容・
　目的を理解する。
●投影法のテスト内容は、きちんと区別できるよう
　にしておこう。

1　質問紙法　　　　　　　　　　　　重要度 ★★

人格特性にかかわる様々な側面からの**多数の質問**を用意して、限定された**選択肢**の中から、自分がどれに該当するかを選ばせる形式。

□ **向性検査** ⇨ **ユング**の分析心理学にもとづき、**外向・内向**の度合いを、種々の質問によって数量的に示したもの(P.213参照)。

□ **Y−G テスト(矢田部・ギルフォード性格検査)** ⇨ **ギルフォード**の研究にもとづいて**矢田部達郎**らが日本人用に作成したもの。適性検査において頻繁に利用されている検査のひとつ。測定する特性は、社会的適応に関連した**12特性**。合計**120問**が質問され、特性ごとに集計して、**プロフィール**であらわされる。プロフィールの型から**5つの類型**での性格理解も可能。

□ **MMPI(ミネソタ多面人格目録)** ⇨ ミネソタ大学のハサウェイとマッキンレイが作成。特性を多面的に把握し、神経症的不適応を判別する目的をもつ。550の質問項目から成り、心気症・抑うつ性・ヒステリー性・精神病質的偏りなど、10の主要な人格特性を測定する。

2　作業検査法　　　　　　　　　　　重要度 ★★

一定の簡単な**作業(精神作業)**を行わせて、その**作業過程や結果**から個人の人格特徴を診断する検査。

□ **内田・クレペリン精神作業検査** ⇨ **クレペリン**の研究をもとにして、**内田勇三郎**が工夫し、独自のものとした検査。ランダムな**1桁の数字の連続加算作業**を繰り返すことで得られる**作業曲線**から人格を測定。

3　投影法　　　　　　　　　　　　　重要度 ★★★

あいまいな図形や絵を刺激とし、自己の内的な世界を外にあらわすことを利用して人格を理解する方法。

□ ロールシャッハ・テスト ⇨ ロールシャッハが考案したテストで、左右対称のインクのシミ（インクブロット）が描かれた10枚の図版を決められた順番で見せ、被験者は見て感じたことを自由に言語表現する。検査の終了後、言語反応のすべては記号化され、人格特徴を記述していく。

□ TAT（絵画統覚検査／主題統覚検査） ⇨ マレーとモルガンの考案。ある状況を描いた絵画を被検査者に示し、その絵から想像的物語を作らせる。想像的物語から主人公のもつ要求、主人公をとりまく圧力、主人公の感情や行動などを分析して、人格を診断する。

□ P-Fスタディ（絵画欲求不満テスト） ⇨ ローゼンツァイクが考案したテストで、日常生活において経験するような欲求不満場面の絵を提示し、絵の中の人物のセリフに対してどのようにこたえるか記述させる検査。こたえ方によって、阻止された要求に関して3つの基本型（欲求固執型・自我防衛型・障害優位型）と、攻撃反応の方向による3つの基本型（外罰的反応・内罰的反応・無罰的反応）を解釈し、その組み合わせで被検査者の社会適応性を診断しようとするもの。

□ SCT（文章完成法） ⇨ 被検査者に、「私のお母さんは……」「私が失敗したとき……」などの完全でない文章の書き出し部分を示し、続きを文章で自由に補って完成させるもの。不完全な記述は被検査者の情動が多面的に喚起されるように工夫されており、個人的補足部分にその人らしさが投影されると考える。

4 描画法　重要度 ★★

被検者に絵を描かせ、その絵から性格を推定するもの。

□ バウム・テスト（樹木画検査） ⇨ コッホが人格診断法として考案した、樹木の絵を描かせる検査。検査者は描く過程の観察も行う。紙面における樹木の位置、樹木の根・幹・葉などの形状、または筆跡や紙面の使い方から、人格特徴を把握する。

□ HTPテスト ⇨ house-tree-person test の略称であり、バックによって考案された。家・木・人（男・女）をそれぞれ1枚の紙に描かせ、人物画は社会とのかかわりという点で被検査者の適応度を、樹木画は基本的・永続的なより深い感情や自己への態度を、家の絵は家族関係や生活に対する感情や態度をあらわすとされる。ヨーロッパではロールシャッハ・テストについでよく用いられるテスト。

ポイント 投影法のそれぞれのテストの内容を理解しよう　215

15 適応の心理

頻出度 B

●この分野の頻出領域は「適応機制」である。まず、それぞれの適応機制が具体的にどのような行為・行動となるかの実例を確認しておくこと。
●次いでフラストレーションとコンフリクト（葛藤）の分野も内容を理解するように進めていくとよい。

1 適応
重要度 ★★

□**適応** ⇨ **生活体**と**環境**とが**調和**した状態を保つこと。

□**適応状態** ⇨ 人間が自らの欲求を満たすために、自己周囲の様々な環境に対して種々の働きかけを行い、その間が相互調和的関係にある状態。

2 フラストレーション（欲求不満）
重要度 ★★

□**フラストレーション（欲求不満）** ⇨ 人の**欲求**が何らかの原因で**阻止**された状態（欲求阻止）、またはこれによって生じる**内的に満たされない状態**。

　⇨ <u>ローゼンツァイク</u>：フラストレーションの原因 ＝ **外的要因**（貧困などの欠乏状態・地震や火災での喪失・強固な障壁など）と**内的要因**（身体的障害や知的障害・急病や怪我・コンプレックスなど）に分けた。

□**フラストレーション反応** ⇨ 心理生理的な緊張状態における反応。

攻撃反応：攻撃は一種の**心的内容の浄化**（カタルシス）で外部に向かう攻撃と、それが阻止されると自分自身に向かう自傷行為的な自己攻撃とがある。

退行反応：極度の緊張状態から未分化な状態への退行による逃避反応。

固着反応：ひとつのことに固執してしまう反応。

代償反応：目的、手段を変更して解決を図ろうとする反応。

抑圧反応：処理不可能な問題を心の奥に閉鎖して意識に上らせない反応。

□**フラストレーション耐性（欲求不満耐性）** ⇨ フラストレーションに対して心理的・身体的に耐え、**理性的・合理的に対応**する力。遺伝的要因のほかに、人間としてどのような環境の中で育てられたかという環境要因が大きい。

3 コンフリクト（葛藤）
重要度 ★★

□**コンフリクト（葛藤）** ⇨ 2つ以上の、強さが同じくらいで互いに相反する欲求が同時に存在し、その**選択に迷う状態**。

□ **レヴィンによる３つの型** ⇨ ❶**接近－接近型の葛藤**（２つのプラスの誘引性のある目標にはさまれ、どちらにも接近したいために二者択一ができない状態）、❷**接近－回避型の葛藤**（プラスとマイナスの誘引性を同時に持っている場合）、❸**回避－回避型の葛藤**（マイナスの誘引性をもつ２つの目標にはさまれ、どちらも避けたいが避けられない場合）

4　適応機制　　(出題) 神奈川　　重要度 ★★★

□ **適応機制（防衛機制）** ⇨ フラストレーションやコンフリクトを回避したり、解消させたりして、再び**安定性**を取り戻す力動的な**心的操作の過程**。

□ **補償** ⇨ ある特性を強調することによって、自分の弱点や欠点を補うこと。

□ **置き換え（代償）** ⇨ ある対象への態度や感情を、無意識のうちにほかの対象に置き換えることで欲求不満の解消がなされること。

□ **同一化（同一視）** ⇨ 他者の特徴や業績などを内在化することで自己価値観を高めること。

□ **昇華** ⇨ 「置き換え」のうち、社会的、文化的に価値の高く承認される形に変容させて欲求を充足させること。スポーツは攻撃性の欲求が**昇華**されたものであり、芸術や文学は性的欲求の**昇華**の典型例である。

□ **知性化** ⇨ 感情面を切り離して、知的に客観化することにより、感情的な混乱や恐れから逃れようとする。

□ **合理化** ⇨ 自己の行動を正当化するため何らかの理屈づけをする（「イソップ物語」のブドウとキツネの話）。

□ **分離** ⇨ 本能・衝動などは、普通、表象と感情を伴っているものであるが、表象と感情とを厳密に分けてしまう機制。

□ **逃避** ⇨ 適応困難な事態に直面したとき、そこから逃げ、避けること。

□ **投影（投射）** ⇨ 自分の持っている望ましくない特性や態度を、他人や外部のものに転嫁する機制。

□ **退行** ⇨ 解決することが困難な状況において、自我が合理的な対処法を放棄して、より未発達な段階に逆戻りすること。

□ **抑圧** ⇨ 恐ろしい、あるいは受け入れ難い不安、苦痛、欲求や葛藤、これと結びついた観念、感情、記憶などを意識から締め出し、無意識の世界に閉じ込めてしまう機制。

□ **反動形成** ⇨ 抑圧のために、無意識的に本来の欲求や衝動と反対の行動・態度を示す機制。

教育心理

頻出度 **B**

適応の心理

ポイント 適応機制は自己の体験からでもその例を探すことが可能だ　217

カウンセリング

頻出度

A

●近年の社会傾向との関係で、来談者中心療法を中心として出題機会が増えている分野である。
●カウンセリング・マインドは教員としても必須の内容であることを意識しておこう。

1 カウンセリング

重要度 ★★

□ **カウンセリング** ⇨ **カウンセラー**と**クライアント**（**相談者**）の**言語的**および**非言語的**な**コミュニケーション**を通して、**不適応**を引き起こしているクライアントの**問題解決**、**行動変容**を援助していくこと。

□ **カウンセラー** ⇨ **心理学的な方法と手段**によって、不適応の人との**治療的**かかわりをもつ者のこと。精神医学・臨床心理学などを修めた専門家の場合は、**心理カウンセラー**と呼ぶ場合がある。

指示的カウンセリング

□ **臨床的カウンセリング** ⇨ 20世紀初頭、**ウィリアムソン**による**臨床的カウンセリング**が注目を集めた頃から、カウンセリングの理論が成立し始める。方法的特徴から**指示的カウンセリング**と呼ばれる。クライアントの悩みの原因を**適切な情報の不足**と考え、クライアントが自ら解決していけるような適応した状態へ導くために、**カウンセラーが正しい情報を指示**する。**カウンセラー主導**のカウンセリング法。

ロジャーズの来談者中心療法 🖋️ 重要！

□ **ロジャーズ** ⇨ 問題解決のために自己や周囲の状況がどう変容していくのが最良なのかを知っているのはそのクライアント本人であるとする。**来談者中心療法**（**非指示的カウンセリング**）と呼ばれ、カウンセラーはクライアントに対して、診断や分析を行わず、助言や指示を与えず、クライアント自身の治癒力を信じて、**自己変革の力を引き出す人間関係を二者の間で構築**していくことを重視し、**援助**していく。

□ **来談者中心療法の基本原則** ⇨ ❶**共感的理解**：来談者中心療法において重視されるカウンセラーの態度。ロジャーズは、クライアントの立場をカウンセラーが「あたかも（自分の世界）のように（as if）」受け止めることの重要性を説く。❷**無条件の肯定的関心**：カウンセラーがクライアントの態度を

評価や分析から離れ、温かく無条件に受け容れること。❸**自己一致**：自己概念と経験の一致のことで、カウンセラーが治療関係の中で自分らしく自由に、かつ自己の経験が正確に気づかれ表明されている状態。

> 来談者中心療法では、クライアント自身が主体的に自己理解を深め自己の在り方を選択していくよう援助していく立場をとる

ラポール

□ **ラポール** ⇨ カウンセリングにおいて、最も重要となるカウンセラーとクライアントの間の**友好的信頼関係**が大切である。

カウンセリング・マインド

□ **カウンセリング・マインド** ⇨ **来談者中心療法における人間関係の在り方**を目指し、実行しようとする態度や姿勢。**教育**などの現場においても、教師が児童生徒に接する際に必要とされる態度として提唱される。子どもの話に共感的に耳を傾ける際、論理的・分析的に大人の視点から評価しようとするのではなく、子どもの自由な感情の表出としてあるがままに受容すること。

2 スクールカウンセラーの配置　　重要度 ★★

□ **スクールカウンセラー制度** ⇨ 学校を取り巻く様々な問題を解決するための一方策として、平成7年度から文部省（現文部科学省）は臨床心理士などの専門家を学校に配置し、児童生徒と保護者へのカウンセリングや、教師に対する助言指導を行う「スクールカウンセラー活用調査研究委託」事業を実施。その後、平成13年度以降は国の補助事業として任用数と配置校数が拡大され、**令和6年度には27,500校以上に配置**されている。

□ **スクールカウンセラー**とは ⇨ 子どもの知的発達や人格的成長を援助するために、**臨床心理学的な立場**から指導をする専門家。**年間35週、1回4時間という勤務形態で派遣**される。一般的なスクールカウンセラーの役割は、❶児童生徒に対して個別的に面接しての相談、助言を行う、❷担任教師や保護者の相談に応じる、❸保護者や関係機関との連絡に任ずる、❹校内の生徒指導計画およびその評価などに関して主な役割を担当する、❺校内や地域でカウンセリングについての研修会や講演会などの講師を行う、❻心理テストおよび調査を行う、など。

> **ポイント** カウンセリング・マインドは
> 生徒指導において最も重要な心構えとされる

□カウンセリングの手法

グループ・エンカウンター	**集団学習体験**を通じ、人間的な自己成長をねらい、**親密な人間関係づくりを援助するための手法**
ピア・サポート活動	**ピア(peer：仲間)とサポート(support：支援)で作られた言葉**で、言葉通り、仲間によるサポート活動
ソーシャル・スキル・トレーニング	社会で人と人とが関わりながら生きていくために欠かせない**スキル**を身につける訓練
アサーション・トレーニング	**自分も他者も尊重しながら円滑なコミュニケーションができるスキル**を身につけるトレーニング
ストレス・マネジメント教育	ストレス反応を低減させ、**心身の健康を保ち、各人の本来の能力を十分に発揮**できる条件
ライフ・スキル・トレーニング	**発達に特性のある子どもたちが、大人になるまでに身につけたい、生きるためのスキル**を獲得するためのトレーニング

3 児童・生徒の発達の支援のために～学習指導要領(平成29年)より 重要度 ★★

□新しい『学習指導要領』(小・中／平成29年)では、「児童(生徒)の発達を支える指導の充実」として、カウンセリングに言及している。

> 学習や生活の基盤として、教師と児童(生徒)との信頼関係及び児童(生徒)相互のよりよい人間関係を育てるため、日頃から学級経営の充実を図ること。また、主に集団の場面で必要な指導や援助を行う**ガイダンス**と、個々の児童の多様な実態を踏まえ、一人一人が抱える課題に個別に対応した指導を行う**カウンセリング**の双方により、児童(生徒)の発達を支援すること。
> あわせて、小学校の低学年、中学年、高学年の学年の時期の特長を生かした指導の工夫を行うこと。(←小学校のみ記述)
> (小・中学校学習指導要領　(第1章第4の1の(1)))

前記「小学校学習指導要領」の記述について、「小学校学習指導要領解説」は次のようにいう。

> **カウンセリングの機能を充実**させることによって、児童一人一人の教育上の問題等について、本人又はその保護者などにその望ましい在り方についての助言を通して、子供たちのもつ悩みや困難の解決を援助し、**児童の発達**に即して、好ましい人間関係を育て、生活によりよく適応させ、人格の成長への援助を図ることは重要なことである。カウンセリングの実施に当たっては、個々の児童の多様な実態や一人一人が抱える課題やその背景などを把握すること、早期発見・早期対応に留意すること、**スクールカウンセラー等の活用**や関係機関等との連携などに配慮することが必要である。　（小学校学習指導要領解説 総則編（第3章第4の1の(1)））

□**スクールソーシャルワーカーの現状**

文部科学省は**社会福祉**などの専門的な知識・技術を用いて、児童生徒が置かれた様々な**環境**へ働きかけ、**関係機関**などとのネットワークを活用して**支援**を行う専門家であるスクールソーシャルワーカーを配置する都道府県等に対して補助を行っている。

【令和6年度の目標】

すべての中学校区に配置（10,000校）する。

令和6年度は重点配置校数を拡充し、10,000校に配置するとともに、**オンラインを活用した広域的な支援体制整備**を行う（全都道府県・政令指定都市）。

参考　スクールロイヤー

学校内の問題に対し、法律家である弁護士の立場でこれらを解決し、トラブルの前段階から学校へアドバイスするのがスクールロイヤーである。

文部科学省は2020年度からスクールロイヤーの全国配置を進めているが、独自に導入した地方自治体もある。

文部科学省内に、学校現場での法務相談等の業務に携わっている弁護士を「スクールロイヤー配置アドバイザー」として配置している。

頻出度
B

●特別支援教育との関連で出題されることが多い事項である。
●PDD・LD・ADHDのほか、心因障害もおさえておくこと。

1 主な心因障害

重要度 ★★

□**心的外傷後ストレス障害（PTSD）** ⇨ 非常に過酷な経験をすることが**心的外傷体験（トラウマ）**となって、不安や不眠・抑うつ感・疲労・過度の緊張・情緒不安定が引き起こされる症状。**フラッシュバック**などによる外傷的出来事の再体験も、その特徴的な症状。

□**拒食症** ⇨ 食事を強く拒絶し、異常なまでにやせ細り、ひどい場合には死に至る病。思春期の女子に特に多い。過食して自責的になって吐く行為を繰り返す**過食症**も含めて**摂食障害**という。

□**緘黙症** ⇨ 機能的には問題はなく何らかの心理的原因によって話せない症状。**場面緘黙**（特定の場面での緘黙）と**全緘黙**（生活全般での緘黙）がある。

□**チック** ⇨ 不随意に繰り返される無目的な筋肉の急速な動きのこと。**神経症性習癖**に位置づけられる。幼児や児童の顔や頸、肩の部分に生じやすいが、ほかの様々な部位に起こることもある。

□**解離性同一障害** ⇨ 俗にいう**多重人格**。ひどい場合には、ひとりの中に多数の人格が生じる。

□**スチューデント・アパシー** ⇨ 青年期、特に**大学生**にみられる**不適応現象**のこと。無気動、無気力、無関心を特徴とし、特別な理由もなく学習や社会への関心や意欲を失ってしまう。

2 主な発達障害

重要度 ★★★

□**自閉症** ⇨ 児童精神科医**カナー**によって報告された**対人関係・コミュニケーション障害**。一般的な症状としては、言語発達の著しい遅れによるおうむ返しのような表現、または主語の取り違え、対人関係の形成の困難、意味のない日課や儀式に対する固執、呼びかけに応答せず視線を合わせようとしない、などが挙げられている。原因は**中枢神経の機能障害**が推定される。

□**高機能自閉症（PDD・広汎性発達障害）** ⇨ 自閉性が強いもののうち**知的発達に遅れがみられない**（IQがおおむね70以上）もの。さらに自閉症の特徴のひとつである言語発達の遅滞がないものを**ASD**（自閉スペクトラム症、アスペルガー症候群）と呼ぶ。

⇨ **定義**（「今後の特別支援教育の在り方について」2003・3）

> 高機能自閉症とは、**3歳位**までに現れ、❶他人との社会的関係の形成の困難さ、❷言葉の発達の遅れ、❸興味や関心が狭く特定のものにこだわることを特徴とする行動の障害である自閉症のうち、**知的発達の遅れを伴わないものをいう**。また、中枢神経系に何らかの要因による機能不全があると推定される。

□**学習障害（LD**[※1]**）** ⇨ 軽度の**発達遅滞や偏り**を特徴とする子どもの障害で、**中枢神経の機能障害**にもとづくと思われるもの。

⇨ **定義**（「学習障害児に対する指導について（報告）」1999・7）

> 学習障害とは、基本的には全般的な**知的発達に遅れはない**が、**聞く、話す、読む、書く、計算する又は推論する**能力のうち**特定のもの**の**習得と使用**に著しい**困難**を示す様々な状態を指すものである。学習障害は、その原因として、中枢神経系に何らかの機能障害があると推定されるが、視覚障害、聴覚障害、知的障害、情緒障害などの障害や、環境的な要因が直接の原因となるものではない。

□**注意欠如多動性障害（ADHD**[※2]**）** ⇨ 不注意な言動が多発する（**注意欠如**）、絶えず落ち着きがなく動き回る、衝動的な言動が頻繁に見られる（**多動性／衝動性**）などの症状が6ヵ月以上続くことが挙げられる。これらの症状のいくつかが**7歳以前**に存在し、学童期に現れる場合がほとんどであるため、著しい不適応が主として学校において認められている。ただし、この症状の診断基準はいまだあいまいで、医療専門家をはじめ学校関係者、家族などの見解を慎重に総合的に判断し診断されることが求められている。

⇨ **定義**（「今後の特別支援教育の在り方について」2003・3）

> ADHDとは、年齢あるいは発達に不釣り合いな**注意力**、及び／又は**衝動性**、**多動性**を特徴とする行動の障害で、社会的な活動や学業の機能に支障をきたすものである。また、**7歳以前**に現れ、その状態が継続し、中枢神経系に何らかの要因による機能不全があると推定される。

教育心理

頻出度 **B**

心因障害と発達障害

> PDDやLDには知的発達の遅れがないことをおさえておこう

ウソウソ

用語 ※1 LD…learning disabilities
※2 ADHD…attention-deficit / hyperactivity disorder

ポイント 発達障害に関連する数字もおさえよう 　223

心理療法

頻出度
B

●心理療法は、まずそれぞれの療法の開発者を覚えていこう。
●そのうえで、療法の特徴、目的などの詳細な部分を理解していくとよい。

1 精神分析療法

重要度 ★★★

□**精神分析療法** ⇨ **フロイト**の**精神分析理論・技法**にもとづく心理療法。その治療の目的は、**自由連想法**と**夢分析**、**催眠**などによって、クライアントの抑圧された無意識の内容、特に幼児期の体験を意識化させることにある。

2 行動療法

重要度 ★★

□**行動療法** ⇨ **学習理論にもとづく心理療法の総称**で、行動を変えれば心の内面にも変化が生じるとする。**アイゼンク**の著書にちなむ命名。

□**系統的脱感作法** ⇨ **ウォルピ**が創始。**不安階層表**を作成し、段階的に不安を克服させる。不安が中心的な症状となっている神経症治療に効果がある。

3 遊戯療法（プレイ・セラピー）

重要度 ★★★

□**遊戯療法（プレイ・セラピー）** ⇨ **子どもの不適応や問題行動の治療**を目的とし、**玩具や遊具**などを用いて治療する方法。**フーク＝ヘルムート**が最初に用いたとされ、その後、精神分析学派の**アンナ・フロイト**（児童精神分析の創始者）や**クライン**が児童分析の領域に適用した。さらにロジャーズの来談者中心療法の立場から**アクスライン**が「**児童中心遊戯療法**」を発展させた。

4 心理劇（サイコドラマ）

重要度 ★★

□**心理劇（サイコドラマ）** ⇨ **モレノ**によって創始された心理療法で、診断的・治療的意図を持った**即興的・自発的な演劇的方法**を用いた**集団療法**。

5 エンカウンター・グループ

重要度 ★★

□**エンカウンター・グループ** ⇨ **ロジャーズ**が**自己の理論**にもとづいて創始した**集団心理療法**。**エンカウンター**とは出会いを意味し、お互いの出会いを

通して経験を意識化し、自己の成長を目指し自己実現を図ろうとするもの。

□**方法** ➡ 10～15名前後の参加者と1～2名の**ファシリテーター**(**世話人**)によって構成され、数日間の**合宿形式**で実施される。**自由な討論**を通して、自己理解、他者理解、自己開示、対人関係づくりを進める。

□**構成的グループ・エンカウンター** ➡ **エンカウンター・グループ**の発展型。**活動内容や時間に制限**を設けたもので、熟練したファシリテーターが不在でも、また、限られた時間でも効果的に実施可能なように工夫されている。

6 箱庭療法　　　　　　　　　　　　　　　　　重要度 ★★★

□**箱庭療法** ➡ 子どものための療法として**ローウェンフェルド**が考案。箱庭の中に作品を作らせるもの。その後、**カルフ**が**ローウェンフェルド**に学び**ユング心理学**の考えを導入して、大人にも有効な治療法として発展させた。

7 家族療法　　　　　　　　　　　　　　　　　重要度 ★★

□**家族療法** ➡ 心理障害を個人の問題としてではなく、**家族全体の問題**として捉え、その家族システム全体を変化させるよう働きかける方法。

8 論理療法（合理情動行動療法）　　　　　　　重要度 ★★

□**論理療法** ➡ **エリス**が創始。クライアントが信じている**非論理的な信念体系**を、**論理的な信念体系**に変えていけば、不適応が解消されていくと考える。

9 森田療法　　　　　　　　　　　　　　　　　重要度 ★★★

□**森田療法** ➡ **森田正馬**（まさたけ）が創始。主に対人恐怖の治療に効果的とされる心理療法。独自の神経症理論にもとづき、『神経質の本態と療法』で体系化。

□**治療** ➡ **入院治療**。**絶対臥褥**（がじょく）**期**（落ち着いた居室で患者を隔離臥床させる）、**軽作業期、重作業期、複雑な実生活期**という、それぞれ1～2週間の4つの期間の治療を行う。

　➡ 最終的には、あるがままの自分を受け入れることを目的とする。

10 ゲシュタルト療法　　　　　　　　　　　　重要度 ★★

□**ゲシュタルト療法** ➡ **パールズ**らが創始。「**今、ここで**」を大切にし自己表現・経験を重んじる。**グループ**で行い、**行動化を活用**することが多い。

頻出度
B

●ブルームの教育評価は最頻出事項の1つであり、3種の評価の目的をおさえよう。
●評価の基準による4分類も、長所・短所を確実におさえよう。

1 教育評価

重要度 ★★

□**教育評価** ⇨ 教育における**すべての評価**を指すが、一般に**成績評価**を指すことが多い。今後の教育活動に役立てるものだが、評価目的により内容・方法の明確化が重要であり、信頼性や妥当性を高めることが必要である。

□**教育評価の目的**

⇨ 教育評価は、**学習と指導を改善**するために必要とされる手続き。

❶目標への到達度や学習の進捗状況の**診断**。

❷教師が自分の指導法が適切か否かを反省し、**指導法の改善**に役立てる。

❸児童生徒が自らの学習活動の適否を反省し、**学習法の改善**に役立てる。

❹教師による学級編成やグループ分けや、行政の生徒選抜に役立てる。

2 評価の種類

重要度 ★★★

ブルームの教育評価 🖉 重要!

□**ブルームの教育評価** ⇨ ブルームは**マスタリー・ラーニング**（**完全習得学習**）における効果的な習得を意図して教育評価を重視。

□**診断的評価** ⇨ 学習者の知能、性格、適性、体力、健康、学力などの**諸特性を診断し、把握すること**を目的とした評価。指導計画を立てる際の**レディネス把握**のために行われ、それにより**指導計画や指導法を考える資料**とする。

□**形成的評価** ⇨ 学習進行状況や子どもの理解程度をチェックする目的で、**学習指導の途中で行われる評価**。ブルームはこの形成的評価を**最も重視**し、評価と指導とが一体化して循環していくことにより、学習者の90％以上の者が学習目標をクリアできるとした。

□**総括的評価** ⇨ 学期末、学年末、あるいはひとつの単元の終了後などに実施し、**一定期間に一定教材を学習した成果を判定**することを目的とする。

評価の基準による分類

□**絶対評価（到達度評価）** ⇨ あらかじめ到達すべき**学習目標**と、その目標への**到達度**を判定する基準とを設定しておき、それにもとづき、**個人の到達度を評価**すること。**到達度評価**ともいわれる。

□**相対評価** ⇨ 集団内の**ほかの人たちと比較**して、**個人の位置を示す評価**。

【絶対評価と相対評価の長所・短所】

	長所	短所
絶対評価	○指導計画、指導法を考えるうえで参考となる ○目標の達成が分かり自分の学習の目安が明確となる	○高次の目標は設定が困難である ○評価者の主観が入りやすい ○評価基準の設定に問題点もある
相対評価	○客観的で実施が容易である ○目標の設定の困難な高次の能力・態度などにも適用できる	○個人の学力の具体像が分かり難い ○努力の成果が分かり難い ○競争と順位の弊害がある

□**個人内評価** ⇨ 他者との比較や目標への達成度ではなく、**自分自身の過去の成績**との比較や教科相互の比較による個人内での評価。**通知票や指導要録の所見欄に記入する場合の参考資料**となる。

□**ポートフォリオ評価** ⇨ 個人内評価の道具。**ポートフォリオ**とは、写真家や画家が自分の作品をしまい込んでおく「紙ばさみ」「書類入れ」「折カバン」のこと。児童生徒が、特定の目的に沿って学び、作成した作品やレポート、またはそれに対する教師のコメントや児童生徒自身の自己評価・感想などを個人ごとに蓄積し、ファイル化して、進歩のプロセスを分析する。数値化が困難な**質的側面の評価方法**として有効。

> 関心・意欲・態度の評価、所見欄の記入、また総合学習などでの評価の際にその活用が期待されている評価法

3 テストの備えるべき条件　　重要度 ★★

□**テスト** ⇨ 教育評価に用いる測定道具として用いられる。テストは**妥当性**（内容的妥当性・基準関連妥当性・予測的妥当性〈経験的妥当性〉・併存的妥当性〈統計的妥当性〉・構成概念的妥当性）／**信頼性**／**実用性**／**客観性**などを備えたものでなければならない。

> **ポイント** 平成10・11年版学習指導要領から絶対評価が行われている

学力の評価

日付
／

●学力テストについては細かい出題も見られるので、部分を含む十分な理解が必要となる。
●新しい学力観への理解が今後、教員に求められる資質であることを忘れずに!

1 学力
重要度 ★★★

□**学力** ⇨ **学習によって獲得された能力**。「教育目標である認知的・情意的・運動的領域にわたる諸目標に向かって、学習によって達成された能力」などと定義される。

□**新しい学力観** ⇨ 学力を、学習活動全般によって獲得された興味・関心・態度・能力・理解力・思考力・判断力・発表力・技能はもとより、さらにこれら能力の**日常生活への応用力**も含めて考えるというもの。

2 学力テストの種類と評価方法
重要度 ★★

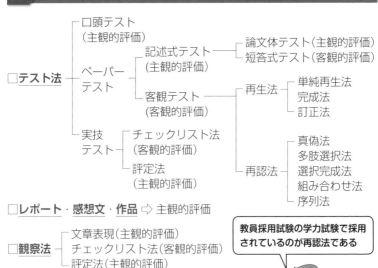

□**テスト法**
- 口頭テスト（主観的評価）
- ペーパーテスト
  - 記述式テスト（主観的評価）
    - 論文体テスト（主観的評価）
    - 短答式テスト（客観的評価）
  - 客観テスト（客観的評価）
    - 再生法
      - 単純再生法
      - 完成法
      - 訂正法
    - 再認法
      - 真偽法
      - 多肢選択法
      - 選択完成法
      - 組み合わせ法
      - 序列法
- 実技テスト
  - チェックリスト法（客観的評価）
  - 評定法（主観的評価）

□**レポート・感想文・作品** ⇨ 主観的評価

□**観察法**
- 文章表現（主観的評価）
- チェックリスト法（客観的評価）
- 評定法（主観的評価）

□**調査法**
- 面接調査法
- 質問紙法

教員採用試験の学力試験で採用されているのが再認法である

3 学力テストの結果の表示法　重要度 ★★

□**教育指数（EQ）** ⇨ 知能指数と同様の考え方で算出されるもの。

$$教育指数（EQ）= \frac{教育年齢（EA）}{生活年齢（CA）} \times 100$$

Check!

教育年齢（EA）：標準学力テストの成績が何歳の子どもの成績に相当するかを示したもの

→100以下……年齢に比べ学力が低い

100以上……年齢に比べ学力が進んでいる

□**学力偏差値（SS）** ⇨ 標準学力テストの一般的表示法。50が平均。

$$学力偏差値（SS）= \frac{10(X - M)}{SD} + 50$$

X ＝個人の得点
M ＝集団の平均点
SD＝集団の標準偏差

□**成就指数（AQ）** ⇨ 児童生徒が教育を受け、各自の持っている能力に相応しい学力が獲得できているかどうかの成就度を確かめるための指標。

$$成就指数（AQ）= \frac{教育指数（EQ）}{知能指数（IQ）} \times 100$$
$$= \frac{学力偏差値}{知能偏差値} \times 100 = \frac{教育年齢（EA）}{精神年齢（MA）} \times 100$$

→100以上……能力に比べ、人並以上の努力で学習成果を上げている

□**成就値（AS）** ⇨ 成就指数と同様の目的を持った指標で、知能との関係で学力の進歩を診断する指標。

成就値（AS）＝学力偏差値－知能偏差値

→成就値がマイナス……能力に見合った学力にない

成就値がプラス……能力以上の学力

4 オーバー・アチーバーとアンダー・アチーバー　重要度 ★★

□**オーバー・アチーバー（学業優秀児）** ⇨ 知能に比べて学力が高い場合。
外的原因：友人関係が良好、学校生活に適応して能力が十分に発揮されているうえに、家庭環境も良好。／**内的原因**：情緒的に安定、自信があり、協調的でリーダーシップもあり、学習意欲ややる気があり、学習の習慣が確立。

□**アンダー・アチーバー（学業不振児）** ⇨ 知能に比べて学力が低い場合。原因はオーバー・アチーバーの逆の場合が多い。知能的には、言語性抽象推理的 IQ に劣り、動作性 IQ に優れる者が多い傾向が指摘されている。

マメ 学力期待値（＝0.7×〈知能偏差値－50〉＋50）もある

評価の阻害要因

頻出度
A

●評価を適切に行うために、その阻害要因を知ることは重要である。
●ハロー効果・ピグマリオン効果は、頻出事項の1つである。

1 評価・評定の誤り　　重要度 ★

□**先入観**や**偏見**など ⇨ **先入観**や**偏見**、**思い込み**や**思い違い**などは、人間が人間を評価、評定する際の**誤り**・**誤差**を生じさせる要因となる。生じやすい誤りや誤差を概観し、教師・評定者はこれらの現象を知ったうえで、常に謙虚に評価・評定を行う必要がある。

2 ハロー効果　　重要度 ★★★

□評価の際に、**評価対象ではない側面が影響**し、評価が一定の方向に傾くこと。**光背効果**、**後光効果**ともいう。ある特性についてよい、あるいは悪い印象をもつと、その他の特性についても高い、または低い評価をしがちであるという現象。実証的研究は**ソーンダイク**が最初。

〈例〉ある人物が美人でスタイルがよいとすると、その人物の知能や性格まで高く評価しがちになる。

3 ピグマリオン効果　　重要度 ★★★

□教師が期待を持った児童生徒が、教師の期待の方向に沿って実際に変化する現象。**教師期待効果**ともいう。**ローゼンソール**(ローゼンタールとも)らによって見出された原理。

□**ローゼンソールらの実験** ⇨ 小学校の各学年で知能検査を実施 → 知能検査の結果に関係なく2割の児童を選抜 → 担任教師に「この子ども達は、今後成績が向上する」と嘘の報告を行う → 数ヵ月後、再テスト実施 → 選抜された2割の児童らは著しい成績の向上を示した。

> 教師が期待しないことによって子どもたちの
> 成績が下がることをゴーレム効果という

□担任教師がもつ**暗黙の期待感**が選ばれた**児童の心理**に微妙に**影響**を及ぼし、**学業成績の向上**をもたらしたと考えられる。

⇨ ピグマリオンは、ギリシア神話のキプロス王ピグマリオンにちなむ。

4 ホーソン効果 　　　　　　　　重要度 ★

□他者からの注目や期待に応えて、良い結果を残そうと普段以上に力を発揮する現象。

5 寛大（寛容）効果 　　　　　　　重要度 ★★

□自分や他人を、**評価する特性とはまったく関係なく**、**好ましい特性**については**高く**、**好ましくない特性**については**寛大に**評価する傾向のこと。人物評価や性格判断などを歪める要因のひとつ。

6 中心化傾向 　　　　　　　　　重要度 ★★

□評定者が、極端な評価を避けて、大体**真ん中の平均的な評価**を行いやすい傾向や、「非常に優秀である」や「非常に劣っている」などを避けたがる傾向のこと。

7 論理的錯誤 　　　　　　　　　重要度 ★★

□**論理的に関係**がありそうな評価要素について、推論によって、**同じような評価**をしてしまう傾向のこと。

〈例〉理解能力の高い者は判断能力も高いに違いないと思い込む。

8 対比誤差 　　　　　　　　　　重要度 ★★

□評価者が自分を中心に考え、評価対象者を**自分と対比**して評価してしまう傾向のこと。

〈例〉責任感の非常に強い評価者が、評価対象者に普通以上の責任感があっても、低く評価してしまう。

9 逆算化傾向 　　　　　　　　　重要度 ★★

□先に評価対象者の印象で**総合評価をしたあと**で、その総合評価に合うように**各評価項目・評価要素の評価を行う**傾向のこと。

マメ ハローとはキリスト教での聖像の背後に現れる光のこと

知能とその測定

頻出度
B

●知能指数に注目しがちだが、それだけが重要であるわけではない。
●検査法のうち、ビネー・シモン式とウェクスラー式は確実におさえよう。

1 知能

重要度 ★

□**知能の定義** ⇨ **ビネー**は「思考作用であって、一定の方向を維持しようとする傾向、目標到達のための順応力、および自己批判能力をもつもの」とするが、研究者によって様々な考え方が示されており、確定された定義はないが、広義には適応における最高次の機能と捉えられる。

2 知能検査の歴史

重要度 ★★

□**ビネー・シモン式知能検査** ⇨ 個人用知能検査のひとつ。**ビネー**と医師**シモン**が完成させた。**今日の知能検査の原型**。解答に判断力や推理力を必要とする30問が、簡単な問題から段階的に配列された検査である。わが国では、**鈴木治太郎**や**田中寛一**により改良されたものが用いられている。

□**スタンフォード・ビネー知能検査** ⇨ アメリカの**ターマン**が、ビネーの開発した検査をもとに、アメリカ版に改版したもの。このとき初めて、シュテルンの提案した**知能指数(IQ)**という結果の表示方法が実際に採用された。

□**U.S. アーミーテスト** ⇨ 第1次世界大戦下のアメリカにおいて、兵士徴兵のために開発された、**作業検査**による**集団式検査**。**ヤーキーズ**が創案。文字による**言語性検査(A式)**と、記号や絵等による**非言語性検査(B式)**とがある。

□**ウェクスラー式知能検査** ⇨ **ウェクスラー**が、従来の知能検査とは異なる独自の視点によって考案した。成人用(16歳以上 =**WAIS**)・ 児童用(5〜16歳 =**WISC**)・ 幼児用(**WPPSI**)がある。**言語性検査と作業検査との組み合わせ**で構成されており、現在最も頻繁に用いられている**個別式知能検査**。

□**ITPA 言語学習能力診断検査** ⇨ イリノイ大学の**カーク**らによって開発された、精神遅滞児や脳性麻痺児の**精神言語能力測定**のための検査。この検査では、子どもの言語能力のどの部分に**欠陥**があるのかが分かる。学習障害(LD)の診断において知能検査と併用される。

知能検査の結果の表示法

□ **精神年齢（Mental Age:MA）** ⇨ **ビネー**による。ある年齢集団の大部分の者が正解できる検査問題を徐々に難しくなるように配列し、どこまで解けるかで判断する。暦年齢にかかわらず、問題の合格基準に達したか否かで判定し、4歳2ヵ月などのように月単位まで表示する。

⇨ **長所**：知能発達の年齢レベルをあらわす点／**短所**：暦年齢の異なる者の比較がしにくい点

□ **知能指数（IQ）** ⇨ **ターマン**がスタンフォード・ビネー知能検査において、**知能指数（IQ: Intelligence Quotient）**の概念を考案。

⇨ IQ は、精神年齢を MA、生活年齢を CA（Chronological Age）とした次の公式で計算することができる。

> 人の知力は IQ だけでは測れないとするのが一般的

$$知能指数（IQ）＝\frac{精神年齢（MA）}{生活年齢（CA）}×100$$

⇨ MA=CA のとき、IQ は100である。したがって、年齢相応の知能の発達を示す者は IQ100であり、100以上の者は年齢以上に知的能力に優れ、逆に100以下は年齢より知的発達が遅れていることを示している。

*現在では、この公式による IQ の算出は必ずしも一般的ではない。

□ **知能偏差値（ISS）** ⇨ ある個人の属する**年齢集団内での相対的な位置**をあらわす。具体的には、個人の知能程度をあらわすために、その個人の知能得点を、同一年齢集団の平均得点との比較によって評価しようとするもの。

⇨ **知能偏差値の平均は50**である。よって、知能偏差値65などの場合、平均よりも優れた成績であることをあらわしている。

⇨ 知能偏差値は次の公式によって算出される。

$$知能偏差値（ISS）＝\frac{10(X－M)}{SD}＋50$$

Check!

X	＝個人の得点
M	＝集団の平均点
SD	＝集団の標準偏差

> 低年齢層では、IQ よりも発達指数で発達を見ることが多い

教育心理

頻出度 **B**

知能とその測定

集団の形成

日付
／

● 教師にとって特に学級（クラス）は大きな意味をもつものである。
● 集団の特質、集団としての学級の特徴や構成を理解しておこう。

1 集団の定義と特徴　　　　重要度 ★★

□ **集団** ⇨ ある共通の目標の達成のための集合体。

□ **特徴** ⇨ ❶成員の間に**役割の分化**があり、それが**組織**としてまとまっていること、❷成員の態度や行動を規制する**規範**がみられ、成員がそれに従っていること、❸**仲間意識や一体感**があること、など。

2 集団の分類　　　　重要度 ★★

□ **第1次集団**と**第2次集団** ⇨ アメリカの**クーリー**らは、集団内での成員間の相互作用のしかたに着目し、集団を<u>第1次集団</u>と<u>第2次集団</u>とに分類。

　⇨ **第1次集団**：**家族**、遊び仲間のように、**親密な関係**をもち、**連帯感・一体感**が強い集団。人間関係は**直接的**。／**第2次集団**：**学校**、**会社**、**国家**のように、利害や目的をもとにして、ある程度**意図的に形成された集団**。人間関係は**間接的**。

□ **フォーマル・グループ**と**インフォーマル・グループ** ⇨ **メイヨー**らは、集団の成立のしかたに着目して、集団を**フォーマル・グループ**と**インフォーマル・グループ**とに分類。

　⇨ **フォーマル・グループ**：**会社・官庁**など ＝ 社会の組織の中に設けられている**人為的に構成された集団**。**公的に定められた行動様式**をとることが要求される集団。／**インフォーマル・グループ**：私的な友人・サークル活動など ＝**自然発生的にできた集団**。**自由な行動**が許される集団。

□ **サイキグループ**と**ソシオグループ** ⇨ **サイキグループ**：**心理的集団**を意味し、**インフォーマル**で、明確な制度をもたず、**個人的な要求や価値観**によって結ばれた集団。／**ソシオグループ**：**社会的集団**を意味し、**フォーマル**で制度をもち、集団成員の**権利義務が明確**にされた集団。

□ **上位集団** と **下位集団** ⇨ 学校と学級の関係のように、一方が他方の部分として含まれる場合、部分集団を **下位集団**、全体集団を **上位集団** と呼ぶ。

□ **準拠集団** ⇨ 自己の行動や判断のよりどころとなるほど、成員にとって **重要な意味をもつ集団** のこと（本人自身がその集団の成員でなくとも、準拠集団となり得る）。第1次集団は人間関係が直接的で準拠集団となりやすい。

3 学級集団の特徴　　　　　　　　　重要度 ★★

□ **特徴❶** ⇨ 親密な関係、連帯感・一体感の強さは **第1次集団** といえるが、意図的形成集団でもあるので **第2次集団の要素** もある。同様に、学校内組織として公的な行動様式を要求される **フォーマル・グループ** であるが、その内部に多くの友人グループという **インフォーマル・グループをあわせもつ。**

□ **特徴❷** ⇨ 成員である児童生徒の意思と無関係に、意図的に作られた公的集団であり、**学校生活における中心的な場** である。

□ **特徴❸** ⇨ 学校の教育目標を実現するために作られた **目的集団** であるとともに、社会性・道徳性を発達させ自己成長を図るという **生活集団** としての役割もある。

4 学級集団の構成　　　　　　　　　重要度 ★★

□ **学級集団の形成過程** ⇨ **❶孤立探索期**（児童相互の横のつながりはあまり強くなく、個々に孤立。担任教師と児童という縦の関係が中心）→**❷水平的分化期**（児童間の水平的な相互作用が強まり交友関係が拡大・深化。席が近いなどの物理的要因によって仲良くなり、横の関係ができる）→**❸垂直的分化期**（同列的な横の関係が変化して、成績の優れた児童やリーダーシップを発揮する児童と、彼らに服従していこうとする児童に分化していく段階）→**❹部分集団形成期**（児童同士の理解を深め、興味が同じ、目的が同じといった心理的要因によって小集団ができる段階）→**❺集団統合期**（いくつかの小集団が変化、発展していき、ひとつの学級集団として統合していく）

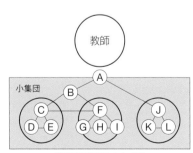

【集団統合期のイメージ】

ポイント 垂直的分化期辺りから、教師と児童の関係は弱まっていく

頻出度
B

●集団の測定法のソシオメトリック・テストは頻出事項の1つである。
●PM理論の4類型のリーダーによる集団の特徴を理解しておこう。

1　集団の測定

重要度 ★★

□**ソシオメトリック・テスト** ⇨ **モレノ**が、人間関係における好感と反発という情緒的・感情的な流れを仮定し、**集団構成員間の好感と反発の関係を調査**する方法として開発。

　⇨ **ソシオマトリックス**：テストの結果を**点数化**することで、子どもたちの**回答を一覧表**にしたもの。児童生徒を縦と横の表に順番に並べたもので、集団の特徴や児童生徒の様子や位置づけが分かる。

　⇨ **ソシオグラム**：児童生徒間の選択・排斥の様子を**視覚的に図にしたもの**。これによって学級の構造、人気のある児童、嫌われている児童、孤立・排斥されている児童などが分かる。

【ソシオグラムの例】

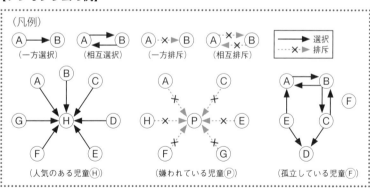

□**ゲス・フー・テスト** ⇨ 様々な性格・行動などをあらわす文章を挙げて、それに当てはまるクラスメイトはだれであるかを相互に推測し、評価する方法。たとえば、「学級でやさしいと思う人はだれですか」「リーダーにふさわしいと思う人はだれですか」などの質問を行う。

□ **SD 法**（Semantic Differential method）⇨ 対象の印象を、対になる形容詞を両極とする評定尺度を用いて評価させる方法。

2　学級における集団の心理　　　　　重要度 ★★★

□ **集団維持機能** ⇨ **集団の団結や成員の忠誠心などを強める機能**。人間関係の促進、成員間の円滑なコミュニケーション、相互の依存性の増大、全体としてのまとまりを重視 = 教師と児童生徒の間の**信頼関係**の維持を強調。

□ **目標達成機能** ⇨ 集団には**達成すべき目標**がある。目標達成を目指す場合、リーダーの指示・命令の下、各成員は自らが担った役割に沿って集団の目標達成のために努力することが求められるという集団の側面のひとつ。

□ **集団凝集性** ⇨ 集団成員をその集団に留まらせようとする力、魅力のこと。
　⇨ **要因**：❶集団の**目標に魅力**があること、❷集団における**良好な人間関係**、❸集団活動やリーダーも含めた**集団成員に魅力**があること、など。

□ **集団規範** ⇨ その集団を**維持**し、**存続**を図ろうとするための**集団規範**（集団成員によって共有された判断の枠組み）が生じ、それが成員を拘束することになる。これが**集団圧力**である。

3　リーダー・シップ　　　　　重要度 ★★

□リピット・ホワイト・レヴィンのリーダーの3類型

類　型	方針決定	生産性	目標達成への関わり・結果
専制型	リーダー(L)が決定	高い→低い	L の能力次第、L への攻撃性
民主型	成員が決定、L が助言	最も高い	役割分担が鮮明、協力的
放任型	成員が決定、L は無関与	最も低い	成員間の葛藤・欲求不満

□ **PM 理論** ⇨ リーダーの機能を大きく、P（目標達成）機能と M（集団維持）機能の2次元に分け、その組み合わせでリーダーを4区分。❶ PM 型リーダー：P 機能、M 機能ともに優れるリーダー、❷ Pm 型リーダー：P 機能は優れるが M 機能が劣る型、❸ pM 型リーダー：M 機能が優れるが P 機能が劣る型、❹ pm 型リーダー：P 機能、M 機能ともに劣る型。

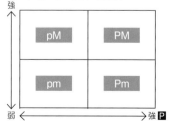

【教師のリーダー・シップの行動の類型（三隅二不二ほか、1977）】

ポイント ソシオグラムを用いた学級集団の状況把握はよく行われる　 **237**

一問一答 チェック!

次の（　）にあてはまる語を答えなさい。

Q1 □ 近世心理学の父といわれる（ ① ）は、『省察』で身体に対する精神の独立的存在を論じた。
参照▶ P.184

A1 ①デカルト

Q2 □ （ ① ）は精神分析を創始し、性的欲動の精神的エネルギーを（ ② ）と呼んだ。 参照▶ P.185

A2 ①フロイト
②リビドー

Q3 □ 教育測定運動の父と呼ばれる（ ① ）の『（ ② ）』の刊行によって（ ② ）が学問として認知された。 参照▶ P.186

A3 ①ソーンダイク
②教育心理学

Q4 □ 学習の理論のひとつである（ ① ）は、外界の刺激と人などの反応との連合・結合を学習とする。 参照▶ P.188

A4 ①連合説

Q5 □ 学習の理論としてパブロフは（ ① ）を、ソーンダイクは（ ② ）を、それぞれ唱えた。参照▶ P.188・189

A5 ①古典的条件づけ
②試行錯誤説

Q6 □ （ ① ）の唱えたオペラント条件づけは、PCを用いた（ ② ）へと発展していく。 参照▶ P.189

A6 ①スキナー
②プログラム学習

Q7 □ （ ① ）の洞察説では、チンパンジーが、バナナを取る道具として棒を（ ② ）したことによって行動変容が起こったとする。 参照▶ P.190

A7 ①ケーラー
②認知

Q8 □ ある対象を見本にして、そのものの動作や行動をまねることで学習が成立することを（ ① ）といい、（ ② ）が理論化した。 参照▶ P.191

A8 ①モデリング
②バンデューラ

Q9 □ 記憶のうち保持時間が最短のものを（ ① ）といい、それが短期記憶に貯蔵されることを（ ② ）という。 参照▶ P.192

A9 ①感覚記憶
②記銘

Q10 記銘した情報が再生できなくなることを（ ① ）といい、その程度をグラフ化したものを（ ② ）という。 参照▶ P.194

A10 ①忘却
②忘却曲線
エビングハウスの実験

Q11 Q10-①の理由はいくつかあるが、時間とともに消失していくとする（ ① ）や検索に失敗するとする（ ② ）などがある。 参照▶ P.195

A11 ①減衰説
②検索失敗説
①は衰退説ともいう

Q12 学習における準備性のことを（ ① ）といい、それは成熟と（ ② ）によって形成される。 参照▶ P.196

A12 ①レディネス
②経験

Q13 学習や練習を重ねても、一定の成果のあとに、成果の上昇が見られない状態を（ ① ）という。 参照▶ P.197

A13 ①プラトー現象
高原現象も可

Q14 先行の学習が後続の学習に影響を与えることを（ ① ）といい、形式（ ② ）もこの考えにもとづく。 参照▶ P.197

A14 ①学習の転移
②陶冶（とうや）

Q15 行動の直接的推進力を（ ① ）といい、不快な緊張状態から逃れるために行動を起こすとするハルの説を（ ② ）という。 参照▶ P.198

A15 ①動因
②動因低減説
①は動機も可
動因導入説もおさえる

Q16 行動の達成そのものが目的である動機づけを（ ① ）動機づけいい、（ ② ）はその例。 参照▶ P.198

A16 ①内発的
②知的好奇心

Q17 外発的動機づけによって内発的動機づけが低減する現象を（ ① ）という。 参照▶ P.199

A17 ①アンダーマイニング効果（現象）

Q18 発達の要因について、ワトソンの（ ① ）に対して、成熟（遺伝）優位を唱えたのが（ ② ）である。 参照▶ P.200

A18 ①環境優位説
②ゲゼル

Q19 発達は、環境と遺伝的要素とが相乗的に作用し合うとする説が（ ① ）で、（ ② ）が唱えた。 参照▶ P.201

A19 ①相互作用説
②ジェンセン
①は環境閾値説ともいう

Q20 （ ① ）は体の各部の発達過程をグラフにした発達曲線を作成したが、それによると（ ② ）が最も早く成長する。 参照▶ P.202

A20 ①スキャモン
②リンパ型

教育心理 一問一答チェック！

239

Q21 親子の情愛的結びつきを（ ① ）というが、小猿を用いてその形成の実験を行ったのは（ ② ）である。参照▶ P.203

Q22 新生児期には原始反射である（ ① ）があるが、手のひらへの刺激に対して指を握る（ ② ）もそのひとつである。参照▶ P.204

Q23 １歳半以降の（ ① ）期に、自我の目覚めによって自己の存在をアピールする（ ② ）といわれる時期を迎える。参照▶ P.205

Q24 （ ① ）中期は、同性の子どもだけで閉鎖的な集団を形成する（ ② ）という時期である。参照▶ P.206

Q25 思春期は心身の発達がめざましく、この時期の者をレヴィンは（ ① ）と呼んだ。参照▶ P.207

Q26 思考発達の４段階説を唱えたのは（ ① ）であるが、その第１期を（ ② ）という。参照▶ P.208

Q27 ピアジェによれば、発達とは（ ① ）と（ ② ）とが（ ③ ）に向かっていくことである。参照▶ P.209

Q28 人間の一生を８段階に区分し、それぞれに（ ① ）という課題を設定したのは（ ② ）である。参照▶ P.210

Q29 道徳判断について３水準６段階の発達段階を提唱したのは（ ① ）である。参照▶ P.211

Q30 （ ① ）は体質と人格の関連を研究し、たとえばやせ型は（ ② ）気質、などと関連づけた。参照▶ P.212

Q31 性格検査には様々な手法があるが、（ ① ）の一種として左右対称のインクのシミの図形を用いる（ ② ）・テストがある。参照▶ P.214・215

A21 ①アタッチメント
②ハーロー

A22 ①新生児反射
②把握反射
ほかの反射も覚えたい

A23 ①幼児
②第１次反抗期

A24 ①児童期
②ギャング・エイジ

A25 ①境界人
マージナル・マンともいう

A26 ①ピアジェ
②感覚運動期
ほかの３期も大切

A27 ①同化
②調節
③均衡化

A28 ①心理社会的危機
②エリクソン

A29 ①コールバーグ

A30 ①クレッチマー
②分裂

A31 ①投影法
②ロールシャッハ

Q32 生活体と環境とが調和した状態を（ ① ）という。 参照▶ P.216

A32 ①適応

Q33 欲求不満や葛藤を回避・解消する心的な操作の過程を（ ① ）という。 参照▶ P.217

A33 ①適応機制
防衛機制とも

Q34 Q33のうち、スポーツは攻撃性の欲求が（ ① ）されたものである。 参照▶ P.217

A34 ①昇華

Q35 Q33のうち、自己の行動を正当化するために何らかの理由づけをすることを（ ① ）という。 参照▶ P.217

A35 ①合理化
ほかの適応機制も覚えておこう

Q36 来談者中心療法を提唱したのは（ ① ）だが、そこではカウンセラーとクライアントの友好的信頼関係である（ ② ）が重視される。 参照▶ P.218・219

A36 ①ロジャーズ
②ラポール

Q37 心因障害のうち、過酷な体験が（ ① ）または心的外傷体験となって不安や不眠などを訴える症状を（ ② ）という。 参照▶ P.222

A37 ①トラウマ
②心的外傷後ストレス障害
②はPTSDも可

Q38 高機能自閉症は（ ① ）位までに現れ、（ ② ）の遅れを伴わない自閉症をいう。 参照▶ P.223

A38 ①3歳
②知的発達
ほかの発達障害も覚えよう

Q39 玩具などを用いる、子どもの不適応などの治療を目的とした心理療法が（ ① ）で、児童精神分析学者の（ ② ）らが完成させた。 参照▶ P.224

A39 ①遊戯療法
②アンナ・フロイト

Q40 （ ① ）は主に対人恐怖の治療に効果的とされる心理療法で、4段階の入院治療を行うことが特徴。 参照▶ P.225

A40 ①森田療法
心理療法は開発者を確実に！

Q41 ブルームは教育評価を重視して、（ ① ）（ ② ）（ ③ ）を掲げたが、特に（ ② ）を重視した。 参照▶ P.226

A41 ①診断的評価
②形成的評価
③総括的評価

Q42 到達すべき学習目標を設定し、そこまでの到達度による評価を到達度評価、または（ ① ）という。 参照▶ P.227

A42 ①絶対評価

教育心理

一問一答チェック！

Q43 学力とは（ ① ）によって獲得された（ ② ）のことをいう。参照▶ P.228

Q44 ある学力試験で自分が受験者全体のどの位置にいるかを示す方法に（ ① ）があり、（ ② ）以上が平均以上の学力となる。参照▶ P.229

Q45 評価の際に、評価対象ではない側面に影響されて評価が一定の方向に傾くことを（ ① ）という。参照▶ P.230

Q46 教師期待効果ともいわれるのが（ ① ）で、（ ② ）らが見出した。参照▶ P.230

Q47 今日の知能検査の原型といわれるのが（ ① ）知能検査で、わが国では（ ② ）や（ ③ ）によって日本人向けに改良されたものが用いられている。参照▶ P.232

Q48 知能指数は（ ① ）を（ ② ）で割って求める。参照▶ P.233

Q49 クーリーらは人間関係が直接的な集団を（ ① ）集団と呼び、その例として（ ② ）などが挙げられる。参照▶ P.234

Q50 学級集団は教育目標実現のための（ ① ）集団であると同時に、自己成長のための（ ② ）集団でもある。参照▶ P.235

Q51 集団の成員間の好感−反発の関係の調査に用いるのが（ ① ）・テストで、結果を視覚的に図にしたものを（ ② ）という。参照▶ P.236

Q52 リーダーの型を専制型・民主型・放任型に分けた場合、作業の質が最も高いのは（ ① ）で、最も低いのは（ ② ）である。参照▶ P.237

Q53 三隅二不二が提唱した、リーダーを目的達成機能と集団維持機能との組み合わせで区分する方法を（ ① ）という。参照▶ P.237

A43 ①学習
②能力

A44 ①学力偏差値
②50

A45 ①ハロー効果
光背効果、後光効果も可

A46 ①ピグマリオン効果
②ローゼンソール
②はローゼンタールも可

A47 ①ビネー・シモン式
②鈴木治太郎
③田中寛一

A48 ①精神年齢
②生活年齢

A49 ①第１次
②家族

A50 ①目的
②生活

A51 ①ソシオメトリック
②ソシオグラム

A52 ①民主型
②放任型

A53 ①ＰＭ理論

教育史

西洋教育史概説①

頻出度
B

- ●ソクラテスなどの三大哲学者をのぞくと、あまり出題がある分野ではない。
- ●一般教養ともリンクする分野なので、そのような観点からも学習しておきたい。

1　古代の教育

重要度 ★★

ギリシア

□ **ポリス(都市国家)** ⇨ **スパルタ**：教育目的は健強な軍人養成／**アテナイ**：教育は国家管理ではなく個々の自由に委ねられる／学校：**ギムナシオン**

ギリシアの教育思想家

□ **ソフィスト** ⇨「知者」の意。弁論術その他の専門的知識を教えることを職業とする。**プロタゴラス、ゴルギアス、イソクラテス**

□ **ソクラテス** ⇨ 産婆術(問答を通して省察を加える〈問答法〉)。**無知の知**

□ **プラトン** ⇨ ソクラテスの弟子。アテネ近郊に**アカデメイア**(アカデミア)を開き、研究・教育に尽力。為政者への哲人教育を説く(『国家』)。

□ **アリストテレス** ⇨ アカデメイアに学び、後にマケドニアに招かれる。アレキサンドロスの即位とともにアテネに帰り、**リュケイオン**を開く。

ローマ

□ **教育制度** ⇨ **共和政時代**：家庭中心 → 後、ギリシアの教育観や学校制度を模倣(学校：初等学校〈**ルドゥス**〉→文法学校→修辞学校)／**帝政時代**：学校教育の充実(中等教育での**七自由科**)

□ **教育思想家** ⇨ **共和政時代**：**カトー**：『由来記』・**キケロ**：『雄弁家論』・ワルロ：『自由教育論』／**帝政時代**：**セネカ**・**プルタルコス**：『子どもの教育について』(偽書)・**クインティリアヌス**：『雄弁家教育論』

2　キリスト教の教育（中世）

重要度 ★★

□ **教会学校** ⇨ **唱歌学校**(初等教育)：読み・書き・計算・唱歌・祈祷など／**修道院学校・本山学校**(中等教育)：**七自由科＝三学＋四科**

□ **教父哲学** ⇨ **アウグスティヌス**：『教師論』

□ **スコラ哲学** ⇨ **トマス・アクィナス**：『神学大全』～『教師論』

3 　中世の教育　　　　　　　　　　重要度 ★★

□**宮廷学校** ⇨ 高名な学者を宮廷に招く（フランク王国のカール大帝など）。

□**騎士の教育** ⇨ 他民族の侵入を防ぐ戦闘要員。**七芸**を重視。21歳で元服。

□**大学の誕生** ⇨ 主な大学：**ボローニャ大学**（11C 北イタリア・法学）・**サレルノ大学**（13C 南イタリア・医学）・**パリ大学〈ソルボンヌ〉**（13C 北欧最古・神学）・プラハ大学（14C）・ハイデルベルグ大学（14C ドイツ）

□**市民の教育** ⇨ **ギルド**を組織、階級別の市民向けの教育機関を設置。
- 上流市民学校：独＝リューベック・ハンブルク（13C）・英＝公衆学校（ウィンチェスター・イートン・ラグビー・ハローなど。14C 〜）
- 下層市民学校：ドイツ語学校（読・書・算）・ギルド学校（英）・教区学校

4 　ルネサンス（文芸復興）と教育　　重要度 ★★

□**イタリア** ⇨ **ペトラルカ**：『**無知について**』（古典語・古典文学の教育の重要性を主張）／**ヴェルジェリオ**：僧庵教育に反対して世俗的人間教育を主張／**アルベルティ**：『**家政論**』（家庭教育の重要性を説く）／**ヴィトリーノ**：「**楽しき家**」（宮廷の師弟のための学校）

□**フランス** ⇨ ビューデ：「**コレージュ・ド・フランス**」／モンテーニュ：『随想録』（実学教育の重視）

□**その他** ⇨ オランダ：**エラスムス**『**学習方法論**』『**幼児教育論**』／スペイン：ビベス『**学問論**』（人文的実学主義）／ドイツ：**ギムナジウム**（人文主義の学校、16C）

5 　宗教改革の教育　　　　　　　　重要度 ★★

□**ルター** ⇨ 「**95か条の論題**」で宗教改革の火蓋。万人が聖書を読むことができるよう普通教育の必要性を唱えて**公立初等学校を設置**、就学義務を訴えた。聖書をラテン語からドイツ語に翻訳。『**教義問答書（カテキズム）**』

□**ルターの協力者** ⇨ **メランヒトン**：「**ザクセン選挙侯国学校規程**」（学制の原案）を作成。「**ドイツの教師**」／**ブーゲンハーゲン**：メランヒトンの同僚。初等教育領域で活躍。「**ドイツ国民学校の父**」

□**カルヴァン** ⇨ 宗教改革の指導者を育成するコレージュやアカデミー創設。

□**イエズス会** ⇨ **ロヨラ**によって組織された旧教の失地回復などを目的とした修道会。教育を重視し、**コレジオ**、**セミナリヨ**、ノビチアート設置。

マメ ダンテは「神曲」をラテン語ではなくトスカナ語で書いた

西洋教育史概説②

●この項目は「西洋教育史概説①」とは違い、頻出分野である。
●特にルソーとペスタロッチは最頻出であり、その思想については十分な理解が必要。コメニウスも重要である。

頻出度
A

1 実学主義の萌芽 　　　　　　　　　重要度 ★★

□**実学主義** ⇨ 形式化した人文主義などに対抗して16〜17Cに主張された事実・経験・実践などを重視する近世教育思想上の立場のこと。

□**先駆** ⇨ 自然科学の発達(コペルニクス、ガリレイ、F. ベーコンら)

□**実学主義の3類型** ⇨ **人文的実学主義：ミルトン(英)**／**社会的実学主義：モンテーニュ(仏)**ロック、ルソーなどに影響／**感覚的実学主義：マルカスター(英)・ラトケ(独)・コメニウス**(チェコ)：教授学を体系化＝**教授学の祖。直観教授**を確立。『**大教授学**』『**世界図会(絵)**』

2 17世紀の教育実践家 　　　　　　　重要度 ★★

□**ロック** ⇨ **近代認識論**と**イギリス経験論**の創始者。『**人間悟性論**』・『**教育に関する考察**』：経験論にもとづく**精神白紙説(タブラ・ラサ)**を唱える。

□**ヤンセン派** ⇨ **ポール・ロワイヤル修道院**を中心に独自の教育を生み出す。**パスカル・フェヌロン**(女子教育を体系的に論じた『**女子教育論**』)

□**フランケ** ⇨ 敬虔主義の教育。「**フランケ学院**」などの学校を設立。

□その他 ⇨ **ラ・サール(仏)**：「キリスト学校修士会(**ラ・サール会**)」を組織し、庶民のための無月謝の小学校を創設／英：**非国教徒派アカデミー**(ミルトンの案)／独：**リッター・アカデミー**(貴族の子弟用)

3 新人文主義 (18C後半〜19C、ドイツ) 重要度 ★

□**カント** ⇨ 『**教育学(講義)**』(教育は道徳的性格の確立にあるとする)

□その他 ⇨ **フィヒテ**：「**ドイツ国民に告ぐ**」(統一的国民教育の必要性)／**ゲーテ**：『**ヴィルヘルム・マイスターの修業時代**』(教養小説)／**フンボルト**：ベルリン大学を創設。

□**ルソー(仏)** ⇨ 啓蒙思想家。カント、ペスタロッチに影響を与える。「**人間による教育**」(本来の教育)、「**事物による教育**」(経験的学習)を「**自然による教育**」(身体諸器官の発達)に合致させる**消極教育**を提唱。労作教育・開発教育。『**エミール**』(子どもを子どもとして成熟させることの重要性を説く=「**子どもの発見**」の書)

□**バゼドウ(独)** ⇨ 汎愛派。『**汎愛学舎**』創設。『**初等教授書**』。ザルツマン：学舎の教師。『**蟹の書(小本)**』『**蟻の書(小本)**』

□**ペスタロッチ(スイス)** ⇨ ノイホーフで農業改革・貧民学校による貧窮農民の救済を試みるが失敗 → **シュタンツ**で孤児院の救済活動 → ブルクドルフに学校を開校(教員養成所も)。教育の目的を**精神的(頭)**・**道徳的(胸)**・**身体的(手)**の調和的発達の援助とする(**3H's の思想**)。**直観教授**。『**隠者の夕暮**』『**リーンハルトとゲルトルート**』『**シュタンツだより**』『**ゲルトルート児童教育法**』『**白鳥の歌**』

アメリカ

□**ジェファソン** ⇨ 第3代大統領。「**知識普及促進法案**」

□**ホレース・マン** ⇨ **アメリカ公立学校の父**。マサチューセッツ州で全米最初の州教育委員会**初代教育長**。**公営・中立・無償**の**公教育制度**の確立に貢献。

□**義務教育法制定**(マサチューセッツ州) ⇨ アメリカ初の**公立義務制確立**。

フランス

□**コンドルセ** ⇨ 「**公教育の全般的組織に関する報告及び法案(コンドルセ案)**」(1792)：無償の**公立学校制度**を構想し、その整備を国家に義務づけ。**就学義務は課さず**、教育内容を**知育**に限定(公教育の中立性)。実現せず。⇔**ルペルチェ案**(1793)：**就学の強制**。徳育教育も可。「国民教育舎」提案。

□**初等教育法(ギゾー法)**(1833) ⇨ 市町村の初等学校設置義務、国庫補助。

□**ジュール・フェリー法**(1881-82) ⇨ 公立小学校と幼稚園を無償化、6〜13歳の児童の就学義務化、公教育からの宗教教育の排除など。

プロイセン

□**一般学校規定・学校監督法**(1872) ⇨ 学校の監督権を教会から国家に移管、普通教育の拡充、公教育制度を確立。

教育史

頻出度 **A** 西洋教育史概説②

頻出度
A

●「西洋教育史概説②」と同様に頻出分野である。
●19世紀ドイツを代表するヘルバルトとフレーベル
　は、ともに出題頻度も高い。

1　イギリス産業革命期の教育　　　重要度 ★★★

□**産業革命による変動** ⇨ 囲い込みと労働力需要によって農村から都市への
　人口の流入 → 治安維持・勤労意欲向上などの目的で教育の必要性 → 一
　度に多くの子ども達に対する教育＝**助教法**（**ベル・ランカスター法**。モニト
　リアル・システムともいう）

□**オーエン** ⇨ 自らの工場内に「**性格形成学院**」（保育所兼初等学校）

□**スペンサー** ⇨ 『**知育・徳育・体育論（教育論）**』

□**フォスター法**（1870）⇨ **公教育制度確立**。6～13歳の就学義務、一部授
　業料の免除、公立学校授業の宗教的中立を規定。

□**フィッシャー法**（1918）⇨ 6～14歳の完全義務教育、無償を規定。

2　ペスタロッチ思想の後継者達　　　重要度 ★★★

ヘルバルト　🖉重要!

□**体系的教育学** ⇨ 教育の目的を倫理学に、方法を心理学に求めて教育学を
　初めて体系的に構築した。『**一般教育学**』『**教育学講義綱要**』

□**教育の目的** ⇨ 道徳的品性の陶冶（道徳的品性＝内的自由・完全性・好意・
　正義・公正の5つの理念が体現された状態）。

□**教育の方法** ⇨ 道徳的品性を陶冶する手段＝**管理・教授・訓練**

　●**管理**（準備段階）＝規律保持目的で生徒の欲望・行動を規制。

　●**教授**＝教材を介して生徒の思想圏を陶冶（**拡充・深化・統合**）する作用。
　　教授段階説：認識のメカニズムは「**専心**（深めること）」と「**致思**（関連づけ
　　ること）」の組み合わせによるとして教授の**4段階**を提起。「**明瞭**」（**静的
　　専心**）→「**連合**」（**動的専心**）→「**系統**」（**静的致思**）→「**方法**」（**動的致思**）

　●**訓練**＝教材を媒介することなく直接生徒の心情・意思に働きかけること。

□**5段階教授説** ⇨ 弟子の**ツィラー**と**ライン**が提唱。

□【教授段階の比較】

	静的専心	動的専心	静的致思	動的致思
ヘルバルト	明瞭	連合	系統	方法
ツィラー	分析・総合	連合	系統	方法
ライン	予備・提示	比較	総括	応用

フレーベル 🖋️**重要!**

□**教育思想** ⇨ **万有内在神論の立場**：すべての子どもは神性を宿し、これを啓発するのが教育であると説く。**児童中心主義**。『**人間の教育**』

□**連続的発展の原理** ⇨ 子どもの発展過程に**人為的な区画**を設けてはならず、自然の連続的発展に従わなければならないとする。

□**労作・遊戯の原理** ⇨ **労作**：内的なものを外にあらわし精神に形を与える。
遊戯：喜び・充足・安らぎなど、平和で善なるものが出てくる源泉。
子どもは労作・遊戯を通して神を知り、神に近づくとする。

□**恩物**（おんぶつ） ⇨ 教育遊具。神からの賜物（たまもの）の意味。20の恩物のすべてが幾何学的基本形（球、円柱、立方体など）と一定の数、大きさ、色彩をもち、全体から部分、既知から未知、具体から抽象へと整然と配列。

□**幼稚園** ⇨ 国民教育制度の一環として、世界で初めて**幼稚園**を創設。

3 新教育運動① （**出題** 神奈川・和歌山・徳島・長崎・宮崎） **重要度 ★★★**

□**新教育運動** ⇨ 19C末〜20C前半、欧米諸国で展開された教育革新運動。

アメリカ（進歩主義教育） 🖋️**重要!**

□**先駆者** ⇨ **シェルドン**：**オスウィーゴー運動**／**パーカー**：進歩主義教育の父。**クインシー方式**（クインシー・メソッド）＝直観教授・単元学習

□**デューイ** ⇨ **道具主義・実験主義**を唱え、学習を「**環境との相互作用における経験の不断の再構成**」と定義。また、人は「**なすことによって学ぶ**」ものだから（**経験主義**）、学習は児童の自発的活動を中心になされるべき（**児童中心主義**）とした。シカゴ大学に附属実験学校（**デューイ・スクール**）を併設、児童中心主義・活動主義の教育実践を開始、**問題―仮説―資料―検証―適応**という教授段階を提起 →『**学校と社会**』・『**思考の方法**』（**問題解決学習**）・『**民主主義と教育**』

□**その他** ⇨ **キルパトリック**：**進歩主義教会**（PEA）を組織。**プロジェクト・メソッド**を考案／**ウォッシュバーン**：**ウィネトカ・プラン**／**パーカースト**：**ドルトン・プラン**／**オルセン**：**コミュニティ・スクール**

ポイント ヘルバルトの4段階教授説は、順番も確実に覚えよう

04 西洋教育史概説④

日付

頻出度 **A**

●ドイツの改革教育学は人物と業績をおさえよう。
●戦後の教育界改革は、改革のための法律の順序を確実にしておくことが大切である。

1 新教育運動②　　　重要度 ★★★

ドイツ(改革教育学)

□ **主な実践家** ⇨ **リーツ**:「**田園教育舎**」(エリート公民の教育)／**ラングベーン**:『教育家としてのレンブラント』(芸術教育運動)／**ナトルプ**:『**社会的教育学**』／**ケルシェンシュタイナー**:「**労作教育論**」を提唱。『**労作学校の概念**』／**シュプランガー**:『**生の諸形式**』(文化教育学)／**ペーターゼン**:**イエナ・プラン**／**クリーク**／**モイマン**／**ライ**

イギリス・フランス

□ **イギリス** ⇨ **セシル・レディ**:**アボッツホルム**に寄宿舎制の男子中学校を開設／**ニール**:**サマーヒルスクール**(一切の権威や強制を排した学校)

□ **フランス** ⇨ **ドモラン**:**ロッシュの学校**／**デュルケム**:教育を社会事象として捉え、教育とは若い世代への組織的・方法的社会化であると主張

その他の国

□ **イタリア** ⇨ **モンテッソーリ**:「児童の家」。モンテッソーリ教具(法)

□ **ベルギー** ⇨ **ドクロリー**:「**生活による、生活のための学校**」

□ **ソ連** ⇨ **クルプスカヤ**:『**国民教育と民主主義**』／**マカレンコ**:『愛と規律の家庭教育』

2 第2次大戦時～戦後の教育改革　　　重要度 ★★★

イギリス

□ **バトラー法**(1944) ⇨ 5～15歳までの10年間を義務教育に。初等教育最終の**11歳試験**の成績にもとづいて、中等学校は3系列に生徒を振り分ける。→1967改正:**クラウザーレポート**(1959)にもとづき義務教育年限を11年に。11歳試験廃止、3系統の中等学校から**総合制中等学校**に。

□ **ベイカー法**(1988) ⇨ カリキュラム基準や地方教育当局の権限を変更。

フランス

- □ **ランジュヴァン・ワロン案**(1947) ➡ 平等と多様性を原理として、義務教育年限の延長や観察・指導課程の導入を提案。
- □ **ベルトワン改革**(1959) ➡ 6～16歳までの義務教育、5年間の基礎課程＋2年間の観察課程→1963改正：4年間の観察・指導課程に。
- □ **アビ改革**(1975) ➡ 基礎課程(小学校5年)→ **コレージュ**(前期中等教育：観察・指導課程4年)→ **リセ**(後期中等教育3年)の課程に。

ドイツ

- □ **ラーメン・プラン**(1959) ➡ 基礎学校(4年)→指導課程(2年)→**ギムナジウム**(7・9年)の課程に。
- □ **ハンブルク協定**(1964) ➡ 中等教育機関の名称が3系統(ギムナジウム・レアールシューレ・ハウプトシューレ)に統一。義務教育も9年間に。
- □ **東西ドイツ統合** ➡ 旧西ドイツの教育体制が続く。

アメリカ

- □ **スプートニク※・ショック**(1957) ➡ 宇宙開発競争でソ連に敗北。経験主義教育から科学技術・英才教育へ。→ **ウッズホール会議**(1959)：**ブルーナー**を議長とするカリキュラム改革のための会議。ブルーナーは『**教育の過程**』で**発見学習**を提唱。
- □ **教育組織の改革** ➡ 1950年代以降、**無学年制**、**チーム・ティーチング**、**オープン・スクール**などの新しい試みが展開されてきた。
- □ 「**危機に立つ国家**」(1983) ➡ 全国的な教育改革運動が起こる。**3 R's**に理科、コンピュータ、外国語を必修科目とする必要性が叫ばれる。
- □ **新たな基準** ➡ 90年代に各州が教育内容や達成水準について基準を制定。

旧ソ連

- □ **大戦後～20回共産党大会**(1956) ➡ 教育の再建(10年制中等教育への移行など)。
- □ **フルシチョフ時代** ➡ **労働教育**や**総合技術教育**の導入。
- □ **ブレジネフ体制** ➡ 初等教育短縮(4年→3年)、10年制中等教育確立。
- □ **ゴルバチョフ時代** ➡ **ペレストロイカ**(1985)に伴う教育改革。
- □ **ソ連解体**(1991) ➡ →教育制度の大きな変化。

用語 ※スプートニク…1957年10月にソ連が打ち上げた世界初の人工衛星。

ポイント 英の教育改革法はバトラー→クラウザー→ベイカーと覚える

西洋教育名言集

頻出度
A

●採用試験でしばしば取り上げられる教育思想家・実践家の著者の有名な一説を取り上げた。
●教育原理でも活用できる分野なので、そちらでも活用しておこう。

1 西洋教育史名言集

重要度 ★★★

人物	著書	名言
ソクラテス B.C.469頃〜B.C.399	――――	「汝自身を知れ」「徳は知なり」
コメニウス 1592〜1670	『大教授学』 1657	「あらゆる人に、あらゆる事柄を（全般的に）教授する普遍的な技法を提示する大教授学」
ロック 1632〜1704	『教育に関する考察』 1693	「健全な身体に宿る精神とは、この世における幸福な状態の、手短ではあるが意をつくした表現である」
ルソー 1712〜1778	『エミール』 1762	「造物主の手を離れるときは、すべてが善いものであるが、人間の手にかかると、それらがみな例外なく悪いものになっていく」
カント 1724〜1804	『教育学（講義）』 1803	「人間は教育されなければならない唯一の被造物である」「人間は教育によってはじめて人間になることができる」
コンドルセ 1743〜1794	『公教育の本質と目的』 1792	「国民教育は公権力の当然の義務である」
ペスタロッチ 1746〜1827	『隠者の夕暮』 1780	「玉座の上にあっても木の葉の陰に住まっても同じ人間、その本質からみた人間、そも彼は何であるか」
	『白鳥の歌』 1826	「直観を、すべての認識の絶対の基礎と認めることに、私は教授の最高の原理を確立した」「生活が陶冶する」
オーエン 1771〜1858	『新社会観』 1813	「人間は環境の子である」
ヘルバルト 1776〜1841	『一般教育学』 1806	「私は、教授のない教育などというものの存在を認めないし、また逆に、教育しないいかなる教授も認めない」
フレーベル 1782〜1852	『人間の教育』 1840	「新たに生まれた子どもは後になってはじめて人間になるのではなくて、子どものあらゆる素質のうちにすでに大人があらわれている」「遊戯とは、子どもが自己の内界を自ら自由に表現したもの、自己の内的本質の必要と要求とに応じて内界を外界に表現したものである」

スペンサー 1820～1903	『教育論』 1861	「教育が果たすべき機能は、完全な生活へわれ われを準備していくことである」
エレン・ケイ 1849～1926	『児童の世紀』 1900	「教育の最大の秘訣は、教育しないことにあ る」「この次の世紀は、子どもの世紀となるだ ろう」
ナトルプ 1854～1924	『社会的教育学』 1899	「人間はただ人間的な社会においてのみ人間 となる」
ケルシェン シュタイナー 1854～1932	『労作学校の概念』 1912	「未来の学校、それは労作学校である」「われわ れの書物中心の学校は、幼児期の遊び中心の 学校に連続する労働中心にならなくてはなら ない」
デューイ 1859～1952	『学校と社会』 1899	「教育は生活の必然から生じる人間の経験の 再構成である」「なすことによって学ぶ」「いま やわれわれの教育に到来しつつある変革は、 重力の中心の移動である。それはコペルニク スによって天体の中心が地球から太陽に移さ れたときと同様の変革であり革命である。こ のたびは子どもが太陽となり、その周囲を教 育の諸々の営みが回転する。子どもが中心で あり、この中心のまわりに諸々の営みが組織 される」
クルプスカヤ 1869～1939	『国民教育論』 1917	「子どもの生産労働を、教授と緊密に結びつけ て、学校の日常生活に導入することは、教授す るものを百倍も生き生きとしたもの、深みの あるものに変えていく」
モンテッソーリ 1870～1952	『モンテッソーリ・ メソッド』 1909	「われわれの教育は、自己教育を可能にし、感 覚の組織的教育を可能にする。そのような教 育は教師の能力ではなく、教具体系にかかっ ている」
シュプランガー 1882～1963	『文化と教育』 1919	「教育は他者の心に対する施与的愛に基づき、 その全体的価値の受容性ならびに価値構成能 力を内部より展開せしめんとする意志であ る」
マカレンコ 1888～1939	『愛と規律の家庭教 育』 1938	「家庭は、決して軽く考えることのできぬ、大 きな責任のある場所です。親は家庭を組織し 指導し、そして、自分たちの幸福と、子どもた ちの未来に対する責任を負っています」
ブルーナー 1915～2016	『教育の過程』 1960	「どの教科でも知的性格をそのままに保って、 発達のどの段階のどの子どもにも効果的に教 えることができる」

頻出度 **A** 西洋教育名言集

人物・著書・その一節・言葉で示される理論名などはしばしば出題さ
れる。それらを覚え、理論の説明もできるようにすることが大切だ

ポイント P.249のパーカーストのドルトン・プランもおさえておこう

日本教育史概説①(近代以前)

頻出度
B

- ●「西洋教育史概説①」と同様、出題はあまりない分野である。
- ●一般教養でも使える知識でもあるので、その観点からも理解しておきたい。

1 近代以前 （出題 秋田・埼玉・福井・愛知・長崎） 重要度 ★★★

飛鳥・奈良時代

□**王仁** ⇨ 『論語』『千字文』を伝える(5C頃、百済より)。

□**聖徳太子** ⇨ 仏教(6C中期に伝来)への帰依。『三経義疏』

□**大宝律令**(701) ⇨ 律令国家体制に。**大学**(寮):貴族教育、中央の官吏養成機関／**国学**:地方の官吏の養成機関(郡司の子弟を対象)

芸亭 ⇨ 石上宅嗣が設立。初の私設公開図書館。

平安時代

□**大学別曹** ⇨ 有力貴族の大学に就学する一族子弟の寄宿舎兼後援機関。

- ●和気氏:**弘文院**   ●菅原、大江氏:文章院   ●**藤原氏:勧学院**
- ●橘氏:**学館院**   ●在原氏:**奨学院**   ●淳和天皇:淳和院

□**綜芸種智院** ⇨ **空海**(**真言宗**)が庶民教育のために設置。

鎌倉時代 武士社会の教育

□**武士の教育** ⇨ 武芸の鍛錬(**流鏑馬**・**笠懸**・犬追物)、基礎的な読み書き。

□**金沢文庫** ⇨ 北条実時が設立(13C後半)。幕府滅亡後、称名寺が管理。

□**鎌倉新仏教** ⇨ 分かりやすい教義・実践で庶民を教化し、仏教が浸透。

宗 派	開祖	主著	教化・修行方法
浄土宗	法然	選択本願念仏集	専修念仏
浄土真宗	親鸞	教行信証(唯円『歎異抄』)	信心為本
時 宗	一遍	一遍上人語録	踊念仏
日蓮宗	日蓮	立正安国論	題目・折伏
臨済宗	栄西	興禅護国論	坐禅・公案
曹洞宗	道元	正法眼蔵	只管打坐

室町時代

□**能楽** ⇨ <u>世阿弥</u>『<u>花伝書(風姿花伝)</u>』(芸術教育論を含んでいる)

□**足利学校** ⇨ 下野国(栃木県)、上杉憲実のとき形態整う。「**坂東の大学**」。

□**キリスト教の学校** ⇨ 宣教師たちが**セミナリオ(神学校)・コレジオ**を設置。

□**家訓** ⇨ 鎌倉から戦国期に一族の統率目的で。『**早雲寺殿 廿 一箇条**』など。

近世の教育

□**近世の学校**

- **幕府**：<u>昌平坂学問所(昌平黌)</u>。**正学(朱子学)**のみ(**寛政異学の禁**)。

- **諸藩**：**藩校**＝朱子学を中心に孝経・四書五経など。

  主な藩校〜仙台藩(養賢堂)・**会津藩(日新館)・水戸藩(弘道館)・尾張藩(明倫堂)**・金沢藩(明倫堂)・**岡山藩(花畠教場)・萩藩(明倫館)・熊本藩(時習館)・薩摩藩(造士館)／郷学(郷校)**＝岡山藩(**閑谷学校**)

- **庶民教育**：**寺子屋**＝読み書き算盤が中心。6、7〜12、13歳。「**往来物**」などを用いて**手習い・友教え**。明治初年まで続き全国に15,000以上。就学率50%超の地方もあり、明治以降の教育の基礎となる。

□<u>私塾・家塾</u> ⇨ 教師が自宅などで自己の学派や流派の奥義を伝授。

  漢学：**古義堂〈堀川塾〉(伊藤仁斎)・蘐園塾(荻生徂徠)・藤樹書院(中江藤樹)・咸宜園(広瀬淡窓)・廉塾(菅茶山)・雉塾(木下順庵)・松下村塾(吉田松陰)／国学：気吹屋(平田篤胤)・鈴屋(本居宣長)／洋学：象先堂(伊東玄朴)・芝蘭堂(大槻玄沢)・適塾(緒方洪庵)・鳴滝塾(シーボルト)**

> 咸宜園では身分・年齢・学歴を無視(三奪法)、月旦表という成績評価の発表で最下位から始め、月9回の試験結果で上位に上げたりした。約4,800人が学んだ

□<u>その他</u> ⇨ **塙保己一**：幕府の援助で和学講談所を設置。『**群書類従**』(古代から江戸までの国書を分類ごとに大成)／**貝原益軒**：『**和俗童子訓**』(教育論。**女子教育**についても触れる)／大原幽学：農民教育(教導所の設置)。**先祖株組合**(世界で最初の農業協同組合)開設。

□**幕末** ⇨ 開国後、西洋の進んだ学問や科学技術を摂取しようとして幕府や各藩はそれに対応した教育機関を設立。

  幕府：**蕃書調所**(1856) → 洋書調所(1862) → 開成所(1863)

  各藩：**集成館**(薩摩藩)、**好生館**(佐賀藩)

ポイント 主な家塾の名称・開設者名は組み合わせて覚えよう

日本教育史概説②(明治期)

頻出度

A

●日本の近代教育制度は「学制」発布とともに始まる。
●「学制」とこれ以降の種々の法令の推移、内容は頻出事項の1つである。

1 明治期教育史略年表

出題 福井・長崎　重要度 ★★★

1871(年)	文部省設置(教育の中央集権化)
1872	**学制発布＝フランスの学制を模倣**(発布に先立ち「**(学事奨励に関する)被仰出書**」を布告)
1877	**東京大学**→東京開成学校と東京医学校が合併:法・文・医・理学部
1879	**教育令**(田中不二麻呂・モルレーら)←**自由教育令**とも＝**アメリカの**教育行政を模倣。自由主義的、地方分権的性格
1880	**改正教育令(干渉教育令)**
1881	教科書開申(届出)制度
1885	**内閣制度**の成立(初代総理大臣:伊藤博文・**初代文相:森有礼**)
1886	**学校令**→小学校令・**中学校令・師範学校令・帝国大学令** ◎尋常小学校4年を**義務**に(**義務教育**)。教科書の検定制度導入 ◎中学校は尋常・高等の2種。実学と進学との二重の目的
1887	ハウスクネヒト(独)来日→**ヘルバルト派の5段階教授法**が流行
1889	**大日本帝国憲法制定→教育は義務**(教育に関する規定なし)
1890	**教育勅語**→井上毅・元田永孚・中村正直らが起草。教育の基本理念、臣民の遵守すべき項目、教育勅語の正当性明示
1890	**小学校令改正**(第2次)→尋常小学校3～4年制・市町村に**学校設置義務＝**教育関連法の**勅令主義**
1894	高等学校令→高等中学校を**高等学校**に。小・中・高・大の組織に
1899	中学校令改正→尋常中学校を**中学校**に。修業年限を5年に／高等女学校令・実業学校令→中等教育機関の整備・充実
1900	小学校令改正(第3次)→義務教育**無償制**(義務教育制度の確立)
1903	小学校令改正→**教科書の国定制度**(前年の**教科書疑獄事件**が影響)
1907	小学校令改正→**義務教育6年制**(1941年の国民学校令まで続く)

□**学制** ⇨「（**学事奨励に関する**）**被仰出書**」で学制の意図（**国民皆学・個人主義・実学主義**）を明示。**教育の国家管理**を明確化、学区・学校・教員・生徒・海外留学生・教育行政などを規定。学区は**8大学区**、1大学区を32**中学区**、1中学区を210**小学区**に区分。**下等・上等小学校**各4年の学校など。

□**教育令**（**自由教育令**）⇨ 学制を廃止。**自由主義的・地方分権的**な教育を基本に。小学校の修学年限も8年を半減でき、しかも各年4ヵ月でよいとする。→ 就学率の低下。翌年改正（**干渉教育令**）、中央集権的教育体制に。初等・中等・高等の3段階の小学校。「**修身科**」を筆頭教科に（＝徳育強化）。

□**学校令** ⇨ 文部大臣**森有礼**が主導。**小学校令・中学校令・師範学校令・帝国大学令**からなる。

● **小学校令**：尋常（4年）・高等（4年）の2段階の小学校、尋常小学校4年間を義務化。→ **第2次小学校令**：**学校設置義務**を市町村に課す。帝国憲法制定後の法であるが、教育は国家の基礎として帝国議会の議決による改変の可能性を避けるために教育関連法令は**勅令**形式に。→ **第3次小学校令**：尋常小学校の課程を4年に統一（従来は3、ないし4年）、これを義務教育として無償に。**義務制・学校設置義務・無償制の義務教育制度が確立**。→ 小学校令改正：**教科書を国定に**（**教科書疑獄事件**〈文部省教科書審査委員と教科書出版社との収賄事件。関連して知事・校長・教員など多数検挙〉が契機）。→ 小学校令改正：尋常小学校を**6年間**とし、これを義務教育期間に。

● **中学校令**：実学方面と進学方面の二重の目的。尋常中学校（各府県に1校）・高等中学校（北海道・沖縄を除き全国を5区分し1区分に1校）の2種。

□**大日本帝国憲法制定** ⇨ 教育は、納税・兵役とともに、**国民の三大義務**。教育は天皇から与えられた慈恵。教育を受けることは国家（天皇）に対する国民（臣民）の義務。**憲法に教育に関する記載なし**。

□**教育勅語** ⇨ 正しくは「**教育に関する勅語**」。帝国憲法下の教育に関する理念を明確化したもの。全315文字。発布後、文部省の手で謄本がつくられ、全国の学校に配布。学校儀式などで奉読され、国民道徳の絶対的基準、教育活動の最高の原理として圧倒的権威をもち、修身科をはじめ諸教科の内容はこれによって規制された。

ポイント 帝国憲法における教育の位置づけを把握しておこう

（縦書き右側）
教育史 頻出度 Ⓐ 日本教育史概説②（明治期）

頻出度

B

●大正〜戦中期は出題頻度が高いものは少ないが、大正自由主義教育関連は要注意である。
●八大教育主張、学校の創設者、その特徴はきちんとおさえておこう。

1 大正〜戦中期教育史略年表 出題 愛媛・長崎 重要度 ★★

1917 (年)	臨時教育会議設置（〜1919） →**寺内正毅内閣直属**の教育政策に関する諮問・審議機関 沢柳政太郎、成城小学校創設
1918	**大学令**→公立・私立大学設置認可、学部制など **高等学校令改正**→尋常科・高等科・専攻科・予科の各科 **市町村義務教育費国庫負担法**→市町村立尋常小学校正・准教員の俸給の一部を国庫で負担（1923改正＝国庫負担額増額） 鈴木三重吉、**児童雑誌『赤い鳥』**創刊
1921	**八大教育主張講演会**＝新教育理論提唱者8人の講演会
1923	**盲学校及聾唖学校令**→障害児教育制度の整備 **関東大震災**
1924	赤井米吉、**明星学園創設**。この後、私立小学校相次いで創設 **パーカースト**来日。各地で**ドルトン・プラン**に関する講演
1926	**幼稚園令**→幼稚園を家庭教育の補助機関として位置づけ
1929	小原國芳、**玉川学園創設** **小砂丘忠義・野村芳兵衛「綴方生活」**刊行
1935	**青年学校令**→青年訓練所・実業補習学校を統一、**青年学校に**。
1937	**教育審議会設置** →**近衛文麿**首相直属の教育政策の審議機関
1940	**義務教育費国庫負担法**→教員給与の半額を国が負担
1941	**国民学校令**→尋常小学校・高等小学校を8年間の**国民学校**に **太平洋戦争**（〜1945）
1943	**中等学校令**→中学校・高等女学校・実業学校を4年制**中等学校に**
1945	**戦時教育令**→国民学校初等科を除く学校の授業停止

□**臨時教育会議** ⇨ **寺内正毅**内閣のもと、**平田東助**を総裁とし、小学教育・高等普通教育・大学教育・専門教育など9項目の諮詢について1年8ヵ月の審議の末に答申。1919年以降の教育制度改革はこの答申にもとづく。

□**大学令** ⇨ 帝国大学令を改正。大学の教育目的に「**人格ノ陶冶**」を入れる。分科大学制をやめて**学部制**に。**総合大学**を基本としつつ**単科大学**も容認。道府県による**公立大学**、財団法人による**私立大学**設置を認可（大正年間に設立された私立大学は慶應義塾大学など20校以上）。

□**市町村義務教育費国庫負担法** ⇨ 市町村立の尋常小学校の正・准教員の俸給の一部を国家が負担、従来の「補助」から「負担」に。年額1000万円をくだらない額を教員数・児童数に応じて配分→ 後、4000万円に増額。

□**高等学校令改正** ⇨ 弘前・東京・広島などの**官立**（官立としては明治期に創設された第一高等学校などのナンバースクールがあった）・東京府立（後、都立）・大阪府立浪速などの**公立**、武蔵・甲南・成蹊・成城の**私立**の高等学校設置を認可。

□**八大教育主張** ⇨ 東京第一師範学校（現東京学芸大学）の講堂で行われた教育講演会。内容は、❶樋口長市「**自学教育論**」、❷河野清丸「**自動教育論**」、❸手塚岸衛「**自由教育論**」、❹千葉命吉「**一切衝動皆満足論**」、❺稲毛金七「**創造教育論**」、❻及川平治「**動的教育論**」、❼小原國芳「**全人教育論**」、❽片上伸「**文芸教育論**」。特に「**全人教育**」は本来の意味を離れて長く使用された。

□**大正自由主義教育** ⇨ **大正デモクラシー**と呼ばれた一時期には、社会の様々な分野において民主主義・自由主義思想が普及し、教育の分野でも改革の気運が高まった。主な動き：官学（師範学校附属小学校）＝及川平治（明石女子師範学校付属小学校）分団式動的教育法・手塚岸衛（千葉県師範学校付属小学校）自由教育・木下竹次（奈良女子高等師範学校付属小学校）自立的学習法／私立学校＝沢柳政太郎：**成城小学校**（新しい教育実践を展開）・**赤井米吉**：**明星学園**・**小原國芳**：**玉川学園**・**羽仁もと子**：**自由学園**・**西村伊作**：**文化学院**・**野口援太郎**ら：**池袋児童の村小学校**など。

□**国民学校** ⇨ 皇国民を鍛錬育成する基礎的部分を担う重要な教育機関とする。6年制の**国民学校初等科**と2年制の**国民学校高等科**を設け、従来6年間であった義務教育期間を**8年間**とした。施行から4年ほどで敗戦となり、戦後の学制改革で廃止となったので完全実施には至っていない。

ポイント 臨時教育会議は各審議会のひっかけ問題によく用いられる

日本教育史概説④（戦後）

日付 ／

●戦後の教育は直近のことでもあり、暗記事項も多いので、確実な理解を目指そう。
●教育原理との重複もある領域なので、そちらでも活用できるように上手な整理を心がけよう。

1 戦後教育史略年表

出題 秋田・長崎 重要度 ★★★

1945（年）	**敗戦**→根本からの教育改革開始＝（**教育に関する**）四大指令→ GHQ による戦後民主主義教育の指針
1946	**第1次アメリカ教育使節団来日**→6・3・3制、国家統制の排除などを内容とする第1次報告書提出→その実現のために**教育刷新委員会**設置（1949 教育刷新審議会と改称）。**日本国憲法制定**
1947	**教育基本法・学校教育法**→国民の教育を受ける**権利**と教育の**機会均等**を保障。6・3・3・4の**単線型学校制度**。小・中学校の**9年間**の**義務教育制度**
1948	**教育委員会法**
1949	**教育公務員特例法・教育職員免許法**
1950	**第2次アメリカ教育使節団来日**
1952	**中央教育審議会設置**
1956	**地方教育行政の組織及び運営に関する法律**→教育委員が**公選制**から**首長任命制**（議会の同意の上で）へ
1958	小・中学校学習指導要領改訂告示→文部省告示として学習指導要領が**法的拘束力**をもつものに。**道徳の時間**の設置
1962	**高等専門学校発足**→単線型学校体系崩れる
1963	**義務教育諸学校の教科用図書の無償措置に関する法律**
1968	小学校学習指導要領改訂→**教育課程の現代化**（教育内容精選と系統化、など）
1977	小・中学校学習指導要領改訂→**「ゆとり教育」**始まる
1984	**臨時教育審議会（臨教審）**（〜1987）→内閣直属の審議会
1988	文部省社会教育局が**生涯学習局**に改組→**生涯学習振興法**（1990）
1992	第2土曜休日開始→隔週土休（1995）→**完全学校週5日制**（2002）
1996	中教審「**21世紀を展望した我が国の教育の在り方について（答申）**」

1998	学校教育法改正(翌年、中等教育学校発足)。小・中学校学習指導要領改訂→内容精選、時間数削減、**総合的な学習の時間**
2000	**教育改革国民会議報告「教育を変える17の提案」**→教育基本法の改正を提案→2001 文部科学省「**21世紀教育新生プラン**」
2003	学習指導要領一部改正→**基準性**を明示
2006	**教育基本法改正→伝統と文化、それを育んだ郷土と我が国の尊重**を謳う
2007	**特別支援教育**体制始まる **教育再生会議**第1・2次報告「**社会総がかりで教育再生を**」
2008	小・中学校学習指導要領改訂→「**ゆとり教育**」廃止。伝統と文化重視。**小学校に外国語活動**
2009	**教員免許更新制導入**
2013	**いじめ防止対策推進法**制定
2014	**障害者の権利に関する条約**を批准
2023	こども家庭庁を設置、**こども基本法**を制定

2 重要事項解説　　(出題) 秋田・長崎　 重要度 ★★

□（**教育に関する**）**四大指令** ⇨ **GHQ**（連合国〔軍〕最高司令官総司令部）の「日本教育制度に対する管理政策」に関する指令にもとづく、❶**軍国主義的・超国家主義的教育の禁止**、❷**軍国主義教員の審査と教職追放**、❸**神道への政府の関与の禁止**、❹**修身、日本歴史・地理停止**の4件の指令。

□**第1次アメリカ教育使節団** ⇨ 約ひと月の視察の後、教育目的の民主化・教育課程の改革・地方分権的な教育行政への転換・男女共学・6・3・3制の教育制度の確立・教員養成の改善・神道と公教育の分離などを勧告。この勧告の実現化のために、**教育刷新委員会**（後、**教育刷新審議会**）が発足。

□**教育課程の現代化** ⇨ 学問中心のカリキュラム編成のために、教育課程の一貫性・教育内容の精選と系統化を重視。算数・数学に現代数学の基本概念などを導入、科学技術を支える高度な知識の導入を図った。この改訂の弊害としていわゆる**落ちこぼれ**が生まれ、学校の荒廃へとつながる→**ゆとり教育**の導入：各教科の標準授業時間数を削減し、教育内容の精選を図り、基礎・基本に重点を置く。

□**臨時教育審議会**（**臨教審**） ⇨ 中曽根康弘首相（当時）の諮問機関。21世紀を指向した教育の在り方や教育改革の具体的な方策などの検討が目的。

ポイント 臨教審の4次にわたる答申は、現在の教育改革の根幹

●暗記の手助けとして、特に重要と思われる内容についてまとめてある。
●余裕があれば、細部についても暗記してしまおう。

1 主要教育施設と創設者

重要度 ★★★

教育施設	人物名	特色等
芸亭（うんてい）	石上宅嗣（いそのかみのやかつぐ）	私設公開図書館
綜芸種智院（しゅげいしゅちいん）	空海	庶民教育機関
金沢文庫	北条実時	北条氏（金沢氏）の個人文庫
足利学校	上杉憲実	「坂東の大学」
藤樹書院	中江藤樹	陽明学、平等思想
古義堂	伊藤仁斎	古義学（堀川学派）
蘐園塾（けんえん）	荻生徂徠（おぎゅうそらい）	朱子学を否定→古文辞学
鈴屋（すずのや）	本居宣長	国学
咸宜園（かんぎ）	広瀬淡窓	三奪法
適塾	緒方洪庵	大阪大学の源流
鳴滝塾	シーボルト	塾兼西洋医学診療所
松下村塾	吉田松陰	維新の志士を育てる
慶應義塾	福沢諭吉	『学問のすゝめ』

このほかの教育関連施設として、大学（寮）・国学・大学別曹（和気氏の弘文院など）・昌平坂学問所（＝昌平黌）・藩校などもおさえておきたい

2 八大教育主張

重要度 ★★

樋口長市（ちょういち）	自学教育論	人間を育てるための創作主義を主張
河野清丸（このきよまる）	自動教育論	自動的な学習のための目的意識の育成
手塚岸衛（きしえ）	自由教育論	教育は自己開拓する力をつけること
千葉命吉（めいきち）	一切衝動皆満足論	真の教育は好きなことをさせることから始める
稲毛金七	創造教育論	人生は創造である
及川平治（へいじ）	動的教育論	教育は動的なものでなくてはならない
小原國芳（おばらくによし）	全人教育論	全き人間であるための真善美聖の教育
片上伸（かたがみのぶる）	文芸教育論	文芸の精神による人間の教育を力説

年	法令等	内容
1872(明治5)	**学制**	フランスの教育制度を模倣
1879(明治12)	**(自由)教育令**	緩やかな就学基準。アメリカの模倣
1880(明治13)	**改正(干渉)教育令**	教育の国家管理を強化
1886(明治19)	**学校令**	4つの学校種ごとに制定
1890(明治23)	**教育勅語**	戦前の教育の基本理念の具現化
1890(明治23)	**第2次小学校令**	市町村に尋常小学校設置義務
1900(明治33)	**第3次小学校令**	義務教育無償制(義務教育制度確立)
1940(昭和15)	**義務教育費国庫負担法**	教員給与の半分を国が負担
1941(昭和16)	**国民学校令**	小学校を国民学校に改称
1947(昭和22)	**教育基本法**	戦後の教育の基本理念を示す
1956(昭和31)	**地方教育行政法(略称)**	任命制教育委員など

【参　考】学校系統図(『学制百年史』)

【昭和19年】　　【昭和24年】

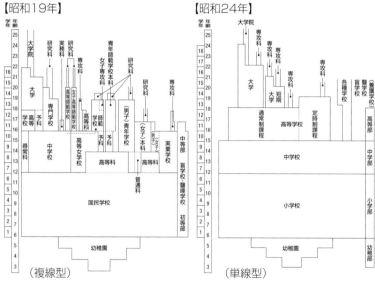

(複線型)　　(単線型)

戦後の単線型の学校系統は、昭和37年の高専の発足で崩れる。さらに、平成11年には中等教育学校もでき、中学校から複線化することになる

教育史

頻出度 Ⓐ 日本教育史・要点整理

ポイント 明治の教育令と小学校令は、改正の内容をつかんでおこう

教育史

一問一答 チェック!

次の（　）にあてはまる語を答えなさい。

Q1 ギリシア3大哲人の一人（ ① ）は相手が知を生み出すのを助ける意味の（ ② ）を用いた。
参照▶ P.244

A1 ①ソクラテス
②産婆術

Q2 中世ヨーロッパでは、本山学校や修道院学校で（ ① ）が教えられた。 参照▶ P.244

A2 ①七自由科

Q3 教授学の祖といわれる（ ① ）は（ ② ）を唱えた。 参照▶ P.246

A3 ①コメニウス
②直観教授

Q4 イギリス（ ① ）の祖であるロックは、その説にもとづく（ ② ）を唱えた。 参照▶ P.246

A4 ①経験論
②精神白紙説
②はタブラ・ラサともいう

Q5 「子ども発見の書」といわれる『（ ① ）』を著したのは（ ② ）である。参照▶ P.247

A5 ①エミール
②ルソー
消極教育などもおさえたい

Q6 「玉座の上にあっても木の葉の陰に住まっても」同じ人間と記した『（ ① ）』の著者は（ ② ）である。参照▶ P.247

A6 ①隠者の夕暮
②ペスタロッチ

Q7 コンドルセは国家による（ ① ）の必要性を唱えたが（ ② ）を課すことは不要とした。
参照▶ P.247

A7 ①公教育
②就学義務
ルペルチェとの違いを明確に

Q8 産業革命を背景に大都会に流入した大量の子どもたちに一度に教える方法として（ ① ）が考案された。 参照▶ P.248

A8 ①助教法
ベル・ランカスター法、モニトリアル・システムとも

Q9 イギリスでの公教育が確立したのは（ ① ）によってである。 参照▶ P.248

A9 ①フォスター法
正しくは初等教育法という

Q10 ヘルバルトは教育の目的を（ ① ）とし、その方法として教授の（ ② ）を唱えた。参照▶ P.248

A10 ①道徳的品性の陶冶
②4段階説

Q11 世界初の幼稚園を創設した（ ① ）は（ ② ）の原理にもとづく教育遊具（ ③ ）を開発した。参照▶ P.249

A11 ①フレーベル
②遊戯
③恩物

Q12 人は「なすことによって学ぶ」とする（ ① ）は『思考の方法』において（ ② ）を提唱した。参照▶ P.249

A12 ①デューイ
②問題解決学習

Q13 ドイツ改革教育学の中心人物（ ① ）は、『労作学校の概念』を著して「（ ② ）」を唱えた。参照▶ P.250

A13 ①ケルシェンシュタイナー
②労作教育論

Q14 フランスで現在の初等・中等教育の形態が整えられたのは（ ① ）によってである。参照▶ P.251

A14 ①アビ改革
当時の教育大臣の名前による

Q15 スプートニク・ショックによるカリキュラム改革のための（ ① ）会議の議長（ ② ）は『（ ③ ）』を著して（ ④ ）を提唱した。参照▶ P.251

A15 ①ウッズホール
②ブルーナー
③教育の過程
④発見学習

Q16 大宝律令の制定後、貴族教育・官吏養成機関として中央には（ ① ）が、地方には（ ② ）が設けられた。参照▶ P.254

A16 ①大学（寮）
②国学
（大宰府に設置のものは府学）

Q17 真言宗の開祖（ ① ）が庶民教育のために設置したのが（ ② ）である。参照▶ P.254

A17 ①空海
②綜芸種智院

Q18 江戸幕府の幕臣などの教育の中心が（ ① ）であり、そこでは（ ② ）が正学とされた。参照▶ P.255

A18 ①昌平坂学問所
②朱子学
①昌平黌とも
②寛政の改革以後

Q19 咸宜園は（ ① ）が日田に開いた家塾で、身分などを無視する（ ② ）による教育が行われた。参照▶ P.255

A19 ①広瀬淡窓
②三奪法

Q20 旧文部省設置の翌年に（ ① ）が発布されたが、これは（ ② ）の教育制度を模したものであった。参照▶ P.256

A20 ①学制
②フランス

Q21 Q20 の後、（ ① ）の教育制度を模した自由主義的な（ ② ）に切り替えた。 参照▶ P.256

A21 ①アメリカ
②（自由）教育令

Q22 （ ① ）が初代文部大臣になると（ ② ）を発布し、尋常小学校 4 年間を義務化するなどした。 参照▶ P.256・257

A22 ①森有礼
②学校令
義務化を規定したのは小学校令

Q23 1900 年の第（ ① ）次小学校令で義務教育の（ ② ）が定められ、義務制・（ ③ ）とともに義務教育制度が確立した。 参照▶ P.256・257

A23 ①3
②無償制
③学校設置義務

Q24 1917 年に寺内正毅内閣直属の教育政策に関する諮問・審議機関として設置されたのは（ ① ）である。 参照▶ P.258

A24 ①臨時教育会議

Q25 大正自由主義教育下、（ ① ）の成城小学校や小原國芳の（ ② ）などの私立学校が設立された。 参照▶ P.258・259

A25 ①沢柳政太郎
②玉川学園

Q26 鈴木三重吉は児童雑誌『（ ① ）』を創刊し、「蜘蛛の糸」の（ ② ）なども寄稿した。 参照▶ P.258

A26 ①赤い鳥
②芥川龍之介
「蜘蛛の糸」は創刊号に掲載

Q27 尋常と高等の 2 小学校が統合されて 8 年制の（ ① ）となったが、完成前に敗戦となった。 参照▶ P.258・259

A27 ①国民学校

Q28 戦後、第 1 次アメリカ（ ① ）の教育改革勧告を実現するために（ ② ）が設けられた。 参照▶ P.260・261

A28 ①教育使節団
②教育刷新委員会
（後、教育刷新審議会）

Q29 1958 年、学習指導要領が教育課程の（ ① ）のひとつとして（ ② ）をもつものとなった。 参照▶ P.260

A29 ①基準
②法的拘束力

Q30 1956 年、教育委員会法が（ ① ）に改められ、教育委員は公選制から（ ② ）となった。 参照▶ P.260

A30 ①地方教育行政法（略称）
②首長任命制

Q31 2006 年、教育における憲法とされてきた（ ① ）が、制定後初めて改正施行された。 参照▶ P.261

A31 ①教育基本法

本試験対策

実力チェック問題

- 教育原理
- 教育法規
- 教育心理
- 教育史

「実力チェック問題」は、各自治体で出題される
本試験の対策用に作られています。

※各自治体によって出題形式や出題傾向は異なります。

1 次の文章の空欄に適する語句を入れよ。

　教育についての説には、学習者に一定の知識内容を伝達し、教えこむことによって社会の成員とすることを中心的役割とみなす（　①　）の立場と、真の知識の生産者は子ども自身であり教師はあくまでそれを手助けする介添人にすぎないとする（　②　）の立場とがあるといわれる。

　前者は現存する文化財の理解と伝達と、それによる共同社会の担い手の形成を教育の目的とするものであり、後者は『（　③　）』の著者ルソーをはじめ、『隠者の夕暮』の著者（　④　）や、遊戯学習を研究し（　⑤　）を考案した（　⑥　）の立場である。

2 次の一節が含まれる教育論から引用された文章としてふさわしいものは、1〜5のうちどれか。

> 教育は、経験のたえざる再構成として考えられなければならないものであって、教育の過程と目標とは全く同一の事柄である。

1．「教育を通じて、人間に内在する神的なもの即ち人間の本質は、人間において意識的に発達させられ、完成されなければならない」

2．「教育は生命とともに始まるのだから、生まれたとき、こどもはすでに弟子なのだ。教師の弟子ではない。自然の弟子なのだ」

3．「私は、この際、教授のない教育などというものの存在を認めないしまた逆に、少なくともこの書物においては、教育しないいかなる教授も認めない」

4．「どの教科でも、知的性格をそのままに保って、発達のどの段階の子どもにも効果的に教えることができるという仮説からはじめることにしよう」

5．「教育は生活の過程であって、将来の生活に対する準備ではない」

3 ヘルバルトの4段階教授説について、その段階を順に正しく記せ。

4 （1）～（5）の教育方法に関係のある人名〈A群〉と説明〈B群〉を正しく組み合わせてあるのは、次の1～5のうちのどれか。

（1）範例学習　（2）発見学習　（3）プログラム学習
（4）4段階教授説　（5）集団主義教育

〈A群〉

> **ア**. ライン　　**イ**. キルパトリック　　**ウ**. スキナー
> **エ**. エレン・ケイ　　**オ**. ブルーナー　　**カ**. ペスタロッチ
> **キ**. ヘルバルト

〈B群〉

> **a**. 学習者がステップごとに自分のペースで学習し、フィードバックしながら学習し、無駄なく一定の目標に到達させる。
>
> **b**. 生徒からモニターを選び下級生の指導にあたらせ、一度に多人数を教授しようとする形態である。
>
> **c**. 学習者が自発的に計画・立案し、目的を持った作業活動上の問題解決を進めていく学習形態である。
>
> **d**. 教師がチームを作り、その協力によって学習者を指導していく形態である。
>
> **e**. 学習者が自らの直観を働かせ、学習者自身に知識の生成過程をたどらせ、知識を体系的・構造的に把握させる形態である。
>
> **f**. 教育内容を精選し、ひとつの典型的な共通性のある事例を徹底して学習することで、基礎的、本質的な理解へと導こうとする学習形態。
>
> **g**. 教授方法を「教授」「訓練」「管理」の3つの概念に区分し、その「教授」の過程を「専心」→「致思」とし、さらに区分したもの。
>
> **h**. 集団に共通の目的をもち共通の活動をしていく過程で、個人の意識の変革をも意図するという目的をもつ学習形態である。

1. （1）－**ア**－**a**　（2）－**オ**－**e**　（3）－**ウ**－**c**
2. （2）－**イ**－**b**　（3）－**ウ**－**h**　（4）－**エ**－**d**
3. （4）－**オ**－**g**　（5）－**イ**－**c**　（1）－**ア**－**a**
4. （2）－**オ**－**e**　（3）－**ウ**－**a**　（4）－**キ**－**g**
5. （5）－**イ**－**c**　（4）－**キ**－**g**　（1）－**カ**－**f**

5 学習指導の方法として適切なものは、次の1〜5のうちのどれか。

1. A校では、体験的、問題解決的な学習を重視することとし、理科などの教科において実験・実習を多く取り入れるよう配慮した。

2. B校では、協力して学習する態度を身につけさせることを目標とし、毎日全教科、常に同じ班で学習を進めるように計画した。

3. C校では、コンピュータを用いて情報通信ネットワークを利用する授業は教員が担当すべきではないとし、必ず専門の技術者に任せることにした。

4. D校では、学校図書館の利用を国語の授業のなかに積極的に取り入れることとし、その他の教科では学校図書館を利用しないようにした。

5. E校では、一人ひとりの能力に合わせた指導を充実することとし、すべての教科において同一の習熟度別グループによる授業を行うことができるように工夫した。

6 次のドルトン・プランについての説明文の空欄に適語を入れよ。

ドルトン・プランはアメリカの教育学者（　①　）により、1920（大正9）年マサチューセッツ州ドルトン市のハイスクールで試みられた新しい個別学習の方式である。この教育方法は、従来の学校の決まった（　②　）と画一的な（　③　）を廃し、（　④　）の原理にもとづき、学級を超越した個別的学習指導とともに学校生活の（　⑤　）を進めたものである。

ドルトン・プランの要点は、(1)教科を（　⑥　）（国語・数学・地理・歴史・外国語）と（　⑦　）（音楽、図画工作、家庭、体育）に分け、小学校4年生以上と中等学校生徒に適用する、(2)（　⑥　）は午前中に行い、教科別に参考書、教具等を備えた（　⑧　）を設け、そこには教科専門の教師がいて、子どもの自学の個別指導や助言にあたる、(3)学習は学級を超えて教師と子どもの（　⑨　）仕事として行われ、その仕事の1ヵ月単位の（　⑩　）に従って各自任意の実験室に入り自学する、(4)（　⑦　）は午後に行い、従来通り、学級で（　⑪　）に学習する、などである。

このプランは、わが国においては大正時代のいわゆる自由新教育運動に支えられて紹介され、1924（大正13）年のパーカースト女史の来日もあって、（　⑫　）など多くの実践学校が生まれた。

7 これまでに学習指導要領は何回か改訂されている。次のキーワードで示される学習指導要領についてその改訂の古い順に並べかえよ。

(a) 生きる力　(b) ゆとり・充実　(c) 新学力観

(d) 系統学習　(e) 教育の現代化

8 学習指導要領に関する記述として適切なのは、次の1～5のうちのどれか。

1. 各学校においては、基礎的・基本的な内容を確実に身につけ、自ら学び自ら考える力をはぐくむ指導から、個性を生かし、応用力を重視する指導への転換を推進することとなった。

2. 体育・健康に関する指導は、生涯学習の視点から学校教育ではなく社会教育で行うことになったが、安全面の配慮から学校も計画の作成に協力することとなっている。

3. 入学式や卒業式などにおいては、その意義を踏まえ、国旗を掲揚するとともに、国歌を斉唱するよう指導することとなっている。

4. 学校行事は儀式的行事と文化的行事の2つの行事から構成されており、文化的行事は、全校を単位として、児童・生徒の共通の興味・関心にもとづいた体験活動を行うこととなった。

5. 各学校における特色ある教育活動は、国際理解、情報、環境、福祉、基礎学力の充実の5つの視点から選択し、学校の全体計画を作成して実施することとなっている。

9 平成20年版学習指導要領の「改訂の基本的な考え方」について、次の空欄に適語を入れよ。

(1)（　①　）改正等で明確となった教育の理念を踏まえ「（　②　）」を育成。

(2)（　③　）・技能の習得と（　④　）・判断力・表現力等の育成のバランスを重視。

(3)（　⑤　）教育や体育などの充実により、（　⑥　）や健やかな体を育成。

10 教育の方法に関する語句について、関連の強い事項同士を結び付けたものとして最もふさわしい組み合わせは、次の1〜5のうちのどれか。

1. 経験中心主義 ― 反復主義 ― 3R's（読み、書き、計算）

2. 経験カリキュラム ― 分習法 ― 教材単元

3. 教科中心主義 ― 問題解決学習 ― 3A's（年齢、能力、適性）

4. 教科カリキュラム ― 系統学習 ― 教材単元

5. 児童中心主義 ― 全習法 ― 3R's（読み、書き、計算）

11 教育活動に関する記述として最も適切なものは、次の1〜5のうちのどれか。

1. 各学校における年間指導計画は、学校の創意工夫を生かすとともに、地方自治体としての統一を図る必要があるため、学習指導要領にもとづいて、所管する教育委員会が作成する。

2. 各教科の授業は、所管する教育委員会が定めた授業時数にもとづいて実施すると定められている。

3. 指導要録は、指導の結果や学籍を外部に対して証明するための原簿であり、児童・生徒の指導に役立てるものではない。

4. 学校と家庭の連絡に用いられるいわゆる「通知表」や「通信簿」は、保護者が最も関心をもつものであり、その形式および記載内容については法令で定められている。

5. 学習指導案は、1単位時間または1単元などの学習指導の計画書であり、学習のねらい・内容・方法や評価の観点等を明確にするために作成する。

12 次の(1)〜(3)の道徳科の目標はどの段階での目標に当たるか、あとの語群(a)〜(e)から適するものを選び、記号で答えよ。

(1)先生を敬愛し、学校の人々に親しんで、学級や学校の生活を楽しくすること。

(2)安全に気を付けることや、生活習慣の大切さについて理解し、自分の生活を見直し、節度を守り節制に心掛けること。

(3)礼儀の意義を理解し、時と場に応じた適切な言動をとること。

(a) 小学校低学年　(b) 小学校中学年　(c) 小学校高学年
(d) 中学校　(e) 高等学校

13 次の文章を読んで、あとの各問いに答えよ。

道徳教育を進めるに当たっては、（ ① ）の精神と生命に対する畏敬の念を家庭、学校、その他社会における具体的な生活の中に生かし、豊かな心をもち、伝統と文化を尊重し、それらを育んできた我が国と郷土を愛し、（ ② ）な文化の創造を図るとともに、平和で（ ③ ）な国家及び社会の形成者として、公共の精神を尊び、社会及び国家の発展に努め、他国を尊重し、国際社会の平和と発展や環境の保全に貢献し未来を拓く（ ④ ）のある日本人の育成に資することとなるよう特に留意しなければならない。

(1) 空欄①〜④に適語を入れよ。

(2) 次の文は道徳科の4つの内容を示したものである。空欄ア〜エに適語を入れよ。

◎主として（ ア ）に関すること

◎主として（ イ ）とのかかわりに関すること

◎主として集団や（ ウ ）とのかかわりに関すること

◎主として生命や自然、（ エ ）なものとのかかわりに関すること

(3) 道徳教育において「〜してはいけない」「〜しなさい」という指導のしかたは、道徳の在り方から考えて望ましくない。その理由を答えよ。

14 学習指導要領による特別活動の目標の空欄に適語を入れよ。

集団や社会の（ ① ）としての見方・考え方を働かせ、様々な集団活動に（ ② ）、実践的に取り組み、互いの（ ③ ）や可能性を発揮しながら（ ④ ）や（ ⑤ ）の生活上の課題を解決することを通して、資質・能力を育成することを目指す。

15 文部科学省編『生徒指導提要』（平22.3）について、次の各文の空欄に適語を入れよ。

(1) 生徒指導は学校の教育目標を達成する上で重要な機能を果たすものであり、（ ① ）と並んで学校教育において重要な意義を持つものといえる。

(2) 生徒指導は、教育課程における（ ② ）だけで行われるものではなく、教育課程の（ ③ ）において機能することが求められている。

(3) 生徒指導を通してはぐくまれていくべき資質や能力として、（ ④ ）、（ ⑤ ）、（ ⑥ ）の3つがある。

16 生徒の問題行動を未然に防止するための方策のうち、<u>適切でないもの</u>は、次の1〜5のうちのどれか。

1. 各教科、道徳科、特別活動、総合的な学習の時間など、学校の教育活動全体を通じ、教職員が一致協力して社会性や規範意識など豊かな人間性を育成する指導を徹底する。

2. 日ごろから、教職員が生徒の指導について共通理解を深め、児童生徒一人ひとりの交友関係等を十分に把握し、生徒の問題行動の兆候を見逃さないように努める。

3. 日ごろから家庭や地域社会、児童相談所や警察など関係機関との連携を密にし、学校外での児童生徒の行動や生活実態を把握するよう努める。

4. 教職員が児童生徒の悩みや不安を受け止め、カウンセリング・マインドを持って接するように努める。

5. 日ごろの言動から、深刻な問題行動を起こすおそれがあると判断される児童生徒については、一定期間、登校を禁止するなどして、ほかの生徒への影響が最小限となるようにする。

17 学校におけるいじめ問題への対応として<u>不適切なもの</u>は、次の1〜5のうちのどれか。

1. いじめは人間として絶対に許されないという認識を一人ひとりの児童・生徒にもたせるように指導を徹底する。

2. いじめをはやしたてたり、傍観したりする行為はいじめる行為と同様に許されない行為であるという認識を児童・生徒にもたせる。

3. いじめを告げたことによっていじめられるおそれがあると考えている児童・生徒を徹底して守り通すという毅然とした態度を日ごろから示す。

4. いじめは教師が気づかないうちに進行する場合が多いので、児童・生徒の仲間意識や人間関係の変化に気をつけ、いじめの発見や対応に努める。

5. いじめが発生した場合、学級担任は、いじめる者、いじめられる者、はやしたてる者、傍観者など、いじめの構図が明らかになるまで待ち、学級内で解決を図るようにする。

18 次のA〜Eの文は、不登校について述べたものである。このうち、<u>不適切なもの</u>はいくつあるか。あとのア〜オから1つ選べ。

A. 不登校とは、何らかの心理的、情緒的、身体的、あるいは社会的要因・背景により、児童生徒が登校しない、あるいはしたくともできない状況にあること(ただし、病気や経済的な理由によるものを除く)をいう。

B. 不登校の発生機序については諸説があるが、特定の性格傾向をもつ子どもに起こるという捉え方ではなく、どの子にも起こり得るものであるという視点に立ち、多様な角度から総合的に取り組むことが大切である。

C. 学校は児童生徒にとって自己の存在感を実感でき、精神的に安心していられる「心の居場所」としての役割を果たすことが重要である。

D. 不登校の児童生徒は、国公私立の全児童生徒に占める割合から考えると、中学校ではほぼ1クラスに1人いることになる。

E. 不登校児童・生徒へのかかわりについて、家庭訪問は登校刺激を与えることになるため、児童・生徒が学校を休みだしたら家庭訪問をしてはならない。

    ア. 1個　　**イ**. 2個　　**ウ**. 3個　　**エ**. 4個　　**オ**. 5個

19 不登校について述べたもののうち、<u>誤っているもの</u>を次の1〜5の中からすべて選べ。

1. 不登校の数は平成13年度を境に減少し続けている。

2. 不登校の数は小学校1年生から中学校3年生まで学年が上がるにしたがって増加している。

3. 不登校は特定の児童・生徒に起こるものではなく、どの児童・生徒にも起こりうることである。

4. 不登校児への対応は全校体制であることが望ましい。

5. 不登校の主な原因は、児童・生徒の怠学である。

20 次の各問いに答えよ。

(1) 全般的に知能に遅れはないが、読み、書き、計算など特定の分野の能力に遅れが見られる障害を何というか。

(2) 通常の学級に在籍する児童・生徒を必要に応じて特別支援学級などに通わせることを何というか。

(3) 今日「精神薄弱者」という名称は改められているが、その新名称を記せ。

21 特別支援教育について述べたもののうち、正しいものは次の 1 ～ 5 のうちどれか。

1. 特別支援学校の小学部・中学部・高等部において知的障害者である児童 もしくは生徒を教育する場合、特に必要がある場合は、各教科、道徳科、特 別活動および自立活動の全部または一部について、あわせて授業を行うこ とができる。

2. 市町村は、障害のある児童・生徒を就学させるために必要な特別支援学校 を設置しなければならない。

3. 都道府県の教育委員会は、当該学区内に住所を有する視覚障害者等の学齢 簿を作成し市町村教育委員会へ提出しなければならない。

4. 特別支援学校の教育課程の基準としては、文部科学大臣が告示する普通の 各学校種の学習指導要領によるものとする。

5. 特別支援学校には、義務教育課程として必ず小学部および中学部を設けな ければならない。

22 A群の事項とB群の事項との組み合わせで、最も関係の深いもの同士 の組み合わせ3組がすべて正しいものは、次の1 ～ 5のうちどれか。

〈A群〉
ア. インクルージョン
イ. リカレント教育
ウ. ＡＬＴ
エ. ジェンダー
オ. アカウンタビリティー

〈B群〉
a. 男女共同参画社会
b. ＪＥＴプログラム
c. 説明可能であること
d. サラマンカ宣言
e. 生涯学習

1. ア－a ウ－c エ－d
2. イ－e エ－b オ－c
3. ア－d イ－e エ－a
4. イ－d ウ－b オ－e
5. ア－c ウ－b オ－a

教育法規 ※解答 P.295・296

1 次の条文を読み、あとの各問いに答えよ。

> すべて国民は、法律の定めるところにより、その（　ア　）に応じて、ひとしく教育を受ける（　イ　）を有する。

(1) 空欄ア〜イにそれぞれ漢字2字の語句を入れよ。

(2) この条文は何法の第何条か。

(3) 次のa〜eのうち、「教育を受ける権利」と同じ性質の権利はどれか。

 a 学問の自由　　**b** 公務員の選定・罷免権　　**c** 財産権の保障

 d 勤労の権利　　**e** 信教の自由

2 現行教育基本法に関する記述として適切でないものは、次の1〜5のうちのどれか。

1. 旧法制定当時にはその理念として存在しなかった生涯学習について、それを重視する観点から、教育目的・目標についでその理念についての規定を配置し、さらにその成果を生かす社会の実現への期待も盛り込んだ。

2. 旧法では義務教育についてその期間を9年間として規定していたが、現行法では幼稚園や高等学校の義務化の論議等に配慮して期間に関する文言を削除し、そのかわりに「別に法律で定める」こととしたが、この「法律」とは学校教育法のことである。

3. 男女の平等、自他の敬愛と協力を重んずる精神を尊重する観点、および戦前の男女別学教育への反省から、男女共学に関する規定を設けている。

4. 学校種の中では大学に関する規定だけが独立条項として設けられているが、それは大学が他の校種にない特別な役割を担っているためであり、その役割とは条文によれば「学術の中心」ということであり、また、「新たな知見を創造」することで「社会の発展に寄与」するなどということである。

5. 旧法では独立条項としては設けられていなかった「教員」に関する規定が一条設けられ、そこでは「絶えず研究と修養に励」む努力義務を課しており、これにより従来は教育公務員特例法で教育公務員だけに課せられていた「研究と修養」が「法律に定める学校」すべての教員に課せられることとなった。

3 次の文章の( )に入る適語を記せ。

教育は、(①)の完成を目指し、(②)で民主的な国家及び社会の形成者として必要な(③)を備えた心身ともに健康な(④)の育成を期して行われなければならない。

4 次の教育基本法第2条の「教育の目標」の条文の空欄に適語を入れよ。

教育は、その目的を実現するため学問の自由を尊重しつつ、次に掲げる目標を達成するよう行われるものとする。

一 . 幅広い知識と教養を身に付け、真理を求める態度を養い、豊かな情操と(①)を培うとともに、健やかな身体を養うこと。

二 . 個人の価値を尊重して、その能力を伸ばし、創造性を培い、自主及び自律の精神を養うとともに、職業及び生活との関連を重視し、(②)を重んずる態度を養うこと。

三 . 正義と責任、男女の平等、自他の敬愛と協力を重んずるとともに、(③)に基づき、主体的に社会の形成に参画し、その発展に寄与する態度を養うこと。

四 . 生命を尊び、自然を大切にし、(④)の保全に寄与する態度を養うこと。

五 . (⑤)を尊重し、それらをはぐくんできた(⑥)と郷土を愛するとともに、他国を尊重し、国際社会の平和と発展に寄与する態度を養うこと。

5 次の選択肢の中で、学校教育法で定める学校の範囲に含まれない学校種の組み合わせは、あとの1〜5のうちどれか。

①防衛大学校 ②幼稚園 ③視覚特別支援学校 ④林間学校
⑤私立小学校 ⑥中等教育学校 ⑦国立大学法人立大学
⑧保育所 ⑨定時制高等学校 ⑩中学校 ⑪予備校

1. ②、⑤、⑧
2. ①、⑤、⑧、⑨
3. ②、④、⑦、⑨
4. ①、④、⑧、⑪
5. ④、⑤、⑧、⑨

6 次の、学校教育法に定める小学校および中学校の教育目的に関する条文のうち、それぞれの空欄に共通して入る語句を答えよ。

学校教育法第29条
　小学校は、心身の発達に応じて、（　①　）として行われる（　②　）のうち基礎的なものを施すことを目的とする。

学校教育法第45条
　中学校は、小学校における教育の基礎の上に、心身の発達に応じて、（　①　）として行われる（　②　）を施すことを目的とする。

7 学校の管理運営の基本に関する記述のうち、正しいものは次の1～5のうちのどれか。

1. 法に定める設置者経費負担原則にはいくつかの例外規定があり、たとえば国公立義務教育諸学校における授業料の無償もそれにあたる。

2. 授業を行わない日である休業日には通常のものと臨時のものがあるが、臨時の休業日は、非常変災または急迫の場合には校長が、感染症予防上は教育委員会が、それぞれ指定する権限を有している。

3. 公立学校（大学を除く）の夏季、冬季、学年末等における休業日は、当該学校の所在する都道府県の教育委員会が定める。

4. 公立学校（大学及び高等専門学校を除く）の学期は、当該学校を設置する市町村または都道府県の教育委員会が定め、私立学校の学期は当該学校の学則で定める。

5. 学校の管理には、人的管理・物的管理・運営管理があるが、大学を除く公立学校にあってはそのすべてにわたって都道府県の教育委員会が行うこととなっている。

8 次の①～⑩のうち、小・中学校に必ず配置しなければならない教職員を挙げよ。

　①校長　②副校長　③教頭　④主幹教諭　⑤指導教諭
　⑥教諭　⑦養護教諭　⑧栄養教諭　⑨事務職員　⑩用務員

9 設置基準に定める小・中学校の1学級あたりの教職員数と、児童・生徒数を答えよ。

10 教育課程に関する記述のうち、**誤っているもの**は、次の1～5のうちのどれか。

1. 教育課程の編成は校務をつかさどるという校長の職務権限のひとつであるが、その際には各種法令や教育委員会の規則等に従う必要がある。

2. 教育課程の基準は文部科学大臣が作成することになっているが、それは学校教育法施行規則と学習指導要領である。

3. 教育課程編成の特例はいくつかあるが、私立学校においては「道徳科」の時間を配置しなくてもよいということもそのひとつである。

4. 異なる2つ、もしくはそれ以上の学年で1学級を編制する場合においては、各教科等の内容等について学年の順序によらないことができる。

5. 教育課程とは、各教科等の目的・目標達成のために学年に応じて授業時数との関連において総合的に組織した各学校の教育計画のことである。

11 法に規定する「就学させる義務」について正しい内容であるのは、次の1～5のうちのどれか(就学免除、就学猶予者は除く)。

1. 義務教育なので、小学校・中学校のすべての教育課程を修了するまで就学させる。

2. 小学校のすべての教育課程を修了させた後、中学校では満15歳に達した日の属する学年の終りまで就学させる。

3. 満6歳に達した日の翌日以降における最初の学年の初めから、満15歳に達した日の属する学年の終りまで就学させる。

4. 「就学させる義務」は満15歳に達した日の属する学年の終りまでなので、それを過ぎたら学校で修学することはできない。

5. 高校は義務教育ではないが、中等教育学校では義務教育である前期課程と後期課程とが一体化しているため、6年の課程が義務とみなされる。

12 次の懲戒に関する文章の空欄に適語を入れよ。

(①)第11条で懲戒について規定しているが、そこでは校長と(②)が児童・生徒等に懲戒を加えることができるとしている。懲戒には叱責や起立といった(③)の懲戒と(④)としての懲戒があるが、後者についての詳細は(⑤)に規定されている。

13 懲戒について正しく述べているのは、次の1〜5のうちのどれか。

1. 幼稚園においては、ほかの学校種と同じく、園長および教員が園児の懲戒を行う。

2. すべての学校種における校長（大学にあっては学長または学部長）は、その学校において停学処分を行使することができる。

3. 教員による体罰は、本人ないし父母から民事責任の追及がなされることがあるが、業務の一環なので刑法が適用されることはない。

4. 放課後等の残留等、肉体的苦痛を伴わず、懲戒権の範囲内と判断されると考えられる行為は懲戒として認められる。

5. 教員は、軽いものならば懲戒としての体罰を加えることが慣習上許されている。

14 少年法に規定する「家庭裁判所の審判に付すべき少年」をすべて挙げよ。

15 教職員の職務の遂行に関して法的に<u>誤っているもの</u>は次の1〜5のうちどれか。

1. 卒業式に校長が病気で欠席したので、副校長が卒業証書を授与した。

2. 女性の教諭が出産休暇をとったので、代理に講師を採用し、教諭が担当していた授業を担当させた。

3. 養護教諭は養護をつかさどることが職務であって、教育をつかさどる者ではないが、保健・安全指導などを教室で行うことはできる。

4. 教頭は通年にわたって教科の授業を担当することができるが、副校長は担当できない。

5. 校長は教育をつかさどる職務ではないので、いかなる場合でも教壇に立って授業を担当することはできない。

16 教育公務員特例法の研修の規定について、空欄に適語を入れよ。

1. 教育公務員には、研修を受ける機会が与えられなければならない。

2. 教員は、（　①　）に支障のない限り、（　②　）の承認を受けて、（　③　）を離れて研修を行うことができる。

3. 教育公務員は、任命権者の定めるところにより、（　④　）のままで、（　⑤　）にわたる研修を受けることができる。

17 教育公務員の任用と初任者研修に関する各文について、法規上誤っているものをすべて選んでいるのは、あとの1～5のうちのどれか。

①市町村が設置する小学校・中学校・高等学校（定時制の課程の授業を担任する教諭等に限る）・特別支援学校の教諭等の初任者研修は、都道府県教育委員会が実施する。

②任命権者は、小学校等の教諭等に対して、その採用の日から6ヵ月間の教諭の職務の遂行に必要な施行に関する実践的な研修を実施しなければならない。

③小学校の教諭等の採用については、その職務を1年間良好な成績で遂行したときに、正式採用となる。

④地方公務員として1年以上勤務していた者が、公立小学校の教諭となった場合には、1年間の条件付採用の規定は適用されない。

⑤国立または私立学校で1年以上勤務した経験を有する者が、改めて公立小学校の教諭となった場合、初任者研修は任命権者の判断により対象外となることもあるが1年間の条件付き採用期間が規定されている。

⑥任命権者は、初任者研修を受ける者の所属する学校の校長・副校長・教頭・主幹教諭（養護または栄養の指導および管理をつかさどる主幹教諭を除く）・指導教諭または講師から、指導教諭を命じるものとする。

    1．①、②、③、④、⑤、⑥

    2．①、②、③、⑤、⑥

    3．①、②、④、⑤

    4．③、④、⑥

    5．②、⑥

18 地方公務員法に照らして、次の行為の場合の処分として適切なものを組み合わせよ。

①職の適格性欠如　②法令違反　③起訴された場合

④心身の故障　⑤職務義務違反　⑥勤務実績不良

⑦心身の故障による長期休養

ア・分限免職または降任　　イ・分限休職　　ウ・懲戒処分

19 教員の服務に関する説明として、地方公務員法に照らして適切なものは、次の1～5のうちのどれか。

1. 教員は、勤務時間中は職務に専念しなければならないが、授業のないときに調査等に出かけることは自分の判断で行ってかまわない。

2. 教員は、職務を遂行するに当って法令や上司の命令に従わなければならないが、授業内容については校長の指示よりも教員の判断が優先される。

3. 教員は、勤務中は職の信用を傷つけたりその職全体の不名誉となる行為をしたりしてはならないが、職務時間外の私的な時間はその限りではない。

4. 教員は、在職中は勤務している学校の児童・生徒等の秘密を第三者に漏らしてはならないが、退職後は発表してもさしつかえない。

5. 教員は、特定の政党その他政治団体のための政治的行為をしてはならないが、支持する候補者の講演を聞きに行くことはかまわない。

20 教員委員会およびその委員について誤っているものは、次の1～5のうちのどれか。

1. 教育委員はその自治体の首長が議会の承認を得て任命することになっているが、その委員の中に保護者が必ず含まれていなければならない。

2. 教育長は委員の中から互選によって選出するが、それは教育に関する識見を有する者、または教育に関する専門職にかかわる者でなければならないことになっている。

3. 教育委員の員数は、教育長を含めて、都道府県および市にあっては6人以上、町村にあっては3人以上とすることができるが、それらは条例によって決定する。

4. 教育委員の身分は、その委員会のおかれる自治体の非常勤職員ということになるが、ほかの公職との兼任などは一切禁じられる。

5. 教育委員会は自治体における教育行政をつかさどるが、そのすべてというわけではなく、たとえば教育関連予算については首長の権限となる。

21 学校保健・学校安全に関して、次の問いに答えよ。

①学校が学校保健に関してなすべきことを3点挙げよ。

②児童・生徒等の健康診断は、だれがいつ行うのか。

③感染症予防のために、児童・生徒等の出席を停止させる権限を有しているのはだれか。

教育心理 ※解答 P.296・297

1 次の文章の空欄に適語を入れよ。

心理学を哲学から分離し独立した科学として確立するために、（　①　）が心理学実験室をつくったころが現代心理学の始まりといわれている。その後、複雑な精神現象をいくつかの要素に分け心的現象を説明しようとした構成主義心理学に対し、（　②　）らは、心的現象は要素に分割することができないまとまりであるとした（　③　）心理学を提唱した。また、オーストリアの（　④　）は神経症の治療とその原因の究明から、（　⑤　）を生み出した。（　⑤　）は無意識を意識化することが重要とされるが、こうした目に見えないものを対象にするのではなく、観察可能で測定可能な行動を研究対象にすべきであると提唱したのはアメリカの（　⑥　）である。同じくアメリカの（　⑦　）は教育測定運動の父と呼ばれている。

2 次の文章を読み、各問いに答えよ。

イヌを使った唾液分泌の実験で古典的条件づけ理論を確立した（　①　）に対し、箱の中のネズミが餌を得るためにレバーを自発的に押すようになる実験結果から道具的条件づけ（オペラント条件づけ）を理論化したのが（　②　）である。

(1) ①・②に入る人物名を答えよ。

(2) 道具的条件づけ（オペラント条件づけ）の具体例として適切な組み合わせは、次の**(ア)～(オ)**のうちのどれか。

①赤ん坊が泣くたびに抱いてあやしていたら抱き癖がつき、うそ泣きするようになった。

②体罰を加えてから、親を怖がるようになった。

③自傷行為をしている子に優しく声をかけると、さらに自傷を招く。

④部屋を散らかす子に、そのつど厳しくしかって掃除をさせたら、散らかさなくなった。

⑤泣いている赤ん坊にミルクを与えたら、泣き止んだ。

　　(ア)－①・③　**(イ)**－①・④　**(ウ)**－②・③　**(エ)**－②・⑤
　　(オ)－④・⑤

3 次の学習に関する学説について、その説を唱えた人物を答えよ。

①場の理論　②洞察説　③試行錯誤説　④モデリング理論

4 記憶について適切なものは、次の1〜5のうちのどれか。

1. 記憶は、一般に時間がたつにしたがって忘却されると考えられているが、逆に一定時間たった後のほうが記憶の再生率がよいラーニングセットという現象があることも知られている。

2. エビングハウスは自らを被験者として記憶の実験を行い、系列位置曲線を描いて忘却の推移を明らかにした。

3. 以前の学習がその後の学習に影響を及ぼすことを初頭効果という。

4. 記憶の単位をチャンクと呼び、通常、短期記憶として覚えられるのは7±2チャンクであるといわれている。

5. 記憶材料を順番に覚えていくと、初めのころに覚えていたものは比較的よく覚えている現象を親近性効果という。

5 学習についての解説で<u>誤っているもの</u>は、次の1〜5のうちのどれか。

1. 意図学習とは、あとでテストがなされるという予告教示が与えられて行うような学習のことをいう。

2. 分散学習と集中学習とでは、一般的に、学習者の年齢が若いほど、また能力が低いほど、分散学習のほうが効果的であるといわれている。

3. ある経験や学習が、後の学習に影響を与えることを学習の転移というが、そのうち、先行学習が後続学習を助ける場合を正の転移という。

4. 学習者の年齢が若いほど、また能力が低いほど、学習量が多く困難なものほど、全習法のほうが分習法より効果が上がるとされている。

5. 適性処遇交互作用とはクロンバックが提唱したもので、個々の学習者の特性に即して教授法の最適化が図られるべきという考え方である。

6 プラトー現象について説明せよ。

7 動機づけに関する記述で**誤っているもの**は、次の1 ～ 5のうちのどれか。

1. 動機づけられた行動には、誘因と呼ばれるその行動の目標となる対象がある。ある行動において、ある誘因に対する動因は固定している。

2. 動機づけは、生理的動機づけと社会的動機づけとに大別できるが、後者は親和動機と達成動機に分類できる。

3. 内発的動機づけは行動自体を目標とし、その源泉となるものは知的好奇心である。

4. 外発的動機づけでは行動自体は手段となり、賞や罰をめぐって行動するような場合をいう。

5. 動機づけとは、動因または欲求があって、それによって行動へと向かわせるメカニズムのことをいう。

8 発達に関する次の各文で説明される学説の提唱者を答えよ。また、空欄に入る適語を答えよ。

1. 双生児統制法の実験を行い、人間の発達は成熟によって決定されると考え、物事の習得能力が備わった期間の学習は無理なく身につくという（ ① ）の概念を提唱した。

2. 養育者の愛情を受けずに育った子どもに生じる（ ② ）などの症状の原因となるのはマターナル・デプリベーション（＝ 母子相互作用欠如）である、と発表した。

3. 発達には2つの水準があり、ひとつは子どもが自力で解決できる領域であり、一方は他人の援助によって解決できるようになる水準であるとし、後者を「発達の最近接領域」と呼び、発達を促すことを唱えた。

4. 子どもの論理的思考の発達を4段階に分けて説明し、発達は同化と調節が（ ③ ）に向かうものである、とした。

5. 遺伝と環境の両要因が相互浸透的に作用し、発達を規定するとする「（ ④ ）」の立場をとり、遺伝的資質は環境要因から受ける影響の程度により、開花のしかたが違うという「環境閾値説」を提唱した。

9 スキャモンの発達曲線について、次の問いに答えよ。

①12～13歳ころから急発達する発達型はなにか。

②6歳くらいで成人の約90％ まで発達する発達型はなにか。

10 次の文章を読み、次の1〜2の各問いに答えよ。

　スイスの発達心理学者（　①　）は、認知発達、特に思考の発達について、4段階説を提唱し、そのそれぞれについて、0〜2歳頃を（　②　）期、2〜7歳を（　③　）期、7〜12歳頃を（　④　）期、12歳頃以降を（　⑤　）期とした。（　①　）はまた、発達とは、「同化」と「調節」が「（　⑥　）」に向かっていくことであるとした。言語の発達についても言及しており、幼児の言語発達を、（　⑦　）言語から（　⑧　）言語への移行の過程であるとした。この（　①　）の言語発達理論に異論を唱えたのが（　⑨　）であり、彼は（　⑩　）が（　⑪　）に発展すると主張した。

1. 空欄に適する語句を答えよ。

2. （　④　）の時期に該当する特質を次の**ア〜カ**からすべて選べ。

　ア. 形の変化にとらわれずに、数量を正しく判断することができるようになる。

　イ. 仮説演繹という方法によってイメージを操作し、思考することができる。

　ウ. 感覚や運動操作によって、直接的に対象を認知する。

　エ. 思考が自己中心的で、一般化、抽象化はできない。

　オ. 思考の脱中心化が図られる。

　カ. 科学的思考力に必要な知的能力が完成する。

11 次は青年期の心理的特徴について述べたものであるが、それぞれの特徴を掲げて青年期を説明した研究者を答えよ。

　①青年心理学の創始者であり、青年期の特徴を「疾風怒濤」と表現した。

　②乳児の生理的離乳に対して、青年期は親や大人から心理的に独立するので、心理的離乳と呼んだ。

　③青年期には「自分とはなにか」を自問し、それに確信的に答えられることが重要課題である。それができることをアイデンティティの確立、とした。

　④子どもと大人の間にいることから、マージナル・マン（境界人）と呼んだ。

12 性格理論に関する次の記述の空欄に適語を入れよ。

性格理論は大きく（　①　）論と（　②　）論に大別される。前者はパーソナリティを客観的に捉えやすい特徴を型で説明し、後者は因子分析という統計的手法により性格を示していこうとするものである。（　①　）論には性格を外向・内向の2つに類型化した（　③　）や、精神病と体格との関連から体質と人格について論じた（　④　）、（　④　）の追研究をして体質類型論を提唱した（　⑤　）等がいる。また、（　②　）論は心誌（サイコグラフ）を作成した（　⑥　）、モーズレィ病院の精神病患者の分析から内向・外向、神経質傾向に類別した（　⑦　）がいる。（　⑧　）も表面特性と根源特性から因子を探った。

13 次の説明に該当する性格検査名を答えよ。

①左右対称のインクの染みの図版を用い、被験者にその印象を自由に言語表現させる。

②紙面に樹の絵を描かせ、その描き方や形状、位置などによって人格特性を測定する。

③ランダムな1桁の数字の連続加算作業の繰り返しによって得られる作業曲線から、人格を測定する。

④特性を多面的に把握して神経症的不適応を判別する目的で、550の質問項目によって10の主要な人格特性を測定する。

⑤日常生活において経験するような欲求不満場面の絵を提示し、絵の中の人物のセリフに対してどのように応えるか記述させる検査。

14 次の文章の空欄に適語を入れよ。

2つ以上の強さがほぼ等しく、互いに相容れない欲求が同時に存在して、その選択に迷う心理状態を（　①　）という。（　①　）は3つの型に分類されるが、2つのプラスの誘引性のある目標にはさまれるものを（　②　）型、2つのマイナスの誘引性のある目標にはさまれるものを（　③　）型、プラスとマイナスの誘引性のある目標を同時にもつ場合を（　④　）型という。これらは「場の理論」を提唱した（　⑤　）によって体系化された。

15 次の説明に該当する適応機制の名称を答えよ。

1. そのまま表出すると社会的に容認されない行動を、容認される形にして欲求充足すること。

2. 弟や妹が生まれて急に赤ちゃん言葉を使うようになるなど、未熟な段階に戻り、欲求充足を図ろうとすること。

3. イソップ物語にある、キツネが高い木になっているブドウを取れなかったときに、「あのブドウは酸っぱい」と言い訳をすること。

4. 自分の欠点や弱点をほかの面を強調することで補うこと。たとえば数学の不得手な生徒が、その代わりに英語や国語をより一層頑張るようなこと。

5. 「くさいものにふた」という諺のように、心の安定を脅かし、不安や苦痛を招くおそれのある欲求や願望・記憶などを意識から締め出し、無意識の中に閉じ込めること。

16 次の発達障害、心因・適応障害の症状に該当する診断名を答えよ。

1. コミュニケーション障害の一種で、言語能力に問題があり、興味や関心が狭く特定のものにこだわるなどの特性があるものの、知的発達の遅れを伴わない（IQがおおむね70以上）。3歳くらいまでに発現する。

2. ある強烈な体験のあと、それが心的外傷体験（トラウマ）となり不眠、情緒不安定等の症状がみられるようになり、これが1ヵ月以上続いたときに診断がくだる。

3. 全般的な知的発達の遅れはないが、聞く、話す、読む、書く、計算する、または推論する能力のうち特定のものの習得と使用に著しい困難を示す、様々な状態を指す。

4. 7歳以前に発現し、その症状が継続する。集中力、注意力に欠け、社会的な活動や学業の機能に支障をきたす。後天的なものではなく、生得的な脳の障害により起きると考えられる。

5. 青年期、特に大学生にみられる不適応現象のこと。無感動、無気力、無関心を特徴とし、特別な理由もなく学習や社会への関心や意欲を失ってしまう。

17 次の心理療法の名称と発案者を答えよ。

①主に対人恐怖の治療に効果的とされ、家庭的な雰囲気の中で、臥床や作業を通して健康的な態度形成と自己実現を目指す療法。

②台本のない即興劇を演じることによって自発性や創造性を高め、問題解決を図る療法。

③不安階層表を作成し、それに従い段階的に不安を克服させるという不安解消を目的とした療法。

④砂の入った箱と動物などの玩具を用意して自由に箱庭を作らせることによって問題解決を図る療法。

18 形成的評価について述べているものを次の①〜⑤からすべて選べ。

①学年、学期の初めに、児童・生徒の学習の準備状態を知るための評価である。

②学習指導の進行中に行われる。

③一定教材の学習指導の終了時、学年、学期の終了時に行われる。

④授業中に教師が発問したりしてだれが、どこで、どのようにつまずいているかを確かめて、次の指導に生かそうとするものである。

⑤児童・生徒の知能、性格などの特性や、それまでに習得した学力を把握して、今後の指導計画や指導法に役立てるためのテストや評価である。

19 次のそれぞれについて、何の説明であるか答えよ。

1. 自分や他人を、評価する特性とは関係なく、好ましい特性については高く、好ましくない特性については寛大に評価する傾向のこと。

2. 論理的に関係がありそうな評価要素について、推論によって同じような評価をしてしまう傾向のこと。

3. 評定者が、極端な評価を避けて、大体真ん中の平均的な評価を行いやすい傾向のこと。

4. 教師が期待を持った児童生徒が、教師の期待の方向に沿って実際に変化する現象のこと。

5. 評価の際に、評価対象ではない側面が影響し、評価が一定の方向に傾くこと。

教育史

※解答 P.297

1 ヨーロッパ古代から近世における教育に関する解説で正しいものは、次の1〜5のうちのどれか。

1. 古代ギリシアに誕生したポリスでは、それぞれのポリスの事情に即した教育が行われたが、その中でも特徴的であったのはアテネ（アテナイ）の教育で、いわゆるスパルタ式教育と呼ばれる非常に厳しい人格形成教育が行われた。

2. ギリシア3大哲人の1人で、ソクラテスの弟子であったアリストテレスは、アテネ郊外にアカデメイアと呼ばれる学塾を創設し、研究と教育に尽力した。『国家』において、為政者は哲学を学ぶ必要があるとする「哲人教育」を唱えた。

3. 古代ローマでは、当初は家庭教育による道徳的身体的訓練に重点を置いたが、共和政後期に入るとギリシアの学校制度の模倣が始まり、修辞学校と呼ばれる初等学校が作られ、そこから分離する形で文法学校と呼ばれる中等学校が、さらには高等教育機関（ルドゥス）が作られた。

4. 13世紀に入るとヨーロッパ各地に大学が設立されるようになるが、その嚆矢は北イタリアの法学の中心とされたボローニャ大学であった。こうした大学の発展とともに市民階級の進展に伴って市民学校が開設され、上流市民対象のギルド学校や下層市民対象の公衆学校が創設された。

5. 宗教改革の主導者・ルターは聖書主義の立場から万人が聖書を読めるようにするための母国語による公立初等学校の創設と、そこへの就学義務の必要性を訴えた。また、ルターの協力者であったブーゲンハーゲンは初等教育の領域で活躍し、「ドイツ国民学校の父」と呼ばれた。

2 次の①〜④の人物と、それぞれ関係の深いものをA群、B群から1つずつ選んで、適切に組み合わせよ。

①コメニウス　②ロック　③カント　④バゼドウ

A群　ア・ドイツ観念論　イ・教授学の祖　ウ・汎愛主義　エ・精神白紙説
B群　a・初等教授書　b・教育論　c・大教授学　d・教育学

3 次の文章の空欄に適語を入れよ。

　哲学者・政治思想家として名高いルソーは、教育思想について最も重要な著書として「教育について」という副題をもつ『（　①　）』を著した。この中で彼は「（　②　）による教育」（本来の教育）「（　③　）による教育」（経験的学習）を「（　④　）による教育」（身体諸器官の発達）に合致させる（　⑤　）教育を提唱し、子どもの子どもとしての価値を認め、子ども本来の形で成長させることの重要性を説いている。一方、ルソーに大きな影響を受けたペスタロッチは、農場経営の失敗、さらには貧民学校経営の失敗を通じて教育に目覚め、処女作『（　⑥　）』の成功で一躍有名となった。この作品の冒頭、「（　⑦　）にあっても、木の葉の陰に住まっても同じ人間、その（　⑧　）からみた人間、そも彼は何であるか」という冒頭の一節は有名である。彼は、教育の目的を、子どもが（　⑨　）的、道徳的、身体的に調和のとれた発達をするように（　⑩　）するところとする（　⑪　）の思想を主張した。そしてその思想を実現するために、労働しながら知識を修得し、常に実物に接触しながら具体的に認識させようとする（　⑫　）の方法を提唱している。

4 解説として誤っているものは、次の1〜5のうちのどれか。

1. ヘルバルトは教育学を体系的に構築することを試み、教育の目的を心理学に、教育の方法を倫理学に求めた。また、認識は「専心」と「致思」の組み合わせによるとして、教授の段階説を唱えた。

2. フレーベルは、すべての子どもは神性を宿し、これを啓発するのが教育であるとする児童中心主義の立場に立ち、そのうえで、子どもの発展は自然の連続的発展に従わなければならないとした。

3. フレーベルは教育遊具を「恩物」と名付けた。「恩物」は第1から第20まであり、すべて幾何学的基本形と一定の数、大きさ、色彩をもち、全体から部分、既知から未知、具体から抽象へと整然と配列される。

4. 「為すことによって学ぶ」という経験主義の立場に立ったのがデューイである。彼は、学習は児童の自発的活動を中心になされるべきとする児童中心主義を重視したことでも知られる。

5. デューイやパーカースト達をアメリカでは進歩主義教育者という。パーカーストは時間割や教室での一斉授業を廃したドルトン・プランの提唱、実践者として有名で、日本にも大きな影響を与えた。

5 次の江戸時代の教育に関する解説の空欄に適語を入れよ。

　江戸時代の教育は、幕府によるものとしては（　①　）学問所があった。そこでは、寛政の改革以後は、正学とする（　②　）以外は講ずることを禁じられていた。また、各藩には学問所として（　③　）があり、会津藩の（　④　）、水戸藩の（　⑤　）、萩藩の（　⑥　）、薩摩藩の（　⑦　）などが有名である。庶民の多くは（　⑧　）に通った。そこでは、（　⑨　）という書簡体の教本を用いて、（　⑩　）という反復学習を中心に、上級生や先学者が下級・初学者を教える（　⑪　）という方法もとられた。学問が進むと師匠が自らの学派や流派の奥義を教える（　⑫　）・私塾に行く者もあった。有名なところでは、「堀川塾」とも呼ばれた伊藤仁斎の「（　⑬　）」、（　⑭　）の「咸宜園」、吉田松陰の「（　⑮　）」、（　⑯　）の「適塾」、シーボルトの「（　⑰　）」などがあった。

6 明治期の教育制度に関する解説で、正しいものは次の1〜5のうちのどれか。

1. 明治新政府は「学制」を発布するとともに文部省を設置して、学制の実施をはじめとする中央教育行政を担わせた。しかし、「学制」の内容が当時の日本の現状とかけ離れていたことや、その実施には多額の国家財政を必要とすることから、「学制」は早々に廃止された。

2. 「学制」についで発布されたのが「教育令」であった。「教育令」は、国家統制を強化し義務就学も4年間を厳守することとするなど極めて厳格なもので、国民の反発によって就学率が下がったため、明治政府は就学条件の緩やかな「第2次教育令」に変えた。

3. 内閣制度ができ、初代文部大臣に森有礼が就任すると、小学校令・中学校令・師範学校令・帝国大学令からなる「学校令」を発布した。小学校令では、尋常・高等の各小学校を設け、そのうち、尋常小学校4年間を義務とした。

4. 小学校令は何度か改正されたが、第2次小学校令では市町村に小学校設置義務を課すとともに修業年限を6年とした。続く第3次小学校令では授業料の無償化を図り、ここに、義務化・学校設置義務・無償制がそろい、日本での義務教育制度が確立した。

5. 大日本帝国憲法において、教育は納税・兵役とともに国民の3大義務のひとつとして規定された。また、憲法が制定され法制度が整ったにもかかわらず、教育に関連する規定は法としてではなく、天皇の勅命などとして発令される勅令主義をとった。

7 大正期の教育状況についての、次の文章の空欄に適語を入れよ。

1917(大正6)年、寺内正毅内閣直属の教育に関する重要事項の諮問・審議機関として（ ① ）が設置され、1年8ヵ月の審議を経て出された答申にもとづいて高等教育機関の改革が行われた。帝国大学令に代えて大学令が発布され、帝国大学以外に都道府県による（ ② ）大学、財団法人による（ ③ ）大学の設置が可能となり、（ ④ ）が早稲田大学となるなど、大正年間に20以上の私立大学が新設された。同時に高等学校令も改正され、従来の（ ⑤ ）スクール以外の、官・公・私立高校が設置された。また、答申にもとづいて市町村立学校教員の給与の半額を国が負担するという市町村（ ⑥ ）法が成立した。また、この時期は大正デモクラシーの波が教育にも波及し、樋口長市・手塚岸衛らによる（ ⑦ ）や、（ ⑧ ）による成城小学校、小原國芳による（ ⑨ ）などの私立学校の設立や、官立の師範学校附属小学校での、たとえば（ ⑩ ）の分団式動的教育法の提唱など、新たな試みが行われた。

8 戦後の教育改革について、次のA ～ Fの出来事を起こった順に正しく並び替えよ。

A. 学習指導要領が法的拘束力をもつものとなる。

B. GHQ が教育に関する四大指令を発令する。

C. 教育基本法・学校教育法が施行される。

D. 第1次アメリカ教育使節団が来日する。

E. 教育委員会法が制定される。

F. 教育刷新委員会が発足する。

9 次の各問いに答えよ。

①臨時教育審議会を設置した首相はだれか。

②教育基本法改正の提言を含む17の提案の報告書の提出先であった首相はだれか。

③教育再生会議を設置した首相はだれか。

④教育基本法の改正を行った首相はだれか。

本試験対策 実力チェック問題　解答

教育原理

1 ①伝達主義　②助成主義
　③エミール
　④ペスタロッチ
　⑤恩物　⑥フレーベル

2 5(デューイ『学校と社会』)

3 明瞭→連合→系統→方法

4 4

5 1

6 ①パーカースト　②時間割
　③一斉授業　④自由と協同
　⑤社会化　⑥主要教科
　⑦副次教科　⑧実験室
　⑨契約　⑩配当表　⑪一斉
　⑫成城学園

7 (d)〈昭和33年版〉
　→(e)〈昭和43年版〉
　→(b)〈昭和52年版〉
　→(c)〈平成元年版〉
　→(a)〈平成10年版〉

8 3 ※国旗・国歌の指導は特活で

9 ①教育基本法　②生きる力
　③知識　④思考力　⑤道徳
　⑥豊かな心

10 4

11 5

12 (1)-(a)　(2)-(c)
　(3)-(d)

13 (1)①人間尊重
　　②個性豊か
　　③民主的
　　④主体性
　(2)ア 自分自身　イ 人
　　ウ 社会　エ 崇高

(3)道徳性は権威や強制によっ
　て養われるものではなく、子
　どもの内面に善を志向する
　性向が生じることが大切だ
　からである。

14 ①形成者　②自主的
　③よさ　④集団　⑤自己

15 ①学習指導　②特定の教科等
　③すべての領域
　④自発性・自主性
　⑤自律性　⑥主体性
　※④～⑥は順不同

16 5

17 5

18 ア(E のみ)

19 1・2・5

20 (1)学習障害(LD：Learning
　　Disability)
　(2)通級指導
　(3)知的障害者

21 1

22 3

教育法規

1 (1)ア・能力　イ・権利
　(2)日本国憲法第26条(第1項)
　(3)d ※社会的基本権のひとつ

2 3

3 ①人格　②平和　③資質
　④国民

4 ①道徳心　②勤労
　③公共の精神　④環境
　⑤伝統と文化　⑥我が国

5 4

6 ①義務教育　②普通教育

7 4　※2の「教育委員会」は「学校の設置者」

8 ①・⑥

9 教職員数＝1人

児童・生徒数＝小学校35人、中学校40人

10 3　※「宗教」の時間を設ける場合に限る

11 3

12 ①学校教育法　②教員

③事実上　④処分

⑤学校教育法施行規則

13 4　※正当防衛等正当な行為も認められる

14 ◎犯罪少年　◎触法少年

◎虞犯少年

15 5

16 ①授業　②本属長

③勤務場所　④現職

⑤長期

17 5

18 ①‐ア　②‐ウ　③‐イ

④‐ア　⑤‐ウ　⑥‐ア

⑦‐イ

19 5

20 2

21 ①健康診断・環境衛生検査・保健指導

②だれが＝学校

い　つ＝毎学年定期に(原則6月30日までに)

③校長

教育心理

1 ①ヴント

②ウェルトハイマー

③ゲシュタルト

④フロイト

⑤精神分析　⑥ワトソン

⑦ソーンダイク

2 (1)①パブロフ

②スキナー

(2)(イ)

3 ①＝レヴィン

②＝ケーラー

③＝ソーンダイク

④＝バンデューラ

4 4

5 4

6 高原現象ともいい、一定の学習(練習)の成果があったあとに、いくら学習(練習)を重ねても成果の上昇が見られない停滞状況のこと。

7 1

8 1. ゲゼル　2. ボウルビー

3. ヴィゴツキー

4. ピアジェ

5. ジェンセン

①レディネス　②発達遅滞

③均衡化　④相互作用説

9 ①生殖型　　②神経型

10 1. ①ピアジェ　②感覚運動

③前操作　④具体的操作

⑤形式的操作　⑥均衡化

⑦自己中心的　⑧社会的

⑨ヴィゴツキー　⑩外言

⑪内言

2. ア・オ

11 ①ホール

②ホリングワース

③エリクソン

④レヴィン

12 ①類型　②特性　③ユング
　　④クレッチマー
　　⑤シェルドン
　　⑥オルポート
　　⑦アイゼンク
　　⑧キャッテル
13 ①ロールシャッハ・テスト
　　②バウム・テスト
　　③内田・クレペリン精神作業検査
　　④MMPI　⑤P-Fスタディ
14 ①葛藤
　　　（コンフリクト=conflict）
　　②接近—接近
　　③回避—回避
　　④接近—回避　⑤レヴィン
15 1. 昇華　2. 退行
　　3. 合理化　4. 補償
　　5. 抑圧
16 1. 高機能自閉症
　　2. 心的外傷後ストレス障害
　　　（PTSD）
　　3. 学習障害（LD）
　　4. 注意欠如多動性障害
　　　（ADHD）
　　5. スチューデント・アパシー
17 ①森田療法—森田正馬
　　②心理劇（サイコドラマ）
　　　—モレノ
　　③系統的脱感作法—ウォルピ
　　④箱庭療法—ローウェンフェルド
18 ②・④
19 1. 寛大（寛容）効果
　　2. 論理的錯誤　3. 中心化傾向
　　4. ピグマリオン効果
　　5. ハロー効果

教育史

1 5
2 ①イ—c　②エ—b
　　③ア—d　④ウ—a
3 ①エミール　②人間
　　③事物　④自然　⑤消極
　　⑥隠者の夕暮
　　⑦玉座の上　⑧本質　⑨精神
　　⑩援助　⑪3H's
　　⑫直観教授
4 1
5 ①昌平坂　②朱子学
　　③藩校（藩黌・藩学）
　　④日新館　⑤弘道館
　　⑥明倫館　⑦造士館
　　⑧寺子屋　⑨往来物
　　⑩手習い　⑪友教え
　　⑫家塾　⑬古義堂
　　⑭広瀬淡窓　⑮松下村塾
　　⑯緒方洪庵　⑰鳴滝塾
6 3
7 ①臨時教育会議
　　②公立　③私立
　　④東京専門学校
　　⑤ナンバー
　　⑥義務教育費国庫負担
　　⑦八大教育主張
　　⑧沢柳政太郎　⑨玉川学園
　　⑩及川平治
8 B → D → F → C → E → A
9 ①中曽根康弘　②森喜朗
　　③安倍晋三　④安倍晋三

索　引

298

299

は行

ま行

■ **著者：LEC東京リーガルマインド(LEC)**

1979年、司法試験の受験指導機関として創立して以来、教員や国家公務員、地方公務員、警察官、消防官などの公務員試験をはじめ、司法書士、弁理士、行政書士、社会保険労務士、土地家屋調査士、不動産鑑定士、中小企業診断士、宅地建物取引士、公認会計士、税理士、日商簿記など各種資格・国家試験の受験指導を行う総合スクール。法人研修事業、雇用支援事業、教育出版事業、大学・大学院運営といった人材育成を中心とする多角的経営を行っている。現在、100資格・試験を取り扱い、全国に直営校30校、提携校19校(2024年7月現在)を展開しており、2019年に創立40周年を迎えた。

【LEC東京リーガルマインド】
〒164-0001東京都中野区中野4-11-10 アーバンネット中野ビル
https://www.lec-jp.com/

LEC教員採用講座に関する最新情報は、
LEC公務員サイト https://www.lec-jp.com/koumuin/ をご覧ください。

【監修】志村信幸 【執筆】大野貴洋(教育原理・教育法規)、加藤賓和(傾向と対策・教育心理・教育史)

本書に関する正誤等を含む最新情報は、下記のURLをご覧ください。

https://www.seibidoshuppan.co.jp/info/kyouinsaiyo-k2408

上記アドレスに掲載されていない箇所で、正誤についてお気づきの場合は、書名・発行日・質問事項・氏名・住所・FAX番号を明記の上、**成美堂出版**まで**郵送**または**FAX**でお問い合わせください。

※電話でのお問い合わせはお受けできません。
※本書の正誤に関する質問以外にはお答えできません。また、受験指導などは行っておりません。
※ご質問の到着確認後10日前後で、回答を普通郵便またはFAXで発送致します。
※ご質問の受付期限は、2025年の7月末日到着分までと致します。ご了承ください。

これだけ覚える 教員採用試験 教職教養 '26年版

2024年9月20日発行

著　者　LEC東京リーガルマインド

発行者　深見公子

発行所　成美堂出版
　　　　〒162-8445　東京都新宿区新小川町1-7
　　　　電話(03)5206-8151 FAX(03)5206-8159

印　刷　株式会社フクイン